Introduction aux communications d'affaires

3e édition

Hélène Dufour

Consultant en nouvelle grammaire
Gaëtan Clément

Rédaction des bulles informatiques
Sylvie Savard
Centre de formation professionnelle l'Oasis

CHENELIÈRE
ÉDUCATION

Introduction aux communications d'affaires – 3ᵉ édition

Hélène Dufour

© 2004, 2000, 1996 Les Éditions de la Chenelière inc.

Éditrice : Annie Fortier
Coordination : Solange Tétreault
Lecture éditoriale : Linda Thibeault
Révision linguistique : Liane Montplaisir
Correction d'épreuves : Danielle Maire
Conception graphique : Josée Bégin
Infographie : Claude Bergeron
Conception de la couverture : Josée Bégin et Hélène Dufour

Données de catalogage avant publication (Canada)

Dufour, Hélène, 1944-

    Introduction aux communications d'affaires, 3ᵉ éd.

    Comprend des réf. bibliogr. et un index.

    Pour les étudiants du niveau secondaire et collégial.

    ISBN 2-7651-0339-9

    1. Correspondance commerciale. 2. Français (Langue) – Français commercial. 3. Style commercial. 4. Bureautique. I. Titre.

HF5728.F7D832 2004   808.066651041   C2004-940790-2

CHENELIÈRE
ÉDUCATION

5800, rue Saint-Denis, bureau 900
Montréal (Québec) H2S 3L5 Canada
Téléphone : 514 273-1066
Télécopieur : 514 276-0324 ou 1 800 814-0324
info@cheneliere.ca

ISBN-13: 978-2-7651-0339-4

Dépôt légal : 2ᵉ trimestre 2004
Bibliothèque nationale du Québec
Bibliothèque nationale du Canada

Imprimé au Canada

7 8 9 10 11 M 20 19 18 17 16

Dans cet ouvrage, le masculin a été utilisé dans le but d'alléger le texte. La lectrice et le lecteur verront à interpréter selon le contexte.

Gouvernement du Québec – Programme de crédit d'impôt pour l'édition de livres – Gestion SODEC

Ce projet est financé en partie par le gouvernement du Canada

L'Éditeur a fait tout ce qui était en son pouvoir pour retrouver les copyrights. On peut lui signaler tout renseignement menant à la correction d'erreurs ou d'omissions.

Table des matières

Liste des tableaux

Avant-propos

La deuxième édition d'*Introduction aux communications d'affaires* a reçu un accueil favorable auprès des enseignants, des élèves et du personnel de bureau qui se soucient de la qualité de leurs communications d'affaires. Les commentaires formulés m'ont incitée à préciser des notions déjà traitées et à introduire des ajouts qui tiennent compte de l'évolution des méthodes d'enseignement de la langue française et des nouveaux moyens de communication.

La présente édition répond aux questions qui surgissent quotidiennement au moment de rédiger et de mettre en pages différents types de documents d'affaires. Des précisions ont été apportées sur les sujets suivants :

- les composantes de la lettre et de l'enveloppe;
- la note, le communiqué et le rapport;
- le plan et la rédaction de lettres dans diverses circonstances;
- l'ordre du jour et le procès-verbal de réunion;
- le curriculum vitæ, la lettre de présentation et divers documents relatifs à l'emploi.

Certains chapitres mettent particulièrement en évidence l'importance de bien rédiger et la nécessité d'adopter le style spécifique à la correspondance d'affaires. Il s'agit de ceux qui traitent des points suivants :

- le style et la syntaxe dans la correspondance d'affaires;
- la numération, la majuscule, les abréviations et la ponctuation;
- les anglicismes, les solécismes et autres impropriétés;
- la grammaire, sous forme de tableaux.

Les principaux ajouts concernent, entre autres, les questions suivantes :

- la disposition des éléments d'une carte professionnelle;
- la note explicative et le commentaire;
- un protocole téléphonique efficace;
- l'acheminement de messages par courrier électronique;
- quelques normes générales de typographie;
- la citation de documents électroniques dans une bibliographie;
- le curriculum vitæ électronique et le curriculum vitæ par compétences.

De plus, le guide grammatical présenté au chapitre 11 a été mis à jour selon la nouvelle grammaire.

On y trouve également des notions de bureautique liées à la présentation de divers documents. Elles sont précédées du pictogramme ▣.

À ces indications s'ajoutent des bulles informatiques qui suggèrent l'utilisation de certaines fonctions d'un logiciel de traitement de texte pour effectuer la mise en pages d'un document. N'hésitez pas à consulter la rubrique « Aide » de votre logiciel pour plus d'information.

Par ailleurs, une méthode de relecture et des grilles de vérification de différentes communications écrites sont proposées. Elles indiquent les points importants à réviser et soulignent l'importance de la précision dans tout type de document.

Enfin, l'entrevue de sélection est abordée en complément de la présentation des documents relatifs à l'emploi.

Ce volume est accompagné de cahiers riches en exercices dont la majorité doivent être mis en forme à l'aide d'un logiciel de traitement de texte.

La mise à jour du présent volume tient compte des normes mentionnées dans les ouvrages récents publiés par l'Office de la langue française.

Je souhaite que cet ouvrage soit un outil de travail pour toutes les personnes qui ont à rédiger et à faire la mise en pages de diverses communications d'affaires.

Hélène Dufour

1

La disposition de la correspondance d'affaires

Objectif général

Lire, transcrire et mettre en forme le courrier d'affaires simple et complexe.

Objectifs intermédiaires

- Connaître les éléments de la lettre d'affaires.
- Observer les règles de mise en forme des lettres d'affaires simples ou complexes.
- Utiliser une méthode de relecture des différentes zones de la lettre d'affaires.
- Adresser correctement une enveloppe et une étiquette.

1.1 Généralités

Pour les gens d'affaires, la lettre demeure un moyen privilégié de communiquer efficacement des renseignements, des demandes, des offres, etc. Même si les techniques de pointe apportent une aide appréciable dans la présentation et dans la correction d'erreurs orthographiques et grammaticales, il n'en demeure pas moins que des habiletés spécifiques sont nécessaires pour inscrire correctement les différentes composantes de la lettre. Des normes précises touchent leur ordre de présentation. Sans vous préoccuper, pour le moment, de la rédaction du texte proprement dit, vous examinerez dans ce chapitre le contenu et la disposition des différents éléments de chacune des composantes de la lettre.

La date, l'adresse du destinataire, les mentions spéciales, la formule de salutation et la signature de l'expéditeur font partie intégrante de toute lettre et obéissent à un usage qui a peu de variantes dans les communications d'affaires. Même si les entreprises utilisent fréquemment des lettres types, selon les cas traités, l'inscription des quelques éléments personnalisés requiert toute votre attention. C'est la raison pour laquelle vous pourrez mettre en pratique une méthode de relecture des trois zones de la lettre afin de vérifier votre travail et d'acquérir la précision recherchée par les milieux d'affaires.

Avant d'examiner les composantes de la lettre d'affaires, voyons en quoi elle se différencie des lettres à caractère personnel.

1.2   *Les différences entre les lettres à caractère personnel et la lettre d'affaires*

À la suite d'une première lecture des trois lettres présentées ci-dessous et à la page suivante, vous pouvez remarquer que les différences entre ces types de lettres concernent deux points principaux : la disposition et la formulation.

La lettre amicale (lettre 1) n'est assujettie à aucun protocole épistolaire. Elle se caractérise par la spontanéité des propos et par une disposition variant au gré de la fantaisie de l'expéditeur. Cette affirmation est confirmée par les observations suivantes : format et couleur de papier, écriture le plus souvent manuscrite, liberté d'expression, absence de marqueurs de relation entre les idées exprimées, phrases exclamatives et interrogatives, tutoiement et emploi de termes affectifs. La lettre à caractère personnel peut également avoir pour objet certains faits de la vie courante : demande de renseignements, détails à préciser dans le cas d'une erreur, etc.

Même si plusieurs situations peuvent être réglées par un simple appel téléphonique, certaines nécessitent l'envoi d'une lettre. Dans ces cas, quelques caractéristiques de la lettre d'affaires sont retenues (lettre 2). Ainsi en est-il de l'inscription des éléments suivants : lieu et date, adresse complète du destinataire, description des faits dans le texte de la lettre, signature et adresse de l'expéditeur. Quant à la présentation, elle peut être manuscrite ou dactylographiée et ne doit pas obligatoirement respecter les normes régissant l'inscription des éléments de la lettre d'affaires. Ce type de lettre se caractérise par l'emploi du « je », le vouvoiement du destinataire et l'utilisation d'un vocabulaire courant.

Enfin, la lettre d'affaires (lettre 3) rédigée au nom d'une entreprise répond à des normes de disposition et de rédaction propres à ce type de message. Un relevé de ses principales caractéristiques est présenté au tableau 1.1 (*voir la page 6*).

Lettre 1 – Lettre amicale

Québec, le 28 juillet 20xx

Chère Sophie,

Quel merveilleux voyage! Mes bagages sont à peine défaits que je m'empresse de te remercier pour le séjour passé chez toi. Je suis revenue la tête pleine d'images merveilleuses et de souvenirs extraordinaires. Toutes les visites et les randonnées que tu avais prévues m'ont vivement intéressée. Je t'enverrai bientôt les doubles des photos que j'ai prises. As-tu reçu la documentation que tu attendais concernant les cours que tu as choisis? As-tu revu François, Mélissa et Ariane? Tu les salueras de ma part. Le retour signifiait la fin des vacances, mais ce voyage et le fait de te retrouver m'ont redonné beaucoup d'enthousiasme. J'espère que tu pourras venir au Québec l'hiver prochain. Merci encore et j'attends de tes nouvelles bientôt.

Amitiés!

Stéphanie

Lettre 2 – Lettre qui ne respecte pas les normes d'inscription des éléments

Le 28 juillet 20xx

Madame Paule Lafrance
Office du tourisme
2250, rue Sherbrooke Ouest
Montréal (Québec)   H4M 2M5

Madame Lafrance,

Le 7 juillet dernier, je vous avais demandé de la documentation sur les régions touristiques du Québec. Tout ce que vous m'avez envoyé me sera très utile pour la rédaction d'un rapport.

Les tableaux statistiques indiquant les pourcentages de visiteurs étrangers dans ces régions m'ont vivement intéressé. Ils seront ajoutés en annexe de mon travail. Je vous remercie sincèrement d'avoir répondu à ma demande.

Éric Larsen
Éric Larsen
2245, Grande Allée, app. 9
Montréal (Québec)   H4K 2L5

Lettre 3 – Lettre d'affaires

Association des amis de l'art
43, avenue Monet
Montréal (Québec)   H4J 2M5

Le 28 juillet 20xx

Monsieur Pierre Morel
255, boulevard Charest, bureau 213
Québec (Québec)   J1V 2M5

Objet : Remerciements

Monsieur,

Nous vous remercions sincèrement de votre participation à titre d'animateur lors de notre récent colloque.

Vos propos ont suscité beaucoup d'intérêt et les discussions qui ont eu lieu lors des divers ateliers ont été fort appréciées des participants. Votre présence a contribué au succès de cette rencontre.

Vous trouverez ci-joint le numéro spécial de notre revue mensuelle dans lequel figure un article sur les points saillants de ce colloque.

Avec toute notre reconnaissance, nous vous prions de recevoir, Monsieur, nos salutations distinguées.

Louise Champagne
Louise Champagne,
membre du comité organisateur

LC/jm

p. j. 1

TABLEAU 1.1
Caractéristiques de la lettre d'affaires

PRÉSENTATION ET DISPOSITION
Format de papier blanc 12,5 cm x 28 cm (8 1/2 po × 11 po)
Choix d'un style de présentation de la lettre (par exemple le style à un alignement, dans lequel toutes les composantes de la lettre sont alignées contre la marge de gauche)
Présence de toutes les composantes de la lettre (en-tête, lieu et date, vedette, objet, etc.)
Choix d'un caractère lisible (type classique plutôt que décoratif)
Inscription de mentions particulières (pièces jointes, initiales d'identification, etc.)
Espacement requis entre les composantes
Présence de paragraphes selon le style et le contenu

FORMULATION
Emploi d'un ton neutre et impersonnel
Vouvoiement
Rigueur et précision dans le choix du vocabulaire
Respect d'un plan préétabli (remerciements, éloges, mention d'une pièce jointe)
Ordre et logique dans l'exposé des propos
Emploi de phrases courtes
Présence d'une formule de salutation
Emploi du pronom « nous »

1.3   *Les composantes de la lettre d'affaires*

La lettre d'affaires comprend plusieurs parties distinctes. Dans les pages qui suivent, nous traiterons des composantes de la lettre; vous aurez l'occasion de vous familiariser avec les divers éléments qui font partie de chacune d'elles. Des conseils vous seront également donnés en ce qui concerne la disposition, l'inscription des abréviations permises, l'emploi de la majuscule et l'usage de la ponctuation courante.

À la page suivante vous est proposé un modèle illustrant la disposition des différentes composantes de la lettre. Une petite flèche suivie du nombre d'interlignes indique l'espacement après chaque composante. Sont également signalées les trois zones de relecture, qui sont réparties de la façon suivante : de l'en-tête à l'appel (zone 1), de l'appel à la formule de salutation (zone 2), de la signature à la fin de la lettre (zone 3). Des précisions relatives à la relecture de chaque zone vous seront fournies à la suite de l'étude des composantes faisant partie de chacune d'elles. Cette méthode a pour but de vous aider à vérifier votre travail, afin d'éviter des erreurs et de présenter un travail de qualité.

Il est utile de rappeler que certains paramètres sont déterminés lors de l'installation d'un logiciel de traitement de texte. Le tableau 1.2, à la page 8, vous donne un exemple de ces valeurs prédéfinies. Il sera important d'en tenir compte lors de l'inscription de l'en-tête, qui constitue la première composante de la lettre.

Modèle de disposition d'une lettre d'affaires
– Style à deux alignements

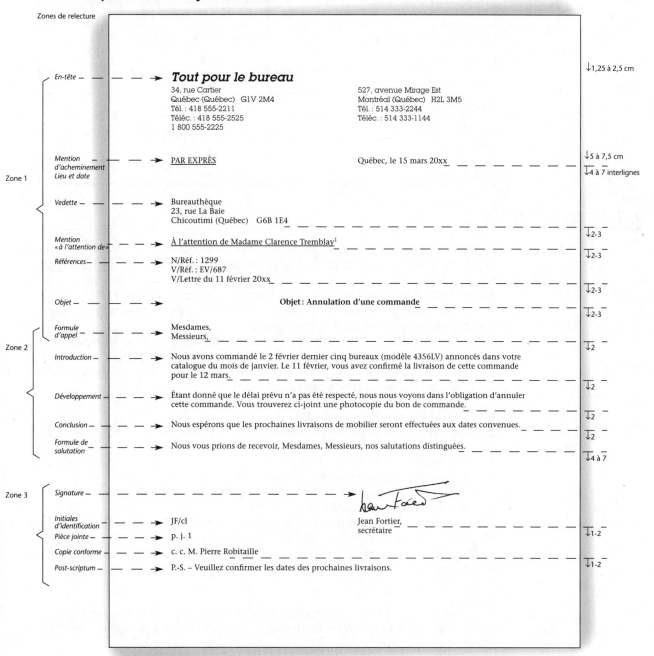

Zones de relecture

En-tête		↓1,25 à 2,5 cm

Tout pour le bureau

34, rue Cartier
Québec (Québec) G1V 2M4
Tél. : 418 555-2211
Téléc. : 418 555-2525
1 800 555-2225

527, avenue Mirage Est
Montréal (Québec) H2L 3M5
Tél. : 514 333-2244
Téléc. : 514 333-1144

Zone 1

Mention d'acheminement Lieu et date

PAR EXPRÈS   Québec, le 15 mars 20xx   ↓5 à 7,5 cm
                                                           ↓4 à 7 interlignes

Vedette

Bureauthèque
23, rue La Baie
Chicoutimi (Québec)   G6B 1E4   ↓2-3

Mention « à l'attention de »

À l'attention de Madame Clarence Tremblay[1]   ↓2-3

Références

N/Réf. : 1299
V/Réf. : EV/687
V/Lettre du 11 février 20xx   ↓2-3

Objet

Objet : Annulation d'une commande   ↓2-3

Zone 2

Formule d'appel

Mesdames,
Messieurs,   ↓2

Introduction

Nous avons commandé le 2 février dernier cinq bureaux (modèle 4356LV) annoncés dans votre catalogue du mois de janvier. Le 11 février, vous avez confirmé la livraison de cette commande pour le 12 mars.   ↓2

Développement

Étant donné que le délai prévu n'a pas été respecté, nous nous voyons dans l'obligation d'annuler cette commande. Vous trouverez ci-joint une photocopie du bon de commande.   ↓2

Conclusion

Nous espérons que les prochaines livraisons de mobilier seront effectuées aux dates convenues.   ↓2

Formule de salutation

Nous vous prions de recevoir, Mesdames, Messieurs, nos salutations distinguées.   ↓4 à 7

Zone 3

Signature

Jean Fortier,
secrétaire

Initiales d'identification

JF/cl   ↓1-2

Pièce jointe

p. j. 1

Copie conforme

c. c. M. Pierre Robitaille   ↓1-2

Post-scriptum

P.-S. – Veuillez confirmer les dates des prochaines livraisons.

---

1. Cette mention est de moins en moins utilisée.

Tableau 1.2
Exemple des paramètres inclus dans un logiciel de traitement de texte

CARACTÉRISTIQUES	VALEURS PRÉDÉFINIES
Format du papier	21,5 cm × 28 cm (8 1/2 po × 11 po)
Police de caractères et taille	Times New Roman 12 points
Marge supérieure	2,5 cm (1 po)
Marge inférieure	2,5 cm (1 po)
Marge de droite	2,5 cm (1 po)
Marge de gauche	2,5 cm (1 po)
Interligne	1 interligne
Tabulation	Tous les 5 espaces

1.3.1   L'en-tête

L'en-tête indique l'entreprise que représente l'expéditeur de la lettre. Cet élément est généralement imprimé. Sa réalisation graphique est confiée le plus souvent à des spécialistes. Cependant, il peut arriver que vous ayez à fournir au graphiste les éléments à inscrire pour l'impression de papier à en-tête, d'enveloppes, de cartes professionnelles ou de formulaires, de là l'importance de fournir correctement tous les éléments requis.

La libre disposition de l'en-tête contribue à donner à l'entreprise une image personnelle, originale, facilement identifiable lors de communications écrites suivies. Les renseignements peuvent être inscrits au haut et au bas de la feuille. Les éléments qui peuvent y figurer sont :

- un symbole graphique ou logo;
- le nom de l'entreprise ou de l'organisme (raison sociale);
- un sigle (ex. : STM, CSQ);
- le statut juridique (ltée, enr., inc.);
- l'adresse principale (numéro, rue, ville, province, code postal);
- le nom du pays (dans la correspondance avec des pays étrangers);
- les adresses des succursales (s'il y a lieu);
- les numéros de téléphone, de télécopieur, de télex, de libre appel;
- l'adresse du site Internet et l'adresse de courrier électronique;
- des indications diverses (mention publicitaire);
- le nom d'un agent ou d'un représentant (s'il y a lieu).

Remarque
Si une lettre compte plus d'une page, le papier à en-tête est utilisé pour la première page seulement. Vous trouverez à la page suivante plusieurs modèles d'en-têtes.

Modèles d'en-têtes

Condominiums
Le **282**

282, 5ᵉ Avenue
Saint-Laurent (Québec)
H4V 1Z2

**CHENELIÈRE
ÉDUCATION**

7001, boulevard Saint-Laurent
Montréal (Québec) Canada H2S 3E3
Téléphone : 514 273-1066
Télécopieur : 450 461-3834 / 1 888 460-3834
info@cheneliere.ca

PARAGRAPHE
57, boulevard Voltaire Ouest
Montréal (Québec)   H4K 2L5
Tél. : 514 555-4235
Téléc. : 514 555-5713
Télex : 04-879607
Courriel : paragraph@mlink.net

CRAC   *Siège social*
C.P. 207, succursale D
Sainte-Foy (Québec)   G1V 3H7
Tél. : 418 555-7575
Téléc. : 418 555-5225
1 800 555-5489
Courriel : crac@siegesocial.ca

LABELLE & LEPAGE INC.
Entrepreneurs paysagistes
2357, chemin de la Verdure
Lachine (Québec)   H7K 1M4
Tél. : 514 555-3271
Téléc. : 514 555-6745

Latouche & Rivard inc.

Conseillers en communication
875, rue Montpellard, bureau 229
Saint-Laurent (Québec)   H4L 2Z8
Téléphone 514 555-2904
Courriel : latouche@dsuper.net

Groupe **G**estion inc.
341, 14ᵉ Avenue, bureau 207
Sherbrooke (Québec)   J1H 3B7
Téléphone : 819 555-2876, poste 213
Télécopieur : 819 555-9110
Marie-Laurence Blier, conseillère

Média enr.
250, rue Roy, bureau 547
Laval (Québec)   H7L 3Y2
Tél. : 514 555-2745
Téléc. : 514 555-7569
www.media.com

Centre Beauséjour

9122, rue Beauséjour
Montréal (Québec)   H2T 1L5
Tél. : 514 555-6428

Indications pour l'inscription des éléments de l'en-tête

L'observation des modèles présentés à la page précédente permet de constater que certaines normes concernant la présentation des différents éléments de l'en-tête sont appliquées. Ces normes sont établies afin de standardiser l'ordre d'inscription, l'utilisation des abréviations et la ponctuation. Voici quelques-unes de ces normes.

- La raison sociale peut être précédée d'un symbole graphique ou d'un logo. Elle peut être inscrite avec une majuscule initiale ou entièrement en lettres majuscules. Il est préférable de ne pas utiliser les déterminants définis « l' », « le », « la », « les ».

  Exemple : **O**rdinateurs et fournitures de bureau

- Il est également souhaitable de ne pas ajouter les mots « compagnie » et « magasin », à moins qu'ils ne fassent partie de la raison sociale de l'entreprise. Dans ce cas, l'abréviation n'est pas permise.

  Exemple : **Compagnie forestière Dubois**

- La perluète (&) unit les noms propres entrant dans la désignation de la raison sociale d'une entreprise. Ce signe peut également être utilisé dans certaines expressions telles que **& Fils**, **& Filles**, **& Associés**, **& Cie.** Il ne doit pas remplacer la conjonction « et » entre deux noms communs.

  Exemple : *Durivage & Associés*

- L'indication du statut juridique suit la raison sociale. Selon le cas, les abréviations à employer sont les suivantes : **ltée** pour limitée, **enr.** pour enregistrée et **inc.** pour incorporée. Elles sont inscrites en lettres minuscules, sauf lorsque la raison sociale figure en majuscules.
- La mention publicitaire précise le secteur d'activité de l'entreprise (privée ou publique). Elle est généralement inscrite sous la raison sociale.

  Exemple : CHENELIÈRE
  ÉDUCATION

- Le sigle ou l'acronyme s'inscrit en lettres majuscules. L'acronyme se différencie du sigle par le fait qu'on le prononce comme un mot ordinaire. CROP (Centre de recherches sur l'opinion publique) est un acronyme. Le sigle se prononce lettre par lettre, comme dans CLSC (Centre local de services communautaires). L'usage tend à éliminer les points abréviatifs.
- Les adresses du siège social et des différents bureaux ou succursales peuvent être inscrites dans cette première composante de la lettre. Dans certains cas, les adresses des succursales sont plutôt disposées de gauche à droite au-dessus de la marge inférieure.
- Le numéro est séparé par une virgule de la voie de communication (rue, chemin, boulevard, etc.). Cette dernière peut être abrégée; elle est suivie du nom de la rue et, s'il y a lieu, de la mention du point cardinal inscrit en toutes lettres avec une majuscule initiale.
- Si le numéro d'un bureau doit être mentionné, il est placé à la suite du nom de la rue. Une virgule sépare ces deux éléments.

- Le nom de la ville ne doit pas être abrégé. Il est inscrit en minuscules (sauf l'initiale). Une espace le sépare du nom de la province, inscrit en toutes lettres entre parenthèses. Il est possible d'utiliser l'abréviation QC lorsque l'espace est limité (étiquettes, enveloppes à fenêtre, fichiers d'adresses). Dans ce cas, l'abréviation n'est pas mise entre parenthèses, et deux espaces la séparent du nom de la ville.
- Le code postal termine l'adresse. Il est inscrit à deux espaces de la province. Les trois lettres du code prennent la majuscule et un espace sépare les deux groupes de lettres et de chiffres. Aucun signe de ponctuation ou trait d'union n'est ajouté.
- Les numéros de téléphone, de télécopieur, de télex, ainsi que l'adresse de courrier électronique et celle du site Web terminent l'inscription de l'en-tête. Ils doivent être inscrits correctement. Les numéros devraient être précédés de l'indicatif régional.

  Exemples : Tél. : 514 331-9911   Courriel : plume@dsuper.net
                Tél. cellulaire : 450 689-9080   Site Internet : www.ecdmd.qc.ca/fr

- Dans le cas où un numéro de poste doit être indiqué, il est inscrit à la suite du numéro de téléphone et précédé d'une virgule.

  Exemple : 450 622-1111, poste 222

- Le numéro de libre appel s'inscrit à la suite des numéros de téléphone et de télécopieur.

  Exemple : Tél. : 450 622-1111 Téléc. : 450 622-2222 1 800 555-5790

- Certaines entreprises fournissent aux membres de leur personnel du papier à en-tête personnalisé. Le nom de la personne et son poste sont le plus souvent placés à la suite des numéros de téléphone et de télécopieur.
- Les coordonnées d'une entreprise peuvent être disposées sur une seule ligne. Dans ce cas, les éléments sont séparés par une virgule.
- L'en-tête du papier à lettres ou de tout autre formulaire personnalise une entreprise. Il faut donc y accorder une attention particulière et vérifier l'inscription de ses différents éléments. Quant à la disposition, les nombreuses possibilités permettent aux graphistes ou aux personnes chargées de réaliser l'en-tête de laisser libre cours à leur créativité.

Disposition des éléments de l'en-tête

Il n'y a pas de normes strictes en ce qui concerne l'espace réservé à l'inscription de l'en-tête. Selon le type d'entreprise et les propositions du graphiste, la présentation des différents éléments doit refléter le caractère unique de l'entreprise, de l'organisme ou de l'association.

Si vous avez à créer un modèle d'en-tête, plusieurs logiciels de traitement de texte vous offrent de nombreuses options : choix de polices et de tailles, ajout de bordures, lignes horizontales et verticales, caractère gras, ombré ou italique, image en filigrane, encadré, etc. Si l'en-tête contient plusieurs éléments, avec une image ou un logo en particulier, la marge supérieure sera de préférence réduite à 1,27 cm. Cependant, il est préférable de conserver des marges inférieure et latérales de 2,5 cm.

Méthode de relecture

L'en-tête de la lettre contient plusieurs chiffres. Une inversion ou une erreur d'inscription peut avoir des conséquences graves lorsqu'il s'agit d'imprimer une quantité importante de papier à en-tête ou d'enveloppes. Afin de vous assurer de l'exactitude des éléments inscrits, une relecture attentive s'impose. Il est possible de procéder comme suit :

1. Vérifier la présence de tous les éléments;
2. Examiner l'ordre d'inscription des chiffres;
3. Accorder une attention particulière aux abréviations et à la ponctuation;
4. Relire attentivement afin de corriger les fautes d'orthographe ou de frappe.

1.3.2   Le mode d'acheminement de la lettre et la nature de l'envoi

Les indications qui concernent le mode d'acheminement de la lettre sont les suivantes :

<u>PAR MESSAGERIE</u>   <u>RECOMMANDÉ</u>   <u>PAR EXPRÈS</u>   <u>PAR TÉLÉCOPIEUR</u>

<u>PAR AVION</u>   <u>URGENT</u>

Dans le cas où la nature de l'envoi doit être inscrite, la mention PERSONNEL indique que la lettre doit être remise au destinataire sans avoir été ouverte. Quant à la mention CONFIDENTIEL, elle indique que le contenu de la lettre ne peut être divulgué.

Lorsqu'on veut préciser que le contenu de la lettre ne peut être invoqué à l'encontre des droits du signataire, on utilise la mention <u>SOUS TOUTES RÉSERVES</u>. Cette mention s'inscrit en majuscules soulignées. Il est suggéré de rejeter la formulation <u>SANS PRÉJUDICE</u>, qui est un calque de l'anglais.

 Les indications du mode d'acheminement de la lettre et de la nature de l'envoi se placent contre la marge de gauche et généralement vis-à-vis de la date, entre 5 cm et 7,5 cm à partir du haut de la page. Dans le cas de la lettre à un seul alignement, elles se placent au-dessus des mentions de lieu et de date. Elles sont en majuscules soulignées et gardent le masculin, puisque l'on sous-entend « courrier » ou « pli ». La mention du mode d'acheminement précède celle de la nature de l'envoi dans le cas où les deux doivent être inscrites.

Exemple :   <u>URGENT</u>

<u>PERSONNEL</u>

1.3.3   Le lieu et la date

Ces mentions doivent obligatoirement figurer dans toute lettre d'affaires. Elles peuvent servir de référence précise lors d'une réponse à donner.

Exemples :   Montréal, le 15 septembre 20xx
Le 15 septembre 20xx
Le 1er avril 20xx

Remarques
Le lieu et le mois ne s'abrègent pas.
Le mot « saint » ou « sainte » faisant partie du nom d'une ville ne s'abrège pas.

Exemples :   Sainte-Foy, Saint-Laurent

- Si le lieu est mentionné dans l'en-tête, il n'est pas nécessaire de le répéter. Cependant, certaines entreprises ont des bureaux dans plusieurs villes, et le nom de chacune de ces villes figure dans l'en-tête. Dans ce cas, il faut préciser la provenance exacte de la lettre.
- Une virgule sépare le lieu de la date.
- Le déterminant qui précède la date prend une majuscule initiale.
- Le jour de la semaine n'est jamais inscrit.
- On ne met pas de majuscule au nom du mois.
- Aucune ponctuation ne termine la mention de la date.

Disposition du lieu et de la date

Dans la présentation d'une lettre à un alignement, le lieu et la date sont alignés contre la marge de gauche. Selon l'espace utilisé pour les éléments de l'en-tête et la longueur de la lettre, un minimum de trois interlignes doit séparer la date de l'en-tête. Si l'on conserve une marge supérieure de 2,5 cm, que l'on compte six lignes pour l'inscription de l'en-tête et un blanc de trois interlignes, cela reporte l'inscription du lieu et de la date à environ 5 cm à 7,5 cm du haut de la page. Nous verrons une disposition différente quand nous aborderons les autres styles de présentation de la lettre.

Certains logiciels de traitement de texte offrent l'option d'insertion de la date dans un document. Dans ce cas, il faut se rappeler d'inscrire le déterminant qui la précède.

Méthode de relecture

Lorsque vous disposez des lettres, il est important de vérifier si la date du jour y figure. Dans le cas du premier jour de chaque mois, vous inscrivez « er » en exposant. Il arrive qu'on oublie de l'indiquer lorsqu'on utilise des lettres types.

1.3.4   La vedette

La vedette comprend le nom et l'adresse complète du destinataire. Cette mention est reprise intégralement sur l'enveloppe. Du plus précis au plus général, on y indique dans l'ordre :

- le nom du destinataire;
- son titre;
- le nom du service;

- le nom de l'entreprise;
- le numéro, la rue et le numéro du bureau;
- le nom de la ville et celui de la province (entre parenthèses);
- le code postal;
- le nom du pays (dans la correspondance avec l'étranger).

Il faut respecter les règles suivantes quand on inscrit les éléments d'une vedette.

- Les titres de civilité (Madame, Monsieur, Maître, etc.) ne s'abrègent pas.

  Exemple : Monsieur Pier-Olivier Migneault

- Le prénom peut être abrégé. Cependant, on doit garder le trait d'union dans le cas d'un nom composé.

  Exemple : Madame R.-B. Sauvé

- Le titre de Docteure ou de Docteur est réservé aux médecins; il ne doit pas être employé pour désigner le détenteur d'un doctorat. Le titre de Maître est donné aux avocats et aux notaires. Ces deux derniers titres s'écrivent en toutes lettres avant le nom.
- Les titres de fonctions (directrice, directeur adjoint, présidente, ministre de l'Éducation, conseillère en communication, etc.) ne s'abrègent pas et s'inscrivent sur la ligne qui suit le nom.

  Exemples : Madame Sophie Labbé   Monsieur Hugo Dufour
  Directrice adjointe   Agent d'information

- Les entités administratives (service, section, division, département) s'inscrivent en toutes lettres sur la deuxième ligne s'il n'y a pas de titre de fonction. La désignation du domaine dont s'occupe le service ne prend pas la majuscule.

  Exemple : Madame Isabelle Dubé
  Service de la publicité

- Si une lettre est adressée à un service d'une entreprise sans avoir de destinataire précis, le principe « du particulier au général » prévaut.

  Exemple : Service des communications
  Publimag
  537, avenue des Princes
  Victoriaville (Québec)

- Le numéro est suivi d'une virgule.
- Le type de voie de circulation (**rue, avenue, boulevard, côte, chemin, place, rang, route,** etc.) doit précéder le nom de cette voie.
- Les abréviations courantes dans la vedette sont : **boul.** ou **b**^{d} pour boulevard, **av.** pour avenue, **ch.** pour chemin, **pl.** pour place, **rte** pour route, etc. Retenez que ces mots devraient être abrégés uniquement pour des raisons d'espace, même si l'usage a répandu l'utilisation de l'abréviation.

- **Rue** et **avenue** prennent une majuscule lorsqu'ils sont précédés d'un adjectif ordinal. Selon l'indication fixée par la municipalité, l'ordinal peut être inscrit en toutes lettres ou en chiffres.

  Exemples : Bureaulex ltée
  29, 44e Rue
  91, 5e Avenue ou 91, Cinquième Avenue

- Dans le cas où un adjectif qualifiant précède un nom auquel il se rattache, on omet le type de voie de circulation.

  Exemples : 225, Grande Côte
  276, Vieilles Forges
  530, Grande Allée

- Pour des raisons d'espace, on peut abréger le mot « saint » ou « sainte » faisant partie d'un nom de rue.

  Exemple : 47, rue St-Jean-Baptiste

- Les mentions **est, ouest, nord** et **sud** se placent après le nom de la rue, avec une majuscule, abrégés ou non.

  Exemples : Est ou E.
  Ouest ou O.

- Le numéro d'appartement s'inscrit à la suite du nom de la rue et est précédé d'une virgule. L'abréviation **app.** peut être utilisée. Le signe dièse (#) est à rejeter.

  Exemples : 27, rue Duluth Est, app. 507

- L'immeuble, le bureau ou la tour (« chambre » et « suite » sont des anglicismes) se placent en dessous du nom de l'entreprise ou sont séparés de l'adresse par une virgule.

  Exemples : Madame Jeanne Bernier
  Résotech inc.
  265, rue Caron, bureau 28

  Madame Francine Théorêt
  Agence Cri communications
  7e étage, bureau 707
  Le Renoir
  132, rue Monet

  Monsieur Pascal Cyr
  Directeur de l'agence Clic
  Immeuble Montcalm
  763, chemin des Patriotes

  Monsieur André Feder
  Les Publications du Québec
  Complexe Desjardins, tour Est
  500, boul. René-Lévesque Ouest

- Lorsqu'une léttre est adressée à un bureau de poste, on indique la case postale. L'abréviation **C. P.** est acceptée.

- Le mot **succursale** s'emploie à la place du mot « station » pour désigner un bureau de poste. L'abréviation **succ.** est acceptée.

Exemple :   Madame Nathalie Boisclair
C. P. 570, succ. H ou succursale H

- Dans le cas d'une lettre adressée à un couple, les noms peuvent être présentés de la façon suivante :

Madame Hélène Robin et Monsieur Steve Bois
ou Monsieur et Madame François et Claire Boutin

- Le nom de la ville doit être inscrit en toutes lettres. Il s'écrit en minuscules avec une majuscule initiale.
- Le nom de la province s'inscrit en toutes lettres et entre parenthèses après le nom de la ville. L'abréviation **QC** peut être utilisée dans des tableaux, dans des formulaires ou lorsqu'on utilise des enveloppes à fenêtre ou des étiquettes.

Exemple :   Monsieur Mario Caty
Directeur du Centre de recherche
25, avenue des Peupliers Est
Montréal (Québec)

- Le code postal termine la vedette. Il doit figurer sur la même ligne que la ville et la province, à deux espaces de la dernière mention. Cependant, si l'inscription de la ville et de la province occupe trop d'espace, on peut l'écrire sur une ligne distincte, à la fin de l'adresse. Aucune ponctuation n'est employée; un espace sépare les deux groupes du code. Les trois lettres doivent être écrites en majuscules.

Exemple :   Madame Louise Ricard
3255, rue Lajeunesse, app. 3
Montréal (Québec)   H4J 2N3

- L'ordre des éléments de la vedette est le même pour toutes les provinces canadiennes.
- Pour les lettres destinées à l'étranger, on respecte l'usage du pays de destination.

Exemples :   Madame Josée Giroux
17, rue des Feuillantines
75013 Paris
FRANCE

Ms. Katleen Stewart
1895 Madison Street
Boston
Maine
États-Unis 60631

Remarques

Quand une lettre s'adresse à un groupe, mais qu'on veut charger une personne en particulier de transmettre son contenu au groupe, on peut employer la mention **À l'attention de.** Celle-ci s'inscrit en minuscules soulignées, deux ou trois interlignes sous la vedette, avant les mentions de références. Dans ce cas, **Mesdames,**

Messieurs, devient la formule d'appel à utiliser, puisque la lettre s'adresse à un groupe et non à une personne.

Exemples : Bureau de demain inc.
Service de l'information
C. P. 92
Longueuil (Québec)   H2K 3M4
(*2 interlignes*)
<u>À l'attention d'un agent d'information</u>

Société Mercier
28, rue Beauregard
Rimouski (Québec)   G5L 1P5
(*2 interlignes*)
<u>À l'attention de Madame Lucie Langlois</u>

Lorsqu'on confie à une personne le soin de transmettre une lettre, on adresse la lettre au véritable destinataire. La deuxième ligne de la vedette commence avec l'abréviation **a/s de** (pour **aux soins de**) suivie du nom de la personne qui sert d'intermédiaire. Cette mention, qui est réservée à la correspondance privée et qui devient désuète, ne doit pas être utilisée dans la correspondance d'affaires.

Exemple : Monsieur Yvan Larouche
a/s de Madame France Beaudoin
75, rue Gloria
Québec (Québec)   G1R 2K9

Disposition des éléments de la vedette

Tous les éléments de la vedette sont présentés à simple interligne et alignés sur la marge de gauche. Selon la longueur de la lettre, quatre à sept interlignes séparent la vedette de la date. Aucune ponctuation ne termine les lignes.

Méthode de relecture

Vous devez vous assurer de la présence de tous les éléments à inscrire dans la vedette de la lettre, selon l'ordre requis. De plus, une vérification des chiffres de l'adresse et du code postal doit être faite, car cette composante sera reprise intégralement sur l'enveloppe.

1.3.5   *Les références*

Les références peuvent servir au classement ou à la consultation du courrier. La mention **Votre référence**, que l'on abrège en **V/Référence**, **V/Réf.** ou **V/R**, peut correspondre à un numéro de facture, de relevé ou de dossier dans lequel sera classée une lettre. De nombreuses entreprises classent leur courrier à partir de ces mentions.

Votre lettre du… ou **V/Lettre du…** indique la date de la lettre à laquelle on répond.

Notre lettre du… ou **N/Lettre du…** indique la date de l'envoi d'une lettre précédente.

Notre référence, N/Référence, N/Réf. ou **N/R** donne le numéro de dossier de l'expéditeur.

Exemples : V/Réf. : FK-3218
V/Lettre du...
N/R : Facture n° 221-77

Ces mentions sont alignées sur la marge de gauche, deux ou trois interlignes au-dessous de la vedette.

1.3.6 L'objet

L'objet résume le contenu de la lettre. S'agit-il d'une invitation, d'une communication de renseignements ou d'une demande? La réponse à cette question constitue l'objet de la lettre. Dans sa formulation, on privilégie l'emploi d'un nom. Même s'il n'apparaît pas obligatoirement, l'objet peut être très utile lors de l'ouverture du courrier, car il sert de plus en plus pour le classement de la correspondance.

L'objet s'inscrit au centre de la page ou contre la marge de gauche, selon l'alignement choisi, deux ou trois interlignes sous la vedette ou la mention des références. La mention de l'objet s'écrit en caractères gras avec une majuscule initiale et ne prend pas de point final. Selon sa longueur, l'objet peut s'inscrire sur deux lignes, à simple interligne, suivi d'une ligne horizontale.

Exemples : **Objet : Augmentation des tarifs**
**Objet : Renouvellement de
votre carte de membre**

Pour disposer l'objet, vous pouvez insérer ou créer un tableau de 3 colonnes. Vous insérez le texte de l'objet dans la 2ᵉ colonne et ne conservez que la bordure inférieure ou ligne du bas.

1.3.7 La formulation de l'appel

La formule d'appel est la première salutation. Elle sera reprise dans la salutation finale.

Exemples : Monsieur,
Madame la Directrice,
Madame la Vice-Présidente,
Monsieur le Président et cher ami,
Maître,
Chère collègue,
Cher collaborateur,
Chère collaboratrice,

La formulation de l'appel doit répondre aux règles qui suivent.

- L'appel est suivi d'une virgule.
- Si le destinataire a un titre, on l'indique dans l'appel. Le titre prend la majuscule initiale.
- L'adjectif **Cher** peut être ajouté si l'on connaît bien le destinataire ou si l'on entretient avec lui des relations d'affaires depuis un certain temps. De même, lorsqu'il s'agit de faire la promotion de produits ou de services (dépliants, circulaires), l'emploi des formules « Chers clients et clientes », « Cher client » ou « Chère cliente » est accepté.
- En français, il ne faut pas faire suivre le titre de civilité du nom du destinataire. Ainsi, la formule « Cher Monsieur Tremblay » est à proscrire.
- On peut employer **Mademoiselle** dans une lettre adressée à une toute jeune fille.
- Quand on écrit à une entreprise ou à un organisme sans connaître le nom du destinataire, on utilise la formule d'appel **Mesdames, Messieurs,** et on place les deux termes l'un en dessous de l'autre. Si le texte s'adresse à une personne, on emploie la formule **Madame, Monsieur.** L'expression « **À qui de droit** » est à éviter comme formule d'appel. À l'intérieur d'une phrase, elle peut être employée pour désigner la personne qui a la compétence pour traiter une question, lorsque l'auteur de la lettre ignore son nom.

    Exemple :   Nous vous serions reconnaissants de transmettre notre demande à qui de droit.

- Dans les lettres circulaires non personnalisées, on utilise la formule d'appel **Madame, Monsieur, Mesdames, Messieurs, Cher client, Chère cliente, Chers clients et clientes,** selon que l'on s'adresse à un groupe ou à une personne à la fois. Les deux titres de civilité sont placés l'un en dessous de l'autre.

 La formule d'appel est alignée contre la marge de gauche; elle est précédée de deux ou trois interlignes et suivie de deux interlignes.

L'appel varie selon les gens à qui l'on s'adresse. Le tableau 1.3 contient les titres de diverses personnes avec les vedettes et les formules d'appel correspondantes.

TABLEAU 1.3
Les vedettes et les formules d'appel à utiliser selon le titre des personnes

TITRES	VEDETTES	FORMULES D'APPEL
Ambassadeur	Son Excellence Monsieur (*prénom, nom*) Ambassadeur de (*lieu*)	Monsieur l'Ambassadeur, *ou* (Votre) Excellence,
Ambassadrice	Son Excellence Madame (*prénom, nom*) Ambassadrice de (*lieu*)	Madame l'Ambassadrice, *ou* (Votre) Excellence,
Avocat	Monsieur (*prénom, nom*) Avocat *ou* Maître (*prénom, nom*)	Maître,
Avocate	Madame (*prénom, nom*) Avocate *ou* Maître (*prénom, nom*)	Maître,
Cardinal	Son Éminence le Cardinal (*prénom, nom*)	Monsieur le Cardinal, *ou* (Votre) Éminence,

Tableau 1.3 (suite)

TITRES	VEDETTES	FORMULES D'APPEL
Consul	Monsieur (*prénom, nom*) Consul de (*lieu*)	Monsieur le Consul,
Consule	Madame (*prénom, nom*) Consule de (*lieu*)	Madame la Consule,
Député	Monsieur (*prénom, nom*) Député de (*lieu*)	Monsieur le Député,
Députée	Madame (*prénom, nom*) Députée de (*lieu*)	Madame la Députée,
Évêque	Son Excellence Monseigneur (*prénom, nom*)	Monseigneur, *ou* Excellence,
Gouverneur général	Son Excellence le très honorable (*prénom, nom*)	Monsieur le Gouverneur général,
Gouverneure générale	Son Excellence la très honorable (*prénom, nom*)	Madame la Gouverneure générale,
Juge	Madame la Juge (*prénom, nom*) Monsieur le Juge (*prénom, nom*)	Madame la Juge, Monsieur le Juge,
Lieutenant-gouverneur,	L'Honorable (*prénom, nom*)	Monsieur le Lieutenant-gouverneur,
Lieutenante-gouverneure	L'Honorable (*prénom, nom*)	Madame la Lieutenante-gouverneure,
Maire	Monsieur le Maire (*prénom, nom*)	Monsieur le Maire,
Mairesse	Madame la Maire (*prénom, nom*) *ou* Madame la Mairesse (*prénom, nom*)	Madame la Maire, Madame la Mairesse,
Médecin	Madame la Docteure (*prénom, nom*) Monsieur le Docteur (*prénom, nom*) *ou* Docteur (*prénom, nom*)	Madame la Docteure, *ou* Docteure, Monsieur le Docteur, *ou* Docteur,
Ministre	Madame (*prénom, nom*) Ministre de (*nom du ministère*) Monsieur (*prénom, nom*) Ministre de (*nom du ministère*)	Madame la Ministre, Monsieur le Ministre,
Notaire	Madame (*prénom, nom*) Notaire *ou* Maître Monsieur (*prénom, nom*) Notaire *ou* Maître	Madame la Notaire, *ou* Maître, Monsieur le Notaire, *ou* Maître,
Premier ministre	Monsieur (*prénom, nom*) Premier Ministre de (*lieu*)	Monsieur le Premier Ministre,
Première ministre	Madame (*prénom, nom*) Première Ministre de (*lieu*)	Madame la Première Ministre,
Professeur	Monsieur le Professeur (*prénom, nom*)	Monsieur le Professeur, *ou* Monsieur,
Professeure	Madame la Professeure (*prénom, nom*)	Madame la Professeure, *ou* Madame,
Sénateur	Monsieur (*prénom, nom*) Sénateur	Monsieur le Sénateur,
Sénatrice	Madame (*prénom, nom*) Sénatrice	Madame la Sénatrice,

1.3.8   *Méthode de relecture de la zone 1 de la lettre*

Les éléments à vérifier à ce stade de la disposition de la lettre sont les suivants :

- inscription du mode d'acheminement ou de la nature de l'envoi (s'il y a lieu);
- inscription de la date;
- présence de tous les éléments de la vedette (nom, titre, adresse complète);
- mention des références (s'il y a lieu);
- formulation de l'objet;
- appel qui correspond au titre de civilité ou au titre honorifique du destinataire;
- absence de fautes d'orthographe et de grammaire;
- précision de tous les éléments inscrits (abréviations, chiffres exacts).

1.3.9   *Le texte de la lettre*

Le texte de la lettre renseigne le destinataire sur une situation ou sur des faits précis. Il est divisé en trois parties : l'introduction, le développement et la conclusion.

Selon le but de la lettre (renseigner, offrir des services, demander, répondre, etc.), des formules types sont utilisées dans l'introduction. Le premier paragraphe d'une lettre présente donc succinctement le sujet traité.

En ce qui concerne le développement, les différents paragraphes exposent les éléments d'information dans un ordre logique.

Enfin, la conclusion résume les propos. Dans plusieurs cas, elle doit inciter le destinataire à réagir, à payer un compte dû, à assister à une activité, à accepter une proposition de règlement d'une situation conflictuelle, etc. La conclusion est présentée dans un paragraphe distinct. Des formules types de conclusion existent pour exprimer ce qu'on attend du destinataire. Elles seront étudiées au chapitre 5, lorsque vous aurez à rédiger différentes lettres d'affaires. Dans une lettre simple, la formule de conclusion peut être jointe à la formule de salutation.

Exemples :   Dans l'attente de…, nous vous prions…
Dans l'espoir de…, nous vous prions…

Disposition du texte de la lettre

La fonction Coupure de mots manuelle ou Césure sur demande vous permet d'appliquer les règles typographiques.

Les trois parties du texte de la lettre s'inscrivent à simple interligne, quelle que soit la longueur du texte. Exceptionnellement, une lettre très courte pourra être disposée à un interligne et demi. Les paragraphes sont séparés l'un de l'autre par deux interlignes. Dans une lettre à un alignement, tous les paragraphes commencent contre la marge de gauche. Dans une lettre brève, vous pouvez fixer les marges latérales à 4 cm et choisir la taille 12 d'une police (traitement de texte). Les marges supérieure et inférieure peuvent également être modifiées.

Dans la disposition de lettres courantes, vous pouvez conserver les marges latérales prédéfinies par votre logiciel de traitement de texte.

Dans le texte d'une lettre, il est conseillé d'éviter autant que possible les fins de ligne en dents de scie et les coupures de mots. Une option du logiciel de traitement de texte que vous utilisez coupe automatiquement les mots, mais elle ne tient pas compte des règles de la typographie. En cas de doute, vous pouvez vous reporter au tableau 1.4, qui énumère les principales coupures permises, et au tableau 1.5, qui présente les coupures interdites.

Par ailleurs, l'Office de la langue française suggère de laisser des espaces précis entre les mots et les signes de ponctuation. Le tableau 1.6 vous indique l'espacement à observer entre les mots et les signes de ponctuation. L'option Justification peut également être choisie avant ou après la saisie du texte.

Tableau 1.4
Les coupures de mots correctes

COUPURES CORRECTES	EXEMPLES
1. Entre deux syllabes	par[fois
2. Entre les termes d'un mot composé (avec ou sans trait d'union)	chef-[d'œuvre pré[affranchi
3. Après un préfixe	pré[avis
4. Après « x » ou « y » suivi d'une consonne	ex[piré pay[sage
5. Entre deux consonnes redoublées	in[nover
6. Avant un « t » euphonique	a-[t-elle
7. Entre le prénom et le nom d'une personne (à éviter si c'est possible)	Mme Marie[Saint-Pierre

Tableau 1.5
Les coupures de mots fautives

COUPURES FAUTIVES	EXEMPLES
1. Après une seule lettre ou une apostrophe	ê/tre aujourd'/hui
2. Entre un prénom abrégé, un titre de civilité abrégé ou des initiales et le nom propre qui suit	M./R./Lafleur Mme/Lise Roy La D^{re}/J./Marcil
3. Entre les lettres d'un sigle ou d'un acronyme	CL/SC NA/SA
4. Entre les nombres écrits en chiffres	1/179 43/58
5. Entre un nombre et le mot ou le signe placé avant ou après	lot/119 5/avril/1970 42/%
6. Avant une syllabe finale muette de deux ou trois lettres	ren/te loua/ble
7. Avant ou après « x » ou « y » placé entre deux voyelles (on tolère la division avant le « x » si celui-ci se prononce « z » comme dans « deuxième »)	e/x/emple mo/y/ennant
8. Entre deux voyelles (sauf après un préfixe)	pri/ère
9. Après un impératif, avant les pronoms « en » et « y »	vends-/en vas-/y
10. Avant l'abréviation « etc. »	des cartes, des dés,/etc.
11. Dans le dernier mot d'un paragraphe ou d'une page	
12. Pas plus de trois coupures consécutives	

TABLEAU 1.6
L'espacement des signes de ponctuation

– /	Aucun espacement avant ou après
, ; … . ! ?)]	Aucun espacement avant, un espacement après
([	Un espacement avant, aucun espacement après
: « » — % $	Un espacement avant et un espacement après
*	Placé avant le mot auquel il se rapporte, aucun espacement avant, aucun espacement après. Placé après le mot auquel il se rapporte, aucun espacement avant, aucun espacement après.

1.3.10   *La salutation*

La salutation est la formule de politesse qui termine la lettre. Elle varie selon les rapports hiérarchiques et personnels entre les gens. Par exemple, on peut assurer une supérieure de sa considération distinguée, alors qu'on se limite à de sincères salutations pour un client.

La formule de salutation obéit aux normes de présentation qui suivent.

- Elle reprend intégralement la formule d'appel, cette dernière prenant la majuscule initiale et étant placée entre virgules.
- Elle forme souvent un paragraphe distinct.
- Selon le titre du destinataire, il faut choisir entre les formules :
  - Agréez, recevez, croyez;
  - Veuillez agréer, croire, recevoir;
  - Nous vous prions d'agréer, de croire.
- Dans cette formule, le mot **sentiments** s'utilise avec **l'expression de** ou **l'assurance de**, alors que le mot **salutations** est généralement introduit par un verbe.

Après avoir étudié le tableau 1.7, vous serez en mesure d'adopter des formules convenant aux types de lettres que vous rédigerez.

Disposition de la salutation
Dans une lettre à un alignement, la salutation est alignée contre la marge de gauche. Deux interlignes la séparent du dernier paragraphe du texte de la lettre. Les normes d'inscription énumérées précédemment doivent être respectées.

TABLEAU 1.7
Les formules de salutation à utiliser selon les destinataires

UN SUPÉRIEUR
Je vous prie d'agréer, Madame la Présidente, l'expression de mes sentiments respectueux.
Je vous prie de croire, Monsieur le Directeur, à l'assurance de – mes sentiments les plus distingués. – ma considération distinguée. – ma haute considération.
UNE PERSONNE D'UN NIVEAU HIÉRARCHIQUE ÉGAL OU INFÉRIEUR
Veuillez croire, Madame, à l'expression de, à l'assurance de – nos sentiments les meilleurs. – nos sentiments distingués. – nos sentiments très dévoués.

TABLEAU 1.7 (SUITE)

UNE PERSONNE D'UN NIVEAU HIÉRARCHIQUE ÉGAL OU INFÉRIEUR
Veuillez recevoir, Monsieur, – nos salutations distinguées. – nos meilleures salutations. – nos sincères salutations.
SALUTATIONS BRÈVES
Recevez, Madame, nos meilleures salutations.
Croyez, Monsieur, à l'expression de nos sentiments les meilleurs.
Agréez, Madame, nos salutations distinguées.
Veuillez agréer, Monsieur, nos salutations distinguées.
FORMULES DE SALUTATION ET TITRES DE CIVILITÉ
Veuillez agréer, Monsieur le Consul, l'expression de mes sentiments respectueux.

Je vous prie d'agréer,
   Madame la Première Ministre,
   Éminence, (*pour un cardinal*)
   Excellence,
   Madame l'Ambassadrice,
   Monsieur l'Ambassadeur,
   Madame la Juge,
   Monsieur le Juge,
     l'expression de ma haute considération.

1.3.11 Méthode de relecture de la zone 2 de la lettre

La zone 2 de la lettre s'étend de l'appel jusqu'à la salutation. Les principaux points à vérifier dans cette zone sont les suivants :

- présentation identique des titres de civilité ou des titres de fonctions dans l'appel et dans la salutation;
- espacement entre les paragraphes;
- absence de fautes d'orthographe ou de grammaire;
- espacement requis avant et après les signes de ponctuation;
- coupures de mots permises;
- emploi du même pronom personnel, « je » ou « nous », dans le texte de la lettre et dans la salutation;
- absence de fautes de frappe.

1.3.12 La signature

Étant donné que la signature présente des variantes qui dépendent du titre et de la fonction des personnes, il est très difficile de dissocier les éléments de la signature de leur disposition. Cependant, deux normes demeurent permanentes :

- un blanc de quatre à sept interlignes est réservé pour la signature manuscrite;
- le nom dactylographié est inscrit sous la signature manuscrite.

Quant à la disposition des autres éléments, les exemples donnés ci-après vous permettront d'inscrire correctement la signature de la lettre.

- Si le signataire occupe un poste de direction, son titre est indiqué au-dessus de la signature. Le titre est précédé du déterminant « la » ou « le » et se termine par une virgule (deux interlignes après la salutation).

Exemple : La directrice des relations publiques,
   (*quatre à sept interlignes*)

   Louise Dubé

- Dans le cas d'un titre partagé par plusieurs personnes (technicienne, agent, secrétaire, etc.), la fonction ou la profession est mentionnée sous la signature manuscrite. Les exemples illustrent les présentations possibles.

Exemples : (*quatre à sept interlignes*)

   Jacqueline Tremblay, agente
   Service de la publicité

   (*quatre à sept interlignes*)   (*quatre à sept interlignes*)

                                 ou

   Yan Thuen,   Yan Thuen
   secrétaire   Secrétaire

- Lorsque la personne qui signe une lettre agit par procuration, c'est-à-dire lorsqu'elle a le mandat de son supérieur d'agir à sa place, elle doit faire précéder sa signature de la mention **p. p.** (par procuration). Cette mention est inscrite deux interlignes après la signature manuscrite.

Exemple : Le directeur des communications,
   (*quatre à sept interlignes*)

   p. p.
   Dimitri Kostioh

- Dans le cas où une personne occupe une fonction par intérim, la signature est la suivante :

Exemple : La directrice par intérim,
   (*quatre à sept interlignes*)

   Marie Cormier

- Quand une personne est autorisée à signer une lettre pour un supérieur sans qu'il y ait procuration, elle doit le mentionner en inscrivant **pour** devant le titre de son supérieur.

  Exemple : Pour la directrice de l'administration,
  (quatre à sept interlignes)

  Yvan Landry

- Quand il y a plusieurs signataires, la signature de la personne qui détient le plus haut niveau d'autorité peut être placée à gauche ou à droite selon l'usage de l'entreprise.

  Exemple : Le trésorier,   La directrice,
  (quatre à sept interlignes)   *(quatre à sept interlignes)*

  Michel Jacques   Clara Évans

- Lorsque les signataires sont à un même niveau hiérarchique, on dispose les signatures l'une en dessous de l'autre, par ordre alphabétique.

  Exemple : *(quatre à sept interlignes)*

  Marie Dion, journaliste

  (quatre à sept interlignes)

  Stéphan Kouri, recherchiste

- Dans le cas d'une lettre sans en-tête, par exemple lorsqu'une personne fait parvenir son curriculum vitæ à une entreprise, le signataire peut écrire ses coordonnées sous sa signature.

  Exemple :

  Gisèle Ladouceur
  223, rue Montfort
  Hull (Québec)   J9B 2X4
  Tél. : (819) 555-6382
  Courriel : gladouceur@courriel.com

**Disposition
de la signature**

Dans une lettre à un alignement, la signature doit être placée contre la marge de gauche. Selon le titre ou la fonction du signataire, le nombre d'interlignes qui sépare la signature de la salutation peut varier de deux à sept.

Nous verrons une disposition différente quand nous aborderons les autres styles de présentation de la lettre.

**Méthode de
relecture**

Avant d'insérer une lettre dans une enveloppe, il est important de vérifier si la signature manuscrite de la personne qui l'a rédigée y figure.

1.3.13   *Autres mentions*

Selon le cas, plusieurs mentions peuvent être ajoutées à la suite de la signature. Elles ont pour fonction d'apporter des renseignements supplémentaires sur le contenu, sur l'expéditeur ou sur les destinataires.

**Les initiales
d'identification**

Les initiales d'identification indiquent le nom des personnes qui ont rédigé, signé et mis en pages la lettre.

Par convention, les initiales du signataire sont indiquées en majuscules et celles de la personne qui a mis en forme la lettre sont écrites en minuscules. Une barre oblique sépare les deux groupes d'initiales.

Exemple :   PV/hg

⌐───▶ a rédigé et signé la lettre.

└─▶ a mis en forme la lettre.

Si la lettre a été rédigée par plus d'un rédacteur, on peut inscrire les initiales de chaque personne.

Exemple :   JB/AD/cd

Lorsqu'une même personne rédige et met en forme la lettre, elle peut indiquer ses initiales en majuscules et en minuscules, ou bien les omettre.

Exemple :   CD/cd

Les initiales d'identification sont alignées contre la marge de gauche et placées deux interlignes sous la signature dans la lettre à un alignement. Dans les lettres à deux et à trois alignements, elles se mettent sur la ligne où on inscrit le nom du signataire.

Les pièces jointes

Lorsqu'on annexe des documents à une lettre (facture, curriculum vitæ, relevé de notes, etc.), il est recommandé d'inscrire la mention **pièce jointe.** On peut énumérer les pièces si elles n'ont pas été mentionnées dans la lettre ou en indiquer le nombre seul ou le nombre accompagné de la désignation de la ou des pièce jointes si elles ont été nommées ou si elles sont nombreuses. Il existe plusieurs façons d'inscrire cette mention.

Exemples : p. j. 1 relevé de notes
                  10 dépliants
              p. j. Dépliant touristique
              p. j. 3
              Pièces jointes : 3
              Pièce jointe : Rapport annuel

Il est recommandé d'inscrire cette mention deux interlignes sous les initiales d'identification. Selon l'espace disponible, un seul interligne peut être laissé entre ces mentions.

**La mention
«copie conforme»**

Cette mention informe le destinataire qu'une copie de la lettre a été envoyée à d'autres personnes.

Le nom des personnes qui reçoivent une copie de la lettre peut être indiqué par ordre alphabétique. Les titres de civilité sont abrégés. Dans certains cas, la fonction des personnes peut être mentionnée. L'ordre hiérarchique est alors privilégié.

Exemples : c. c. M. Jean Levert
                   Mme Lise Parent
              c. c. M. Bernard Roy, directeur adjoint
                   Mme Régina Caron, coordonnatrice

La mention « copie conforme » est placée un ou deux interlignes sous les initiales d'identification ou sous la mention « pièce jointe », s'il y en a une.

La mention **Transmission confidentielle** s'écrit en toutes lettres sur une copie d'une lettre, non sur l'original. Elle sert à renseigner une tierce personne à l'insu du destinataire de la lettre.

Cette mention est alignée contre la marge de gauche, en dessous de la mention des copies conformes (s'il y a lieu) ou à la place de cette dernière.

Exemple : Transmission confidentielle : Mme Germaine Larrivée

Le post-scriptum

Le post-scriptum est une note brève que l'on aligne contre la marge de gauche après la signature pour rappeler un point important de la lettre. Il ne doit pas servir à réparer un oubli. Le mot « post-scriptum » conserve le trait d'union lorsqu'il est abrégé et est suivi d'un tiret.

Exemple : P.-S. – N'oubliez pas la date limite pour profiter de la remise
              de 20 % sur tous nos articles.

1.3.14   *Méthode de relecture de la zone 3 de la lettre*

La zone 3 de la lettre comprend la signature et les diverses mentions. Une relecture vous permet de vérifier les points suivants :

- inscription des initiales d'identification ;

- ajout de la signature manuscrite;
- présence de la mention « pièce jointe » si le texte de la lettre le précise;
- présence de la mention « copie conforme » si la lettre est expédiée à d'autres personnes;
- présence du post-scriptum (s'il y a lieu).

À cette révision peut s'associer un dernier coup d'œil sur toutes les composantes de la lettre. Enfin, il convient à ce moment de relire attentivement le texte afin de corriger toute faute d'orthographe, de grammaire ou de frappe.

1.4 Les styles de présentation de la lettre d'affaires

L'ordre de présentation des différentes parties de la lettre demeure constant. Cependant, il existe dans la mise en forme plusieurs façons d'aligner ces différentes parties. Quelle que soit la façon dont vous disposez les lettres, il importe de tenir compte des remarques suivantes pour en améliorer la présentation.

- En ce qui a trait au cadrage, la largeur des marges ne répond pas à des règles absolues. On suggère de laisser des marges latérales (de gauche et de droite) de 2,5 cm à 4 cm. Les marges supérieure et inférieure varient selon la longueur de la lettre; la marge supérieure est généralement de 5 cm à 7,5 cm (incluant les éléments de l'en-tête) et la marge inférieure de 2,5 cm à 4 cm.
- La lettre est mise en forme à simple interligne. Mais si elle est très courte, on utilise exceptionnellement l'interligne et demi.
- On laisse deux interlignes entre les paragraphes.
- Il est préférable de choisir un caractère classique plutôt que décoratif.
- Il est possible d'utiliser la fonction de justification.

Vous trouverez ci-dessous et aux pages suivantes les trois styles les plus courants de présentation de la lettre.

1.4.1 La lettre à un alignement

Ce style convient particulièrement aux lettres courtes, car le nombre d'interlignes requis entre les différentes composantes peut facilement être respecté. De plus, ce style évite l'emploi de l'interligne et demi dans la disposition d'une courte lettre. Il offre les avantages d'une saisie facile et d'une lecture rapide.

Vous trouverez à la page suivante un modèle de lettre à un alignement qui comporte plusieurs mentions.

Comme nous l'avons déjà mentionné, toutes les parties de la lettre sont alignées contre la marge de gauche. Selon la longueur de la lettre, les marges latérales prédéfinies de 2,5 cm sont conservées. Cependant, si le texte est très court, elles peuvent être augmentées jusqu'à 4 cm. Dans le modèle de la page suivante, une petite flèche suivie du nombre d'interlignes indique l'espacement après chaque composante.

Avant d'imprimer une lettre, il est conseillé de visualiser à l'écran la disposition de ses composantes. Vous pourrez ainsi ajouter ou retrancher des interlignes pour obtenir une disposition harmonieuse.

Modèle de lettre à un alignement

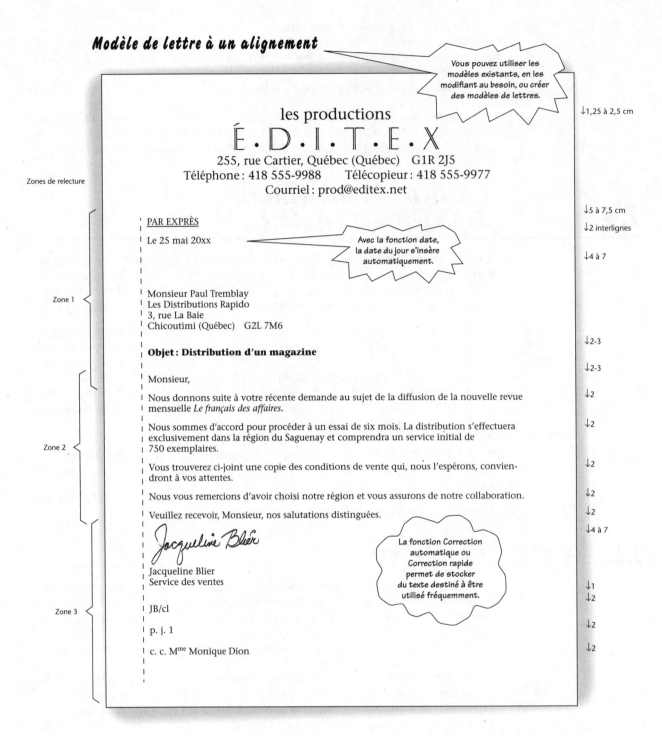

Vous pouvez utiliser les modèles existants, en les modifiant au besoin, ou créer des modèles de lettres.

↓1,25 à 2,5 cm

les productions

É·D·I·T·E·X

255, rue Cartier, Québec (Québec)   G1R 2J5
Téléphone : 418 555-9988   Télécopieur : 418 555-9977
Courriel : prod@editex.net

Zones de relecture

↓5 à 7,5 cm
↓2 interlignes

PAR EXPRÈS

Le 25 mai 20xx

Avec la fonction date, la date du jour s'insère automatiquement.

↓4 à 7

Zone 1

Monsieur Paul Tremblay
Les Distributions Rapido
3, rue La Baie
Chicoutimi (Québec)   G2L 7M6

↓2-3

Objet : Distribution d'un magazine

↓2-3

Monsieur,

Nous donnons suite à votre récente demande au sujet de la diffusion de la nouvelle revue mensuelle *Le français des affaires*.

↓2

Nous sommes d'accord pour procéder à un essai de six mois. La distribution s'effectuera exclusivement dans la région du Saguenay et comprendra un service initial de 750 exemplaires.

↓2

Zone 2

Vous trouverez ci-joint une copie des conditions de vente qui, nous l'espérons, conviendront à vos attentes.

↓2

Nous vous remercions d'avoir choisi notre région et vous assurons de notre collaboration.

↓2

Veuillez recevoir, Monsieur, nos salutations distinguées.

↓2
↓4 à 7

Jacqueline Blier

La fonction Correction automatique ou Correction rapide permet de stocker du texte destiné à être utilisé fréquemment.

Jacqueline Blier
Service des ventes

↓1
↓2

Zone 3

JB/cl

p. j. 1

↓2

c. c. Mme Monique Dion

↓2

1.4.2   *La lettre à deux alignements*

Dans ce style de présentation, l'inscription de la majorité des composantes s'appuie sur la marge de gauche. Cependant, l'objet est centré. De plus, l'indication du lieu (s'il n'est pas mentionné dans l'en-tête) et de la date, le nom dactylographié du signataire, son titre, sa fonction ou sa profession ainsi que la signature manuscrite commencent au centre de la page ou, de préférence, à cinq espaces à droite du centre. Vous trouverez un modèle de lettre à deux alignements à la page suivante.

La longueur du texte de la lettre vous aide à déterminer les marges. Dans un message contenant trois ou quatre paragraphes, il est conseillé de conserver les marges prédéfinies par le logiciel de traitement de texte utilisé. Dans le cas d'une courte lettre, les marges peuvent être augmentées jusqu'à 4 cm. Pour déterminer l'emplacement du deuxième alignement, vous utilisez les tabulations fixées par défaut et définissez celle qui correspond à cinq espaces à droite du milieu de la règle. Quant aux marges supérieure et inférieure, elles peuvent être modifiées en tenant compte des éléments de l'en-tête et du nombre de mentions à inscrire.

Modèle de lettre à deux alignements

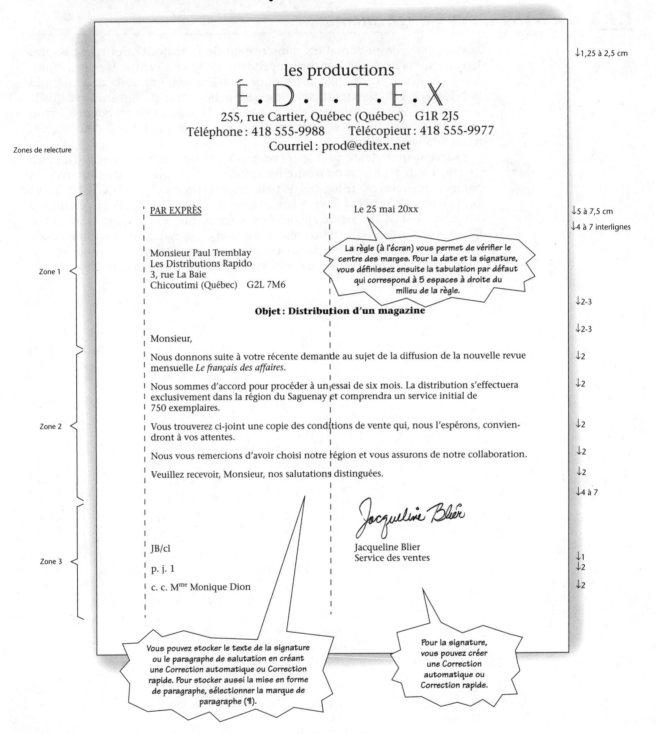

Zones de relecture

↓1,25 à 2,5 cm

les productions
É·D·I·T·E·X
255, rue Cartier, Québec (Québec)   G1R 2J5
Téléphone : 418 555-9988   Télécopieur : 418 555-9977
Courriel : prod@editex.net

PAR EXPRÈS   Le 25 mai 20xx

↓5 à 7,5 cm
↓4 à 7 interlignes

Zone 1

Monsieur Paul Tremblay
Les Distributions Rapido
3, rue La Baie
Chicoutimi (Québec)   G2L 7M6

La règle (à l'écran) vous permet de vérifier le centre des marges. Pour la date et la signature, vous définissez ensuite la tabulation par défaut qui correspond à 5 espaces à droite du milieu de la règle.

↓2-3

Objet : Distribution d'un magazine

↓2-3

Monsieur,

Nous donnons suite à votre récente demande au sujet de la diffusion de la nouvelle revue mensuelle *Le français des affaires*.

↓2

Nous sommes d'accord pour procéder à un essai de six mois. La distribution s'effectuera exclusivement dans la région du Saguenay et comprendra un service initial de 750 exemplaires.

↓2

Zone 2

Vous trouverez ci-joint une copie des conditions de vente qui, nous l'espérons, conviendront à vos attentes.

↓2

Nous vous remercions d'avoir choisi notre région et vous assurons de notre collaboration.

↓2

Veuillez recevoir, Monsieur, nos salutations distinguées.

↓2

↓4 à 7

Jacqueline Blier

JB/cl

Jacqueline Blier
Service des ventes

↓1
↓2

Zone 3

p. j. 1

c. c. Mme Monique Dion

↓2

Vous pouvez stocker le texte de la signature ou le paragraphe de salutation en créant une Correction automatique ou Correction rapide. Pour stocker aussi la mise en forme de paragraphe, sélectionner la marque de paragraphe (¶).

Pour la signature, vous pouvez créer une Correction automatique ou Correction rapide.

1.4.3 *La lettre à trois alignements*

Dans la lettre à trois alignements, la vedette, les références, l'appel et les mentions diverses sont alignés contre la marge de gauche. Chaque paragraphe du texte de la lettre débute par un alinéa; chaque alinéa est en retrait de cinq espaces par rapport à la marge de gauche. La date, la signature et le titre ou la profession du signataire commencent au centre de la page ou à quelques espaces à droite du centre. Dans ce style de présentation, l'objet est centré. Un modèle de lettre à trois alignements est proposé à la page suivante.

Dans la saisie d'une lettre qui contient trois ou quatre paragraphes, il est préférable de conserver les marges latérales prédéfinies de 2,5 cm. Pour le début de chaque paragraphe, utilisez la tabulation par défaut, qui est ordinairement fixée tous les 1,27 cm (ce qui correspond à cinq espaces). Pour inscrire la date et la signature, fixez une tabulation à cinq espaces à droite du milieu de la règle. Pour l'inscription de l'objet, utilisez l'option Centrer.

Modèle de lettre à trois alignements

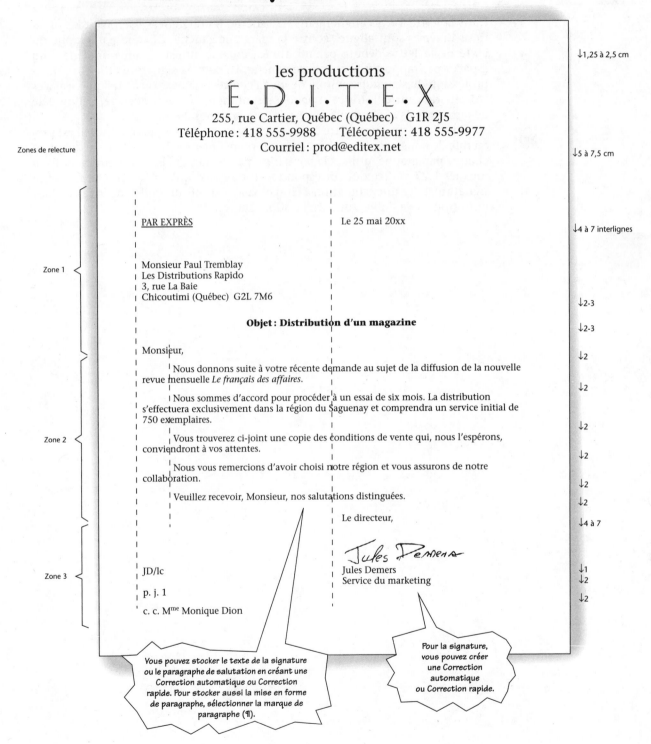

les productions
É·D·I·T·E·X
255, rue Cartier, Québec (Québec)   G1R 2J5
Téléphone : 418 555-9988   Télécopieur : 418 555-9977
Courriel : prod@editex.net

Zones de relecture

↓1,25 à 2,5 cm

↓5 à 7,5 cm

PAR EXPRÈS   Le 25 mai 20xx

↓4 à 7 interlignes

Zone 1

Monsieur Paul Tremblay
Les Distributions Rapido
3, rue La Baie
Chicoutimi (Québec) G2L 7M6

↓2-3

Objet : Distribution d'un magazine

↓2-3

Monsieur,

↓2

Nous donnons suite à votre récente demande au sujet de la diffusion de la nouvelle revue mensuelle *Le français des affaires*.

↓2

Nous sommes d'accord pour procéder à un essai de six mois. La distribution s'effectuera exclusivement dans la région du Saguenay et comprendra un service initial de 750 exemplaires.

↓2

Zone 2

Vous trouverez ci-joint une copie des conditions de vente qui, nous l'espérons, conviendront à vos attentes.

↓2

Nous vous remercions d'avoir choisi notre région et vous assurons de notre collaboration.

↓2

Veuillez recevoir, Monsieur, nos salutations distinguées.

↓2

Le directeur,

↓4 à 7

Jules Demers

Zone 3

JD/lc

Jules Demers
Service du marketing

↓1
↓2

p. j. 1

c. c. Mme Monique Dion

↓2

Vous pouvez stocker le texte de la signature ou le paragraphe de salutation en créant une Correction automatique ou Correction rapide. Pour stocker aussi la mise en forme de paragraphe, sélectionner la marque de paragraphe (¶).

Pour la signature, vous pouvez créer une Correction automatique ou Correction rapide.

TABLEAU 1.8
Règles de disposition de la lettre

Zones ombragées : mentions qui n'apparaissent pas obligatoirement dans toutes les lettres

LC : lettre courte
LM : lettre moyenne
LL : lettre longue

① lettre à un alignement
② lettre à deux alignements
③ lettre à trois alignements

↓ nombre d'interlignes
après chacune des composantes

COMPOSANTE	EXEMPLE	NORMES D'ÉCRITURE	AUTRES PRÉCISIONS ET ESPACEMENT
En-tête	Les Jardins enchantés 22, boul. des Capucines Ouest Belleville (Québec) J2K 1M5 Tél. : 418 544-5555 Téléc. : 418 544-4444	Réalisation confiée à des graphistes Observation des règles d'emploi de la majuscule, des abréviations et de la ponctuation	Dans la plupart des cas, l'en-tête apparaît dans la partie supérieure de la feuille et occupe de 3 cm à 5 cm. Marge sup. 1,25 à 2,5 cm.
Lieu et date	Laval, le 17 avril 20xx *ou* Le 17 avril 20xx	Le lieu et le mois ne doivent pas être abrégés. Ils sont séparés par une virgule.	**LC :** ↓6-7 Marge sup. 7,5 cm **LM :** ↓5 Marge sup. 6 cm **LL :** ↓4 ou 5 Marge sup. 5 cm Si le lieu figure dans l'en-tête, il n'est pas nécessaire de le répéter.
Mode d'acheminement et nature de l'envoi	<u>RECOMMANDÉ</u> <u>PERSONNEL</u>	En majuscules soulignées	① Contre la marge de gauche – précèdent la date ↓2 ② ③ Contre la marge de gauche, vis-à-vis de la date ↓4 à 7
Vedette	Madame Lise Giroux Directrice adjointe Service des achats 224, avenue des Tilleuls Laval (Québec) H7L 3Y2	L'adresse du destinataire apparaît dans un ordre précis. Elle respecte les règles d'emploi de la majuscule, des abréviations et de la ponctuation. Elle sera reproduite sur l'enveloppe.	Contre la marge de gauche **LC :** ↓3 **LM :** ↓2 ou 3 **LL :** ↓2
Références	V/Réf. : N/Réf. : Votre lettre du…		Contre la marge de gauche **LC :** ↓3 **LM :** ↓2 ou 3 **LL :** ↓2
Objet	**Objet : Offre de service**	En caractères gras Emploi d'un nom Majuscule après le deux-points	① Contre la marge de gauche ② ③ Centré **LC :** ↓3 **LM :** ↓2 ou 3 **LL :** ↓2
Appel	Madame, Monsieur, Madame la Directrice,	Ne doit pas être abrégé Est suivi d'une virgule Sera repris entre virgules dans la salutation	**LC :** ↓2 **LM :** ↓2 **LL :** ↓2

Tableau **1.8** (suite)

COMPOSANTE	EXEMPLE	NORMES D'ÉCRITURE	AUTRES PRÉCISIONS ET ESPACEMENT
Introduction	Précisions sur l'objet de la lettre	*Exemples :* rappel d'une conversation téléphonique, d'une invitation, d'une demande de renseignements, etc.	↓2
Développement	Renseignements qui se rapportent à l'objet de la lettre	*Exemples :* explication du pro-blème, renseignements fournis, raisons d'un refus, etc.	↓2
Conclusion	Incitation à réagir ou désir que le sujet traité apporte satisfaction au destinataire	Attente d'une réponse, paiement à recevoir, etc.	↓2
Salutation	Recevez, Madame, nos salutations distinguées	Fait partie d'un paragraphe distinct Reprend la formule d'appel Présente des variantes selon le titre du destinataire et les relations qu'on entretient avec lui	↓2 ou ↓4 à 7 selon la disposition de la signature
Signature	La directrice, Emmanuelle Dion (Voir autres façons de présenter la signature)	Quatre à sept interlignes sont réservés à la signature manuscrite. Cette dernière est suivie de la signature dactylographiée.	① Contre la marge de gauche ↓2 ② ③ Placée à droite, sur le même alignement que la date
Initiales d'identification	NC/hd	Initiales en majuscules : rédacteur Initiales en minuscules : transcripteur	① Contre la marge de gauche ② ③ Vis-à-vis de la signature dactylographiée **LC :** ↓2 **LM :** ↓2 **LL :** ↓1 ou 2
Pièce jointe	p. j. 2 *ou* p. j. Catalogue	Nombre de documents joints Nom du document joint	**LC :** ↓2 **LM :** ↓2 **LL :** ↓1 ou 2
Copie conforme	c. c. M. Léo Dor, directeur	Nom et fonction des personnes à qui est envoyée une copie de la lettre	**LC :** ↓2 **LM :** ↓2 **LL :** ↓1 ou 2
Transmission confidentielle	Transmission confidentielle : Mme Lucille Dufour	Nom et fonctions des personnes à qui est envoyée une copie de la lettre	**LC :** ↓2 **LM :** ↓2 **LL :** ↓1 ou 2
Post-scriptum	P.-S. –	Rappel d'un point important mentionné dans la lettre	

Il est important de visualiser la lettre à l'écran afin d'équilibrer les espacements entre ses différentes parties et d'obtenir ainsi une présentation harmonieuse.

Tableau 1.9
Relecture des trois zones de la lettre

Zone 1	– Lieu s'il n'est pas mentionné dans l'en-tête, et date du jour – Mode d'acheminement et nature de l'envoi (s'il y a lieu) – Éléments de la vedette présentés dans l'ordre requis – Mentions de références (s'il y a lieu) – Formulation de l'objet – Formule d'appel identique au titre de civilité ou au titre honorifique inscrit dans la vedette – Utilisation correcte des abréviations et de la majuscule
Zone 2	– Formule d'appel – Paragraphes d'introduction, de développement et de conclusion distincts – Espacement entre les paragraphes – Coupures de mots – Espacement des signes de ponctuation – Emploi du même pronom personnel (« je » ou « nous ») dans le corps de la lettre et dans la salutation – Absence de fautes d'orthographe et de grammaire – Formule de salutation qui reprend intégralement la formule d'appel
Zone 3	– Signature dactylographiée – Titre ou service du signataire (s'il y a lieu) – Espace pour la signature manuscrite – Initiales d'identification – Pièce jointe (si nécessaire) – Copie conforme (si la lettre est expédiée à d'autres personnes) – Post-scriptum (si nécessaire)
Zones 1, 2 et 3	– Disposition de toutes les composantes de la lettre selon le style d'alignement choisi

1.5   *D'autres types de lettres*

1.5.1   *La lettre de plus d'une page*

La disposition des composantes de la lettre de plus d'une page demeure soumise aux normes énumérées dans les styles décrits précédemment. Par ailleurs, elle doit respecter le protocole suivant.

- Utiliser le papier à en-tête de l'entreprise pour la première page seulement.
- Éviter de placer uniquement la formule de salutation et la signature sur la deuxième page.
- Ne pas couper un mot à la fin de la première page.
- S'il faut diviser un paragraphe en bas de page, celui-ci doit compter au moins deux lignes sur la première page et deux autres lignes sur la page suivante.
- Dans l'angle inférieur droit de la première page, l'indication ...2 signifie que le texte se poursuit sur la page suivante. Sur la deuxième page et sur les suivantes, on numérote la page dans l'angle supérieur droit, sans signe de ponctuation.
- Certaines personnes préfèrent inscrire les éléments suivants sur la deuxième page :

Madame Stéphanie Leconte   – 2 –   Le 27 avril 20xx

Un modèle de lettre de plus d'une page est présenté aux pages suivantes.

Tout d'abord, choisissez le style de présentation de la lettre (un alignement, deux alignements ou trois alignements) et inscrivez les composantes de la lettre selon l'ordre mentionné dans le présent chapitre. De plus, tenez compte des remarques propres à la disposition de la lettre de plus d'une page.

Pour ce type de lettre, il est préférable de conserver les marges latérales de 2,5 cm. Toutefois, vous devez laisser deux interlignes avant d'inscrire ...2 dans le coin inférieur droit de la première page.

Quant aux mentions qui commencent la deuxième page, elles sont placées à 2,5 cm du haut de la feuille. Le nom du destinataire est placé contre la marge de gauche, le chiffre 2 précédé et suivi d'un tiret est centré et la date est inscrite contre la marge de droite. Ces mentions sont suivies de quatre interlignes.

Modèle de lettre de plus d'une page

CHENELIÈRE
ÉDUCATION

7001, boulevard Saint-Laurent
Montréal (Québec) Canada H2S 3E3
Téléphone : 514 273-1066
Télécopieur : 450 461-3834 / 1 888 460-3834
info@cheneliere.ca

<u>PERSONNEL</u>   Le 13 septembre 20xx

Monsieur Stéphan Kouri
Librairie Ulysse
2645, boulevard Salaberry Ouest
Montréal (Québec)   H4J 3K7

N/Réf. : Dossier n° 3729
V/Lettre du 7 septembre 20xx

Objet : Communication de renseignements

Monsieur,

Nous sommes heureux de vous compter parmi nos nouveaux clients et désirons vous assurer de la qualité de nos services en tout temps.

Dans votre dernière lettre, vous formulez une demande concernant les conditions de paiement de commandes importantes. Comme vous êtes un nouveau client, nos conditions pour les six prochains mois sont les suivantes : vous acquittez 50 % de la facture au moment de la livraison et le solde 30 jours plus tard.

Nous tenons à vous rappeler que, si vous réglez le montant total dans les 15 jours suivant la réception d'une commande, vous profitez d'un escompte de 10 %.

Si vous souhaitez acquitter les sommes dues selon d'autres modalités, vous pouvez nous joindre afin d'en discuter. Notre représentant du Service de crédit, M. Bernard Dubé, pourra alors vous rencontrer et examiner avec vous d'autres possibilités. Vous pouvez prendre contact avec lui au 418 555-5692, poste 220.

... 2

Vous pouvez créer un pied de page pour la pagination ...2 et un en-tête pour la 2ᵉ page de texte.

Monsieur Stéphan Kouri   – 2 –   Le 13 septembre 20xx

Dans le cas où nous pourrions vous accorder des conditions de crédit plus avanta-
geuses, vous devrez nous fournir les renseignements suivants sur la fiche jointe à cet effet :

- nom de votre institution financière;
- adresse complète;
- numéro de téléphone;
- numéro de compte;
- numéro de TVQ;
- numéro de TPS;
- nom et adresse de deux fournisseurs avec qui vous faites affaire depuis au moins
  deux ans.

Soyez assuré que les renseignements donnés demeureront strictement confidentiels.

Nous espérons avoir répondu à toutes vos questions et souhaitons avoir le plaisir de
vous servir de nouveau.

Croyez, Monsieur, à l'assurance de notre collaboration.

Marielle Delorme
Service du crédit

MD/gh

p. j. 1

1.5.2   *La lettre avec tableau*

L'ajout d'un tableau dans une lettre permet d'apporter des précisions sur un sujet. Seul un court tableau peut être inséré dans une lettre; un tableau plus long devra faire l'objet d'une pièce jointe.

Les normes de présentation varient selon la complexité du tableau et la quantité de données. De façon générale, il est recommandé de tenir compte des points suivants.

- Le tableau est centré en largeur.
- Les titres (s'il y a lieu) sont en majuscules et suivis de deux interlignes.
- Les intertitres (s'il y a lieu) sont en minuscules avec une majuscule initiale et suivis de deux interlignes.
- Les titres de colonnes sont en caractères gras avec une majuscule initiale.

Exemple :

TABLEAU COMPARATIF

Taux d'absentéisme du personnel

Avril	**Mai**	**Juin**	**Juillet**	**Août**
3,0 %	3,7 %	3,1 %	2,7 %	1,2 %

Vous trouverez à la page suivante un modèle de lettre avec tableau.

Pour obtenir ce type de disposition, vous pouvez créer ou insérer un tableau et enlever les bordures ou lignes.

Modèle de lettre avec tableau

Banque Millionnaire

Le 7 avril 20xx

Monsieur Robert Paquin
2255, avenue des Érables Ouest
Montréal (Québec)   H4J 2N3

Objet : Certificat de placement garanti

Monsieur,

Nous vous remercions d'avoir choisi la Banque Millionnaire pour vous procurer un certificat de placement garanti.

Nous espérons que vous êtes satisfait du personnel de la succursale avec qui vous avez fait affaire. Voici le relevé correspondant à votre dernier certificat de placement garanti, contracté le 31 mars dernier :

Nom de l'émetteur	Date d'émission et montant	Taux d'intérêt	Intérêts acquis	Date d'échéance	Valeur au 31 mars 20xx
Banque Millionnaire	31 mars 20xx 1 000 $	4,5 % annuel composé	63,87 $	31 mars 20xx	1 063,87 $

Pour tout renseignement, vous pouvez joindre le centre de service à la clientèle au 1 800 777-7777. Les spécialistes en placement de la Banque Millionnaire sont à votre disposition pour vous aider à établir un plan de placement au moment où cela vous conviendra.

Veuillez croire, Monsieur, à l'expression de nos sentiments les meilleurs.

Philippe Miljours, conseiller financier

PM/al

1.5.3   *La lettre avec citation*

Une citation consiste à rapporter textuellement un extrait d'un ouvrage, un article de loi ou les propos d'une personne. Une citation de moins de trois lignes s'intègre dans le texte et est encadrée de guillemets français (en forme de chevrons « »). Si la citation compte plus de trois lignes, on la présente de la façon suivante.

- Elle est placée en retrait du texte de la lettre (à environ cinq espaces des marges de gauche et de droite) et mise en forme à simple interligne.
- Il est préférable qu'elle se trouve sur une même page; s'il faut la diviser en bas de page, les deux premières lignes doivent figurer sur la première page.

Exemple :   Selon l'article 5.10.51 de la convention collective :

> L'employeur avise le syndicat de tout accident de travail ou maladie professionnelle concernant une employée ou un employé, dès qu'il est porté à sa connaissance. L'employeur doit informer le syndicat dans les deux jours qui suivent la date de la lésion professionnelle.

Un modèle de lettre avec citation est présenté à la page suivante.

Modèle de lettre avec citation

Les Marronniers inc.

Le 7 avril 20xx

Madame Annabelle Gauthier
1236, boul. des Hirondelles, app. 806
Laval (Québec)   H7L 3Y2

Objet : Réponse à une demande de congé sans traitement

Madame,

La direction du Service des ressources humaines ne peut malheureusement accepter votre demande de congé sans traitement.

Bien que nous ayons considéré votre lettre du 20 mars dernier, nous ne pouvons vous accorder un congé sans traitement partiel, en raison des besoins du service et de la nature de votre tâche. Cependant, vous pourriez bénéficier d'un congé sans traitement d'un an. Nous vous soulignons que ces dispositions respectent les articles suivants de votre convention collective :

> 5.18.00   L'employé(e) qui désire un congé sans traitement doit en faire la demande au Service des ressources humaines conformément à l'article 5.18.02.

> 5.18.01   L'octroi d'un congé sans traitement est du ressort de l'employeur. Dans le cas d'un refus, ce dernier doit lui fournir les raisons de son refus.

Si vous décidez de modifier votre demandé dans le sens proposé précédemment, nous vous saurions gré de nous en faire part le plus tôt possible afin que nous puissions prévoir votre remplacement.

Croyez, Madame, à l'expression de nos sentiments les meilleurs.

Le directeur,

Jean Hamelin

Jean Hamelin
Service des ressources humaines

JH/lm

c. c. M. John Harrison, président du syndicat EPI

1.5.4   La lettre avec énumération verticale

La présentation d'une énumération verticale dans une lettre favorise la clarté des points mentionnés. Qu'il s'agisse de communiquer des renseignements, de commander des articles, de faire valoir des arguments ou de formuler des demandes, une présentation avec des retraits et avec des chiffres, des lettres ou des tirets permet de mettre en évidence les différents éléments. Selon le logiciel que vous utilisez, vous pouvez aussi choisir certains caractères spéciaux.

Un modèle de lettre avec énumération verticale est présenté ci-dessous.

Modèle de lettre avec énumération verticale

Commission scolaire des Mille-Fleurs
3379, rue des Marguerites
Mont-Laurier (Québec)   J2B 1M7

Le 17 août 20xx

Madame Ghislaine Rosine
Bureau Atout
32, chemin Normandie
Sainte-Agathe-des-Monts (Québec)   J8C 2G6

Objet : Commande de fournitures de bureau

Madame,

En vue de la rentrée scolaire imminente, nous désirons commander les fournitures de bureau suivantes :

- 3 classeurs latéraux à 3 tiroirs – modèle 97-021 – beige – 384,95 $ l'unité;
- 2 bibliothèques préassemblées – modèle 52-972 – beige – 81,95 $ l'unité;
- 2 boîtes d'enveloppes (500/bte) – papier vélin blanc – 18-243 – 79,99 $ bte;
- 50 paquets de feuilles – papier laser – 21,5 cm × 28 cm (8 1/2 po × 11 po) – 31-200 – 18,25 $ pqt;
- 60 stylos à bille roulante – Pilot V/5 – encre violette – 11-867 – 2,99 $ l'unité.

Nous souhaiterions recevoir cette commande au début de la semaine prochaine. Comme convenu, nous réglerons la facture à la réception.

Recevez, Madame, nos salutations distinguées.

MB/st

Mireille Blain, secrétaire

1.5.5   *La lettre protocolaire*

Les lettres destinées à diverses personnalités (politiques, ecclésiastiques, etc.) commandent bien souvent l'observation d'un protocole particulier. Le tableau 1.3 des pages 19 et 20 vous indique les vedettes et les formules d'appel à utiliser en de telles occasions.

1.5.6   *La circulaire*

La circulaire est une lettre tirée à plusieurs exemplaires. Elle a pour but de communiquer une même information à plusieurs personnes. Les renseignements transmis peuvent concerner les sujets suivants : annonce de soldes, modification de prix, changement d'adresse ou de raison sociale, nouveaux services ou produits, amélioration des services offerts ou modernisation d'une succursale, etc.

La tendance actuelle est de personnaliser ce type de communication en inscrivant les coordonnées des destinataires. L'utilisation de logiciels de traitement de texte et de bases de données facilite grandement l'exécution de cette tâche. Il est souhaitable que la signature manuscrite de l'expéditeur y figure.

Plusieurs commerces et entreprises choisissent cette forme de communication dans le but de promouvoir leurs produits ou leurs services et de recruter de nouveaux clients. Pour ce faire, ils ont recours aux envois en nombre, dans lesquels les éléments personnalisés ne sont pas mentionnés. Dans ce cas, les composantes de la circulaire sont les suivantes : en-tête, lieu et date, appel (Madame, Monsieur, placés l'un en dessous de l'autre), texte de la lettre, salutation, signature, initiales d'identification, pièce jointe (s'il y a lieu), post-scriptum (s'il y a lieu).

La disposition d'une circulaire est sujette à des variantes. Selon le produit ou le service offert, sa présentation peut faire preuve d'une certaine originalité. L'emploi de différents caractères, le soulignement, le centrage d'une phrase importante, l'ajout de lignes, de bordures ou même de dessins peuvent attirer l'attention du destinataire. C'est la raison pour laquelle la présentation de ce type de communication n'est pas soumise à un protocole particulier; il faut seulement respecter les normes d'inscription des éléments des composantes de la lettre.

Vous trouverez un modèle de circulaire à la page suivante.

Modèle de circulaire

CHENELIÈRE
ÉDUCATION

7001, boulevard Saint-Laurent
Montréal (Québec) Canada H2S 3E3
Téléphone : 514 273-1066
Télécopieur : 450 461-3834 / 1 888 460-3834
info@cheneliere.ca

Le 9 décembre 20xx

TextArt ou WordArt permettent de créer des effets du style de celui donné à « Avis important ».

Chers clients,
Chères clientes,

La maison d'édition **Chenelière/McGraw-Hill** vous informe de l'ouverture d'un nouveau bureau de commandes situé au 7001, boulevard Saint-Laurent, à Montréal.

La mise en place d'un nouveau système informatisé nous permettra de réduire les délais de livraison de vos prochaines commandes et de vous informer sur-le-champ du nombre exact de volumes en stock.

Avis important

Afin d'accélérer le service, nous vous serions reconnaissants de mentionner, lors de votre prochaine commande, le numéro ISBN des titres désirés.

Le numéro de téléphone à composer est le suivant :

(514) 273-1066

Vous pouvez également commander par télécopieur au numéro suivant :

(514) 276-0324

Nous souhaitons que les améliorations apportées répondent à vos attentes.

Recevez, chers clients, chères clientes, nos salutations les meilleures.

France Lamontagne

France Lamontagne
Service de la publicité

1.6   *Le pliage de la lettre*

La lettre d'affaires doit être correctement insérée dans l'enveloppe. Dans le cas des enveloppes de format 10,5 cm × 22,5 cm (4 po × 9 po), il faut suivre la procédure suivante.

1. Vous repliez la partie inférieure de la lettre jusqu'à l'objet. La disposition de la plupart des lettres d'affaires courantes convient à cette manière de procéder.
2. Vous rabattez la partie supérieure de la lettre à environ 0,5 cm en retrait de la première pliure.
3. Vous insérez la lettre en plaçant au haut de l'enveloppe le côté sur lequel figure le retrait d'environ 0,5 cm.

On procède différemment lorsqu'il s'agit d'enveloppes à fenêtre. Dans ce cas, l'adresse du destinataire, inscrite dans la vedette de la lettre, doit figurer au complet sous la pellicule transparente de la fenêtre. La plupart des enveloppes de ce type fournies par les fabricants contiennent un espace pellicule de 3 cm x 7 1/2 cm. Il est recommandé de ne pas prendre plus de cinq lignes pour inscrire les éléments de la vedette, afin de s'assurer de la visibilité de l'adresse complète du destinataire. Selon le format de l'enveloppe et l'emplacement de la pellicule transparente, vous aurez à plier la lettre différemment.

Format lettre et enveloppe n° 10

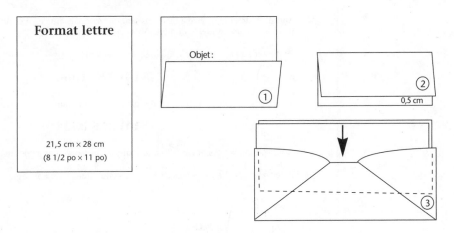

Format lettre

21,5 cm × 28 cm
(8 1/2 po × 11 po)

Objet:

① ② 0,5 cm ③

1.7   *L'enveloppe*

Pour s'assurer de la rapidité d'acheminement d'une lettre, il faut présenter les éléments à inscrire sur l'enveloppe selon certaines normes. Un bon ordre d'inscription favorise l'efficacité du traitement du courrier par les lecteurs optiques de la Société canadienne des postes. De plus, des règles concernant la qualité d'impression et d'autres caractéristiques matérielles doivent être respectées. Vous trouverez dans les pages suivantes des renseignements sur les méthodes d'adressage des enveloppes.

Tout d'abord, vous étudierez les principes généraux concernant les zones d'inscription et la disposition des éléments selon les recommandations de l'Office de la langue française. Puis vous prendrez connaissance des normes établies par la Société canadienne des postes. Finalement, vous trouverez de l'information sur les enveloppes à fenêtre et sur les étiquettes d'adresse.

La relecture des composantes de l'enveloppe est également importante; elle permet de corriger les erreurs qui peuvent engendrer un retard dans l'acheminement du message. Quelques précisions seront apportées à ce sujet.

Zones de l'enveloppe

Avec la fonction Enveloppe, vous pouvez créer une enveloppe en en choisissant le format. Pour ajouter une mention spéciale, insérez l'enveloppe dans un document et travaillez comme dans un document normal.

Hélène Beauséjour
12467, boulevard Saint-Michel
Montréal-Nord (Québec)   H4K 1M6

Zone 2

Zone 1

Zone 3

RECOMMANDÉ

Monsieur Jacques Migneault
Directeur du Service des ressources humaines
Assurances Tous Risques
12777, rue du Désastre
Pierrefonds (Québec) H4K 2M7

Zone 4

Voici quelques précisions sur chacune des zones.

- Zone 1 :   Espace réservé à l'adresse complète de l'expéditeur.
- Zone 2 :   Espace réservé au timbre-poste ou à l'empreinte de la machine à affranchir.
- Zone 3 :   Espace réservé à l'adresse du destinataire et aux diverses mentions concernant la nature de l'envoi et le mode d'acheminement de la lettre.
- Zone 4 :   Espace réservé au code de tri mécanisé de la Société canadienne des postes.

1.7.1   *Consignes générales*

Comme vous avez pu l'observer dans le modèle précédent, sont inscrites sur l'enveloppe les coordonnées de l'expéditeur ainsi que celles du destinataire, et des mentions complémentaires (s'il y a lieu). Voici quelques règles concernant la présentation de ces diverses composantes.

1. L'adresse du destinataire ne doit pas compter plus de cinq lignes.
2. Les adresses de l'expéditeur et du destinataire sont inscrites à simple interligne.
3. Chaque ligne est alignée à gauche.
4. Aucune ponctuation ne figure en fin de ligne.
5. La même police et des caractères de même taille doivent être utilisés pour toutes les parties de l'adresse. Une taille de 10 ou de 12 points est recommandée; les polices décoratives scripts et italiques ne sont pas conseillées.
6. Toutes les lignes de l'adresse doivent être imprimées **parallèlement** à la dimension la plus longue de l'enveloppe.
7. Chaque mot ou élément de l'adresse doit être séparé du suivant par un espace. Il existe une seule exception à cette règle : il faut laisser **deux espaces** entre le code postal et la province lorsque ces deux éléments sont sur la même ligne.
8. Chaque ligne peut contenir au maximum 40 caractères.

Adresse de l'expéditeur

Si l'expéditeur n'utilise pas d'enveloppe avec une adresse de retour imprimée, il doit inscrire son nom et son adresse complète dans la zone 1, c'est-à-dire dans l'angle supérieur gauche. Dans cette composante, le titre de civilité ne précède pas le nom.

Il est recommandé de laisser un blanc de 0,5 cm sur les côtés supérieur et gauche de l'enveloppe.

Adresse du destinataire

Cette composante de l'enveloppe reprend intégralement la vedette de la lettre. Le titre de civilité et le titre de la fonction du destinataire (s'il y a lieu) sont mentionnés. L'ordre d'inscription des éléments étant le même que celui qui est adopté dans la vedette de la lettre, il n'est pas utile de préciser l'emplacement de chacun. Cette composante est inscrite dans la zone 3 de l'enveloppe.

Une personne peut avoir une adresse géographique, qui précise un lieu (n°, rue, immeuble, bureau, etc.), ou une adresse postale, qui correspond au point de livraison du courrier (case postale, succursale postale, route rurale). Quand les deux existent, c'est l'adresse postale qu'on écrit sur l'enveloppe.

Plusieurs logiciels présentent une procédure simple concernant l'adressage des enveloppes et des étiquettes. Plusieurs formats d'enveloppes et d'étiquettes ont été définis; il suffit de sélectionner et de vérifier ceux qui sont compatibles avec l'imprimante utilisée et de remplir les cases « expéditeur » et « destinataire ». Vous pouvez également produire des listes contenant les adresses de plusieurs destinataires ou expéditeurs.

Autres mentions

Les mentions concernant le mode d'acheminement (PRIÈRE DE FAIRE SUIVRE, RECOMMANDÉ, PAR AVION, EXPRÈS ou PAR EXPRÈS, URGENT, À l'attention de) et la nature de l'envoi (PERSONNEL, CONFIDENTIEL) sont inscrites dans la zone 3 de l'enveloppe. L'Office de la langue française recommande d'indiquer ces mentions en majuscules soulignées à gauche de l'adresse, au-dessus des deux ou trois dernières lignes. La mention À l'attention de est présentée sur deux lignes et ne prend la majuscule qu'à la première lettre.

Exemple :   À l'attention de
Monsieur Louis Dor

S'il y a plusieurs mentions, il est d'usage de les inscrire vis-à-vis de la première et de la deuxième ligne de l'adresse du destinataire.

1.7.2   Envelope à fenêtre et étiquette d'adresse

L'emplacement réservé à l'adresse (pellicule transparente) dans les enveloppes à fenêtre et l'étiquette d'adresse doivent être rectangulaires. La plus grande dimension de la fenêtre doit être parallèle à la longueur de l'enveloppe. L'illustration ci-dessous décrit le positionnement de la fenêtre ou de l'étiquette d'adresse.

Positionnement de la fenêtre ou de l'étiquette d'adresse

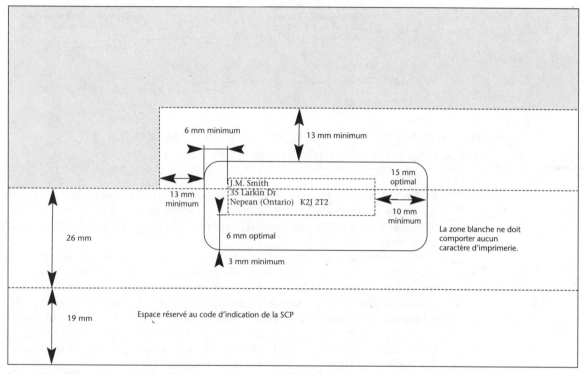

J.M. Smith
35 Larkin Dr
Nepean (Ontario)   K2J 2T2

6 mm minimum

13 mm minimum

15 mm optimal

13 mm minimum

10 mm minimum

La zone blanche ne doit comporter aucun caractère d'imprimerie.

26 mm

6 mm optimal

3 mm minimum

19 mm

Espace réservé au code d'indication de la SCP

Sources : *Caractéristiques de la poste-lettre*, Société canadienne des postes, 16 p. (brochure, sans date).
Feuilles polycopiées ADN (Adresse détaillée nécessaire), Société canadienne des postes, 24 p. (sans date).

**Dimensions
de l'étiquette
d'adresse**

L'étiquette d'adresse doit être assez grande pour laisser l'espace suivant entre ses bords et l'adresse :

- bas : espace minimal de 3 mm, espace optimal de 6 mm;
- côté gauche : espace minimal de 6 mm;
- côté droit : espace minimal de 10 mm, espace optimal de 15 mm.

Des étiquettes peuvent être faites à l'aide de l'ordinateur. Plusieurs choix de formats sont offerts.

Modèles d'étiquettes

Madame Ghislaine Champagne
Directrice adjointe
École Musica
3345, rue Debussy
Blainville (Québec)   H4M 2N6

> La fonction Étiquettes permet de créer des étiquettes et d'en choisir le format. Vous pouvez centrer l'adresse verticalement.

Monsieur Nicholas Lesage
227, boul. de la Renaudière
Cap-de-la-Madeleine QC   G1V 3L5

> Si vous avez à saisir le nom d'une ville et la province, vous pouvez créer une Correction automatique ou Correction rapide.

1.7.3 Normes canadiennes d'adressage préconisées par la Société canadienne des postes

La Société canadienne des postes détaille dans plusieurs brochures les normes d'adressage qui favorisent le traitement rapide et efficace du courrier avec les lecteurs optiques. Elle distingue deux formes de présentation : l'adresse courante et l'adresse optimale.

L'adresse courante permet d'inscrire les éléments au long, de combiner des majuscules et des minuscules et d'utiliser des signes de ponctuation. Cette façon correspond à celle qui a été présentée précédemment et à celle qui est recommandée par l'Office de la langue française. Quant à l'adressage qualifié d'optimal, qui consiste à n'utiliser que des majuscules sans accent et sans ponctuation, il est déconseillé, car il ne satisfait pas aux normes de la langue française. L'abréviation QC est admise sur des étiquettes et dans des fichiers d'adresses informatisées dans le cas d'envois massifs.

Si vous utilisez une enveloppe de format 10,5 cm x 22,5 cm (4 po x 9 po), les étiquettes doivent être apposées de la façon suivante :

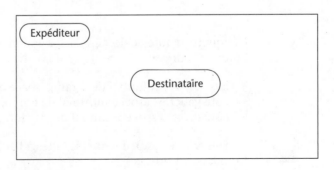

L'adresse de l'expéditeur figure dans le coin supérieur gauche. Celle du destinataire est centrée horizontalement et verticalement.

Voici un tableau des abréviations des provinces et des territoires canadiens.

TABLEAU 1.10

Abréviations des provinces et des territoires canadiens

PROVINCES ET TERRITOIRES CANADIENS	ABRÉVIATIONS
Alberta	Alb.
Colombie-Britannique	C.-B.
Île-du-Prince-Édouard	Î.-P.-É.
Manitoba	Man.
Nouveau-Brunswick	N.-B.
Nouvelle-Écosse	N.-É.
Ontario	Ont.
Québec	QC[2]
Saskatchewan	Sask.
Terre-Neuve-et-Labrador	T.-N.-L.
Territoires du Nord-Ouest	T. N.-O.
Territoire du Yukon	Yn
Nunavut	Nt

---

2. L'Office de la langue française a normalisé le symbole QC pour désigner le Québec dans le cas où une abréviation est nécessaire.

2 La note, la note de service et diverses communications

Objectif général

Rédiger, mettre en forme et acheminer par divers moyens les communications d'affaires d'usage courant.

Objectifs intermédiaires

- Déterminer les diverses formes de communications d'affaires usuelles.
- Rédiger, en respectant certains principes, les communications d'affaires courantes.
- Effectuer la disposition des communications d'affaires usuelles.
- Utiliser un protocole téléphonique.
- Acheminer par divers moyens les communications d'affaires courantes.

2.1 Généralités

L'expansion des entreprises entraîne souvent la création de nouveaux services et oblige les administrateurs à mettre en place des moyens pour faciliter les communications.

Le personnel administratif, parfois appelé à prendre des décisions, doit pouvoir compter sur une circulation rapide de l'information provenant de tous les services. La communication doit se faire facilement, que ce soit pour transmettre des renseignements, pour aider à la prise de décision ou pour modifier une décision déjà rendue.

L'information qui circule dans une entreprise peut être transmise sous forme de note, de note interservices, de message téléphonique, de bordereau de transmission, de message électronique, de télécopie, etc. Dans ce chapitre, vous aurez l'occasion de vous familiariser avec les diverses formes de communications d'affaires d'usage courant.

2.2 *La note et la note de service*

Définition

Bref message adressé à des membres du personnel d'une entreprise.

But

Transmettre des renseignements ou des directives.

Caractéristiques

- La note et la note de service se différencient l'une de l'autre par le fait que la première s'adresse à des personnes d'un niveau hiérarchique égal ou supérieur, tandis que la seconde s'adresse à des personnes d'un niveau hiérarchique moins élevé. Cependant, la distinction entre les deux est de moins en moins en usage et la note convient dans les deux cas.
- La note et la note de service peuvent être affichées ou expédiées.
- Il ne faut pas confondre la note de service avec le mémo, qui est une note prise pour soi-même afin de se rappeler une information ou un travail à effectuer.
- Le message doit être clair, bref et précis.
- Le style peut varier selon les rapports entre l'expéditeur et les destinataires.
- Les formules d'appel et de salutation sont supprimées.
- Il est possible d'indiquer des références (V/Réf., V/R ou N/Réf., N/R) ou d'autres mentions (initiales d'identification, copie conforme, pièce jointe, etc.).
- Lorsque l'expéditeur est mentionné au début, seules ses initiales manuscrites (paraphe) sont apposées après la note. Dans le cas contraire, on devra trouver sa signature, son nom et sa fonction ou son titre.
- La note et la note de service sont généralement rédigées sur des formulaires standardisés. En l'absence de ceux-ci, on utilise le papier à en-tête de l'entreprise.

Vous trouverez aux pages suivantes un modèle de note et un modèle de note de service.

Remarque
Si vous utilisez des modèles en anglais, assurez-vous de corriger les anglicismes qui pourraient s'y glisser.

Modèle de note

Pour standardiser la note ou la note de service, vous pouvez créer un modèle ou utiliser un modèle existant en le modifiant au besoin.

CHENELIÈRE
ÉDUCATION

NOTE

DESTINATAIRES :   Tous les membres de la direction

EXPÉDITEUR :   Arnaud Cardinal, directeur des ventes

DATE :   Le 22 septembre 20xx

OBJET :   **Choix de moyens publicitaires**

Vous êtes convoqués à une réunion qui se tiendra le 27 septembre prochain, à 14 h 30, au bureau 202.

Les principaux sujets à traiter sont les suivants : la promotion des livres récemment parus, la distribution de pochettes et d'affiches publicitaires et la participation au prochain Salon du livre.

Vu l'importance des décisions à prendre lors de cette réunion, votre présence serait grandement appréciée.

Modèle de note de service

> Pour standardiser la note ou la note de service, vous pouvez créer un modèle ou utiliser un modèle existant en le modifiant au besoin.

NOTE DE SERVICE

DESTINATAIRE : Tout le personnel de secrétariat

EXPÉDITRICE : Stéphanie Lepage, Service de la paie

DATE : Le 10 décembre 20xx

OBJET : **Heures supplémentaires**

Il y a quelques semaines, plusieurs d'entre vous m'ont remis le formulaire touchant les heures de travail supplémentaires effectuées depuis le 15 novembre.

Comme vous le savez déjà, selon une entente conclue avec la direction, vous avez le choix entre accumuler ces heures pour profiter d'un congé ou être rémunéré selon le tarif qui correspond à l'échelon du poste que vous occupez.

Vous trouverez ci-joint une fiche à remplir dans le but de nous faire connaître votre choix. Pour obtenir un congé, vous devez en informer votre supérieur immédiat 15 jours à l'avance. Si vous désirez être rémunéré, le montant des heures supplémentaires sera ajouté à la paie du 22 décembre.

Je vous remercie de votre collaboration habituelle.

p. j. 1

Éléments de la première partie de la note et de la note de service

- Le nom du **destinataire** est précédé du titre de civilité écrit en toutes lettres. Le titre de la fonction ou la dénomination du service peut également être indiqué à la suite du nom du destinataire ou en dessous.
- Lorsqu'une note ou une note de service s'adresse à plusieurs personnes, les indications suivantes peuvent être inscrites : « Tous les chefs de division », « Les membres de la direction générale », « Tout le personnel », « Le personnel de secrétariat », etc.
- Le nom de l'**expéditeur** est indiqué seul, sans être précédé du titre de civilité. Cependant, son titre ou sa fonction peut être inscrit. Plusieurs entreprises

utilisent le mot **Source** pour désigner la provenance de la note ou de la note de service.

- La **date** est indiquée selon la notation alphanumérique (*ex. :* Le 8 avril 20xx).
- L'**objet** résume le contenu du message. Il est préférable d'utiliser un nom ou une expression sans déterminant, comme «Congé de Pâques», «Nouveau système téléphonique», etc.

Plusieurs entreprises disposent de formulaires spécifiques pour la note et la note de service. Toutefois, si vous avez à présenter ces documents sur du papier à en-tête, voici la façon d'inscrire correctement les éléments.

Les mentions **destinataire, expéditeur, date** et **objet** sont alignées à gauche, inscrites en majuscules et disposées à double interligne. Elles sont suivies d'un deux-points. Les deux-points se placent après chaque mot (l'espacement habituel est respecté) et n'ont pas à être alignés. Les données qui suivent chaque mention sont alignées. L'énoncé de l'objet est inscrit en caractères gras.

Fixez des marges latérales de 2,5 cm à 3 cm. Observez le modèle de note de service pour déterminer l'espacement entre les éléments.

Éléments de la deuxième partie de la note et de la note de service

La deuxième partie présente l'essentiel du message. Les directives ou les renseignements donnés sont inscrits dans des paragraphes distincts. Selon le cas, des mentions peuvent être ajoutées (*ex. :* copie conforme, pièce jointe, références). La signature manuscrite ou le paraphe de l'expéditeur figure à la fin du texte.

Le texte du message est aligné avec les mentions de la première partie et disposé à simple interligne. Selon la longueur du texte, trois à cinq interlignes séparent les deux parties de ce document. Aucun paragraphe ne débute par un alinéa, mais deux interlignes sont laissés entre deux paragraphes. La signature, ou le paraphe, est précédée de quatre à sept interlignes.

Le tableau 2.1 et les paragraphes suivants vous donnent quelques précisions sur la rédaction d'une note et d'une note de service.

TABLEAU 2.1
Plan d'une note

PLAN	TEXTE
Nom, service (ou titre) du destinataire	Madame Nouria Kouri Service de la comptabilité
Nom, service (ou titre) de l'expéditeur	Marc Lamarre, responsable de la facturation
Date de l'envoi	Le 7 septembre 20xx
Objet de la note	**Révision de documents relatifs à la facturation**
Texte du message	À la suite de notre conversation téléphonique, je vous fais parvenir les documents concernant une erreur de facturation. Si vous désirez une copie de la grille de facturation, veuillez communiquer avec M. Denis Boutin au poste 210.
Formule de conclusion	Je vous remercie de votre collaboration.
Signature ou paraphe de l'expéditeur	
Mentions diverses (s'il y a lieu)	c. c. Mme Laurence Migneault

2.2.1   *Méthode de relecture de la note et de la note de service*

La relecture de la note et de la note de service doit accorder une attention particulière à chacune des deux parties qui les composent. Dans la première partie, il faut vérifier l'inscription de la date, des noms et des titres exacts des personnes mentionnées. Dans la seconde, une relecture permet de corriger les fautes d'orthographe et de grammaire qui auraient pu se glisser.

Formules d'introduction

- Nous vous avisons que…
- Je vous invite à consulter…
- Nous vous informons que…
- Je vous annonce que…
- Pour faire suite à…, je vous avise que…
- Veuillez prendre note…
- Veuillez noter…

Formules de conclusion

- Nous comptons sur votre collaboration.
- Je compte sur votre appui.
- Nous vous remercions de…
- Votre collaboration nous est nécessaire pour…
- Merci de votre collaboration.

Conseils pratiques

- Vous devez apporter autant d'attention à la rédaction de la note et de la note de service qu'à celle des autres communications d'affaires courantes.
- Utilisez des phrases courtes.
- Si votre message s'adresse à un groupe, vous pouvez utiliser un ton impersonnel.

  Exemples : Veuillez noter que…
  Selon la résolution votée à la dernière réunion du personnel, il a été décidé que…

- Nuancez votre propos par le choix de verbes au sens neutre. Par exemple, il est souhaitable d'employer « conseiller » au lieu de « ordonner » et « inviter » au lieu de « obliger ». Même si ces mots sont presque synonymes, les premiers n'expriment pas un ordre et semblent laisser le choix au destinataire.

2.3   *La note interservices*

Définition

Formulaire généralement utilisé dans les entreprises pour transmettre une information qui nécessite des explications détaillées ou pour présenter un bref rapport sur une question précise.

But

Faire circuler de l'information entre les services d'une même entreprise.

Caractéristiques

- La note interservices permet aux services intéressés de posséder les mêmes renseignements sur un cas, d'être au courant des dossiers en cours, de tirer et de divulguer (s'il y a lieu) les mêmes conclusions.
- Aux mentions inscrites dans la note de service s'ajoute l'indication des services concernés.
- Il s'agit bien souvent d'une note manuscrite.

Un modèle de note interservices vous est proposé ci-dessous.

Modèle de note interservices

Pour créer ce genre de document, vous pouvez insérer ou créer un tableau (modèle), et enlever les bordures ou lignes inutiles. Vous attribuez ensuite le style désiré aux autres bordures.

CARTEM   NOTE INTERSERVICES

DESTINATAIRE : Madame Diane Lepage   SERVICE : Comptabilité

EXPÉDITEUR : Daniel Migneault   SERVICE : Réclamations

OBJET : Réclamation   DATE : Le 22 juillet 20xx

M. Jean Desnoyers, un client, a téléphoné plusieurs fois au sujet d'une réclamation pour vol à son domicile.

Son dossier porte le numéro A-127.

Veuillez me confirmer le montant de la réclamation et m'indiquer si le chèque a été posté.

SVP, me répondre avant la fin de l'après-midi.

2.4   *Le bordereau de transmission*

Définition

Formulaire qui accompagne généralement des documents et précise leur nature, leur destination et la ou les raisons de leur transmission.

But

Préciser l'origine, la nature et la destination d'un document quelconque.

Caractéristiques

- Ce formulaire est généralement imprimé.
- Il contient plusieurs indications qui correspondent à des consignes précises. L'expéditeur coche les consignes appropriées.
- Il peut servir à la transmission des messages téléphoniques.

Vous trouverez un modèle de bordereau de transmission à la page suivante.

TABLEAU 2.2

Plan d'un bordereau de transmission

PLAN	TEXTE
Nom et service de l'expéditeur	Pierre Boutin Service de la paye
Nom et service du destinataire	Madame Gabrielle Royer Service de la comptabilité
Date de la transmission	Le 17 mai 20xx
Objet	Nouveau logiciel de comptabilité
Raison(s) de la transmission (à cocher)	Pour votre information Selon votre demande
Remarques (s'il y a lieu)	Il serait souhaitable de vérifier si le logiciel proposé est compatible avec votre programme et peut vous être utile.

Modèle de bordereau de transmission

LE COLLÈGE DE LA RIVIÈRE

BORDEREAU DE TRANSMISSION

EXPÉDITEUR : Pierre Boutin   DATE : Le 17 mai 20xx
Service de la paye

DESTINATAIRE : Madame Gabrielle Royer
Service de la comptabilité

OBJET :
Nouveau logiciel de comptabilité

Cocher les cases correspondantes

☑ Pour votre information   ☑ Selon votre demande
☐ Classer   ☐ Pour votre approbation
☐ Communiquer avec moi   ☐ Remplir
☐ Pour étude et rapport   ☐ Faire circuler
☐ Donner suite   ☐ Prendre note et
☐ Me faire parvenir le dossier   me retourner
☐ Préparer la réponse   ☐ Commenter
   pour ma signature   ☐ Me fournir ... copies
☐ Me voir le ... à ...   ☐ Autre : ....
☐ URGENT   ....

REMARQUES :
Il serait souhaitable de vérifier si le logiciel proposé est
compatible avec votre programme et peut vous être utile.

> Pour les cases, vous pouvez utiliser les caractères spéciaux de votre logiciel en augmentant leur taille.

Conseils pratiques

- Il est possible de réserver un espace pour indiquer l'heure de la transmission. Cela peut être utile dans le cas d'un appel téléphonique.
- Il est important de conserver un double du bordereau de transmission afin de pouvoir s'y référer au besoin.

2.5   *La note explicative et le commentaire*

Caractéristiques

Certains documents comportent fréquemment des tableaux et des graphiques. Il est parfois nécessaire qu'ils soient précédés ou suivis d'une **note explicative**. Généralement brève, la note explicative donne des précisions et est formulée en une ou deux phrases.

Exemple :   Comme le montre ce graphique, l'entreprise a connu ce trimestre l'augmentation des ventes la plus importante depuis trois ans.

Le **commentaire** est plus détaillé que la note explicative. Il comprend généralement trois parties :

– une introduction dans laquelle est exposé le sujet du commentaire ;
– un développement détaillant différents aspects du sujet abordé et une réflexion personnelle ;
– une conclusion reprenant l'essentiel du message.

Dans un rapport annuel, des commentaires peuvent être formulés sur les sujets suivants : les états financiers, les ventes, les dépenses, les données statistiques, etc.

Un exemple de commentaire est donné à la suite du tableau présenté ci-dessous.

DÉPENSES DE GRAPHIPRO		
	2004 En milliers de dollars	2003 En milliers de dollars
Frais d'administration	10 181	7 320
Salaires	640 444	630 438
Frais de communications Publicité, commandites	5 436	12 165
Frais d'occupation des bureaux[1]	185 454	120 454
Autres	7 877	6 899

1. Il convient d'apporter des précisions sur la hausse des frais d'occupation des bureaux. Ce montant inclut les coûts liés à l'entretien de l'édifice du siège social (taxes, fournitures, maintenance, dépréciation) ainsi qu'à la location des bureaux des succursales situées ailleurs au pays. L'augmentation de 65 000 000 $ est due, entre autres, à une rénovation importante du siège social afin d'en améliorer l'aspect et à une hausse du loyer de notre bureau de Québec. Ces dépenses d'exploitation ont donné plus de visibilité à l'entreprise. Ce facteur, ajouté à l'augmentation des dépenses en publicité et en commandites, a favorisé la croissance de l'entreprise.

2.6 *Un protocole téléphonique efficace*

Malgré les nombreux moyens de communication dont disposent les entreprises, les appels téléphoniques demeurent un élément important de la réussite en affaires. Conscientes de ce fait, elles développent des stratégies de communication faciles à appliquer.

L'efficacité des communications téléphoniques résulte de trois qualités : la courtoisie, la brièveté et la clarté. De plus, les stratégies suivantes favorisent une meilleure communication : un ton de voix agréable, une écoute attentive de l'appelant, une capacité à reformuler ses propos ou à lui poser des questions de clarification. L'usage d'un vocabulaire et de formules « standardisés » fait également partie du protocole téléphonique.

Afin de vous aider à vous familiariser avec le vocabulaire de la conversation téléphonique en affaires, une liste de mots et d'expressions à éviter ainsi que les formules à utiliser sont présentées dans le tableau 2.3.

TABLEAU 2.3
Vocabulaire du protocole téléphonique

FORMULES INCORRECTES	FORMULES CORRECTES
Appel conférence	Conférence téléphonique
Pagette	Téléavertisseur
Appel à charges renversées	Appel à frais virés
Code régional	Indicatif régional
Connecter	Brancher
Corde du téléphone	Cordon, fil
Ligne engagée Ligne en trouble Fermer la ligne Ouvrir la ligne Être sur la ligne Gardez la ligne La ligne est mauvaise Couper la ligne Ligne ouverte	Ligne occupée Ligne en dérangement Raccrocher Décrocher Être à l'écoute Ne quittez pas La ligne est en dérangement Couper la communication Tribune téléphonique
Opératrice	Téléphoniste
Retourner un appel	Rappeler
Mettre sur le hold	Mettre en attente, en garde
Appeler par intercom	Appeler par interphone
Local ou extension 2262	Poste 2262
Appel longue distance	Appel interurbain
Rejoindre quelqu'un par téléphone	Joindre quelqu'un par téléphone
Signalez 7	Faites, composez le 7
Signaler un numéro	Composer un numéro
Il y a du statique sur la ligne	Il y a du brouillage sur la ligne
Recevoir un téléphone	Recevoir un appel, un coup de fil, un coup de téléphone
Boîte téléphonique	Cabine téléphonique
Charger un appel	Facturer un appel
Acceptez-vous les charges?	Acceptez-vous les frais?
Appeler sans charges additionnelles	Appeler sans supplément, tous frais compris, sans frais supplémentaires
Qui appelle?	De la part de qui, s'il vous plaît?

2.6.1 La réception et le traitement des appels

Si l'on exclut la réception et la fin d'un appel, chaque situation de communication demande un traitement particulier. Vous pourrez observer dans les paragraphes qui suivent des exemples de formules adaptées à quelques cas.

- Répondre à un appel.

  Graphipro, Service à la clientèle, Lise Mondor ou Ici Lise Mondor

  Il est conseillé de ne pas ajouter « Bonjour ». De plus, le nom ne doit pas être précédé d'un titre de civilité (madame, monsieur).

- Faire patienter l'appelant.

  Ne quittez pas
  Un instant, je vous prie
  Un moment, s'il vous plaît

- Mettre l'appelant en communication avec la personne demandée.

  Je vous mets en communication
  Ne quittez pas, je vous passe M. Untel
  Vous êtes en communication

- Répondre à un autre appel pendant la conversation.

  Veuillez m'excuser, Mme Giroux, j'ai un autre appel. Je suis à vous dans un instant.

  (Au retour) Excusez-moi de vous avoir fait attendre. Nous en étions…

- Filtrer un appel.

  Puis-je lui dire qui l'appelle?
  De la part de qui, s'il vous plaît?
  Qui dois-je annoncer?

- Mentionner que la personne demandée est occupée.

  M. Untel est déjà au téléphone. Désirez-vous patienter *ou* attendre?
  Puis-je prendre le message?
  Voulez-vous laisser un message?
  Désirez-vous attendre ou préférez-vous rappeler?
  M. Untel est en réunion. Aimeriez-vous qu'il vous rappelle?

- Mentionner que la personne demandée est absente.

  M. Untel est absent jusqu'à mardi. Puis-je vous être utile?
  M. Untel est absent pour le moment. Désirez-vous parler à sa secrétaire?
  Voulez-vous laisser un message?

  Dans ce cas, il faut noter le nom, le nom de l'entreprise (s'il y a lieu), le numéro du poste (s'il y a lieu) et le numéro de téléphone. Il est prudent de les répéter pour s'assurer de leur exactitude. Dans le doute sur l'orthographe du nom, utiliser un code d'épellation. (*ex.* : J comme Jacques, M comme Marie).

- Traiter une plainte.

    Je suis désolé d'apprendre que...
    Pourriez-vous m'expliquer la nature du problème?

    (Selon le cas, demander des précisions : n° de facture, date d'achat, date d'expiration d'une garantie, n° de contrat, etc.)

    (Donner des renseignements ou des solutions possibles) *ou*

    Je vous passe M. Untel, responsable de...

- Mettre fin à un appel long.

    Je crois que avons tous les renseignements nécessaires pour...
    Je vous remercie. Les précisions que vous avez apportées nous permettent de...
    Je vous remercie. Nous avons maintenant tous les renseignements nécessaires pour procéder à...

2.6.2   *Le message téléphonique*

Définition   Formulaire sur lequel on inscrit le contenu d'un appel téléphonique.

But   Noter les coordonnées et le message d'une personne qui désire en joindre une autre au téléphone.

Caractéristiques   Les renseignements suivants doivent être notés clairement sur ce formulaire :

- la date et l'heure de l'appel;
- le nom de la personne demandée;
- le nom de l'interlocuteur de même que le nom de l'entreprise et du service, le numéro de téléphone et le poste à joindre;
- le message à transmettre (si le formulaire contient diverses indications, il suffit de cocher la ou les consignes appropriées);
- les initiales d'identification de la personne qui prend l'appel.

    Un modèle de message téléphonique est présenté à la page suivante.

Modèle de message téléphonique

Distruc *ltée* • MESSAGE TÉLÉPHONIQUE

POUR :   _Dominique Larivière_

DE LA PART DE :   _Claude Brodeur_

Service de la publicité

TÉL. :   _418 555-0000, poste 703_

Cocher la case correspondante

☑ APPELER, S.V.P.   ☐ DÉSIRE VOUS RENCONTRER

☐ RAPPELLERA   ☐ EN RÉPONSE À VOTRE APPEL

MESSAGE :   _Circulaire à poster à la clientèle_

Rappeler avant 14 h

REÇU PAR : MD	HEURE : 9 h 10	DATE : 23 mai

Conseils pratiques

- Si vous croyez avoir mal compris un renseignement, n'hésitez pas à le faire préciser par l'interlocuteur.
- Même si vous disposez d'un espace limité pour noter la raison de l'appel, il importe que vous indiquiez toutes les données importantes du message.
- Assurez-vous que la transcription du message téléphonique ne contient aucune erreur et remettez-la dans les plus brefs délais à la personne intéressée.

2.7   *Les formulaires administratifs*

Définition

Document imprimé qu'on remplit pour fournir des renseignements, mentionner des faits ou faire des demandes spécifiques.

But

Uniformiser la présentation des renseignements.

Caractéristiques

Ces formulaires permettent d'uniformiser la présentation des renseignements recueillis et d'éviter des oublis importants. Entre autres, ils peuvent concerner :

- la transmission d'un message par télécopie;
- une demande d'avance en cas de voyage;
- une demande de congé;
- un avis de poste vacant;

- l'indication d'un changement d'adresse;
- une réclamation pour dommages;
- une évaluation provisoire durant une période d'essai;
- une feuille de présence;
- un registre d'assiduité;
- une réclamation au sujet d'une révision de salaire.

Un modèle de formulaire administratif est présenté ci-dessous.

Modèle de formulaire administratif

TRANSMO
SERVICE DES RESSOURCES HUMAINES

DEMANDE DE CONGÉ

NOM DE L'EMPLOYÉ OU DE L'EMPLOYÉE :	André Beauregard
POSTE :	Secrétaire
SERVICE :	Communications
DATE DE DÉBUT DU CONGÉ :	20xx-09-08
DATE DE RETOUR :	20xx-12-21
MOTIFS :	Retour aux études
	J'aimerais faire la première
	session à temps plein.

DÉCISION

☑ DEMANDE ACCEPTÉE

☐ DEMANDE REFUSÉE

☐ CONGÉ PROLONGÉ

André Beauregard	*Jeanne Trudel*
EMPLOYÉE OU EMPLOYÉ	SUPÉRIEURE OU SUPÉRIEUR
20xx-08-03	20xx-08-03
DATE	

2.8   *La carte professionnelle*

Caractéristiques

Tout d'abord, il faut distinguer une carte de visite et une carte professionnelle. La première ne contient que des renseignements d'ordre privé alors que la seconde présente des éléments qui se rapportent à l'exercice du métier ou de la profession d'une personne. Même si sa conception est souvent confiée à des graphistes, il existe plusieurs logiciels qui permettent de créer rapidement une carte professionnelle personnalisée.

Les éléments essentiels qui doivent y être inscrits sont les suivants :

- nom;
- titre ou profession;
- nom de l'entreprise ou de l'organisme pour lequel vous travaillez;
- adresse postale, numéros de téléphone et de télécopie, adresse de courrier électronique et adresse Internet.

Pour les jeunes travailleurs autonomes, il peut être utile d'ajouter le dernier diplôme obtenu.

Exemple :   C. trad. (certificat en traduction)

Présentation des éléments d'une carte professionnelle

Ces éléments peuvent être disposés dans un ordre différent selon la conception graphique de la carte. Voici quelques normes générales de disposition.

- On met une majuscule au premier mot de chaque ligne.
- Aucune ponctuation n'est ajoutée à la fin d'une ligne.
- L'emploi du point abréviatif est justifié pour les abréviations telles que av., boul., inc., téléc., etc.
- La virgule sépare les différents éléments de l'adresse lorsque ces derniers sont inscrits sur une même ligne.
- La virgule sépare le nom de la personne de son métier ou de sa profession. Si on omet cette virgule, on met une majuscule à la ligne suivante.

Les normes de présentation des éléments d'une carte professionnelle sont identiques à celles qui concernent la vedette d'une lettre.

Pour mettre en valeur ces éléments, plusieurs choix peuvent être faits : couleur du carton, police et caractères du texte, ajout de lignes, de dessins ou d'ombres, présence d'un logo, qui contribuent à donner à une carte un aspect original et unique, et qui rehaussent sa valeur esthétique. Cependant, selon la profession exercée, la sobriété ou l'originalité prévaudra.

Remarque

Lorsque vous rencontrez des employeurs potentiels, vous pouvez leur remettre votre carte professionnelle. Cette carte peut également être jointe à votre curriculum vitæ.

Voici quelques exemples de cartes professionnelles.

Service des ressources éducatives
LOUISE DEPATIS
Conseillère pédagogique
Formation professionnelle

13, rue Sainte-Brigitte
Sainte-Agathe-des-Monts (Québec) J7C 2C3
Téléphone : 819 326-0043
Télécopieur : 819 326-1321
Courriel : depatisl@inforoutefpt.org

SARAH AUGER
Secrétaire – traductrice

130, rue De Lorimier
Montréal (Québec) H4W 3B1

Téléphone/télécopieur : 514 525-2356
Courriel : augers@point-net.com

Société
Multipro

Élise Gauthier
Représentante

247, rue Taylor
Montréal (Québec) H4J 2K3
Téléphone : 514 598-6543
Tél. cellulaire : 514 889-0034
Courriel : egauthier@vidinet.ca

Banque Internationale

Delphine Laberge
Directrice
Services financiers

3225, boulevard Labelle   Téléphone : 450 667-4321
Laval (Québec) H7L 3Y2   Télécopieur : 450 667-3456
                                           dlaberge@banqueinter.ca

2.9   *Autres moyens de communication*

L'envoi de documents par télécopie ou par courrier électronique fait partie des moyens de communication utilisés quotidiennement dans les entreprises.

2.9.1   *Les messages transmis par télécopie*

Le télécopieur reproduit un document à distance. Sa transmission immédiate s'effectue par le réseau téléphonique. Ce document est le plus souvent accompagné d'un bordereau sur lequel figurent les coordonnées de l'entreprise, le nom du destinataire, ses numéros de téléphone et de télécopieur, l'objet, la date, l'heure et le nombre de pages du message (y compris le bordereau). La totalité d'un court message peut être rédigée sur les quelques lignes réservées à cette fin.

Un modèle de bordereau de télécopie vous est présenté à la page suivante.

Modèle de bordereau de télécopie

CHENELIÈRE
ÉDUCATION

Destinataire : _____

Entreprise : _____

Téléphone : _____

Télécopieur : _____

Expéditeur : _____

Télécopieur : 514 276-0324   Téléphone : 514 273-1066

Objet : _____

Date et heure : _____

Nombre de pages : _____
(page couverture incluse)

Message : _____
_____
_____
_____
_____
_____
_____
_____

Si vous avez des problèmes de transmission, veuillez communiquer avec l'expéditeur.

CHENELIÈRE
ÉDUCATION

7001, boul. Saint-Laurent, Montréal (Québec) Canada H2S 3E3 • Tél. : (514) 273-1066
Téléc. : (514) 276-0324 ou 1 800 814-0324 • Service à la clientèle : (514) 273-8055 ou 1 800 565-5531
www.cheneliere-education.ca • info@cheneliere-education.ca

> *Pour ce genre de document, vous pouvez créer un modèle ou utiliser un modèle existant en le modifiant au besoin.*

2.9.2   *Les messages transmis par courriel*

Conseils pratiques

Le courrier électronique permet d'échanger des renseignements avec quelqu'un de l'entreprise ou de l'extérieur. La rédaction d'un message électronique est plus concise et moins protocolaire que celle de la correspondance courante. Cependant, quelques conseils concernant sa rédaction et sa disposition doivent être suivis.

- Employer une formule d'appel.

  Exemple :   Madame,

- Présenter le texte du message dans des paragraphes distincts alignés à la marge de gauche.

- Éviter les abréviations et l'emploi de majuscules pour l'ensemble du texte.
- Terminer par une brève formule de salutation.

    Exemple :   Meilleures salutations.

- Signer le message et, au besoin, ajouter ses coordonnées.
- Voir à ce que le texte soit exempt d'erreurs de frappe, d'orthographe ou de grammaire.

Il faut également tenir compte du fait qu'une adresse électronique ne contient pas toujours le nom de la personne. Il est alors conseillé de l'inscrire avant la formule d'appel et de la faire suivre du titre, de la fonction ou du service (s'il y a lieu). Vous pouvez également accompagner votre message d'un fichier joint et le faire parvenir à plusieurs personnes sous forme de copie conforme (c. c.).

Deux modèles de courriels sont présentés ci-après : l'un comporte une adresse personnelle et l'autre, non.

Modèle de courriel avec une adresse personnelle

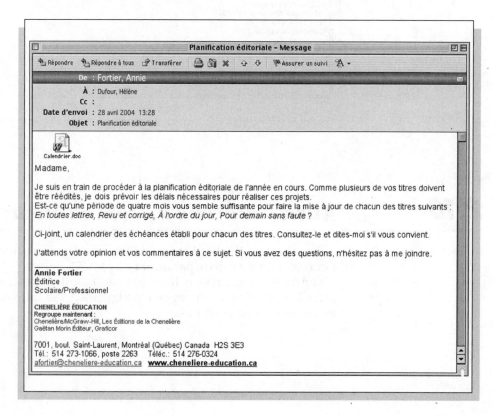

Modèle de courriel sans adresse personnelle

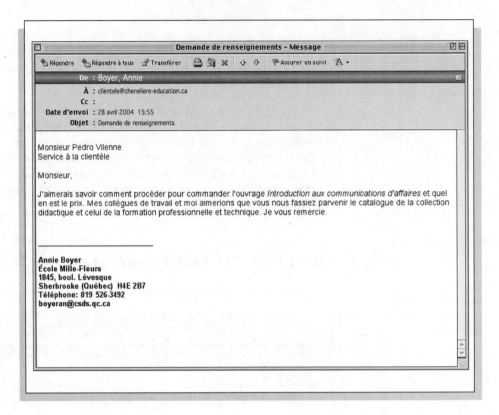

2.10   *Autres moyens de communication externe*

La conférence téléphonique constitue une façon d'échanger verbalement de l'information avec deux personnes ou plus à la fois.

Internet est un réseau informatique mondial par lequel les abonnés ont accès à de multiples sources de renseignements et ont également la possibilité de communiquer entre eux.

3

Le style dans la correspondance d'affaires

Objectif général

Appliquer les caractéristiques propres au style de la correspondance d'affaires.

Objectifs intermédiaires

- Déterminer les caractéristiques propres au style de la correspondance d'affaires.
- Rédiger de courts textes en tenant compte de l'ensemble des caractéristiques propres à la correspondance d'affaires.

3.1 Généralités

La correspondance joue un rôle important dans les relations externes et internes de toute entreprise. Chaque problème, chaque situation demande une réponse appropriée. L'aboutissement d'une démarche dépend autant de ce qui est dit que de la manière dont cela est dit. Voilà pourquoi la maîtrise du style propre à la langue des affaires facilite l'atteinte des buts poursuivis.

Dans ce chapitre, vous découvrirez les principes de rédaction et les procédés qui vous aideront à rédiger correctement la correspondance d'affaires. C'est dans ce but que vous sont également présentés des tableaux contenant divers anglicismes et impropriétés à éviter.

3.2   *Les étapes de la rédaction*

Les étapes à suivre pour rédiger des communications d'affaires efficaces peuvent se présenter dans l'ordre que nous indiquons maintenant et que nous détaillons par la suite.

1. Définir le but.
2. Choisir le type de document.
3. Noter les éléments à mentionner.
4. Éliminer les détails inutiles.
5. Dresser un plan de rédaction.
6. Rédiger.

Définir le but

La communication d'affaires peut avoir pour but d'informer, de créer ou de maintenir des relations harmonieuses avec des personnes, de convaincre, etc.

Choisir le type de document

Le document choisi doit être adapté au message à transmettre : lettre, note de service, communiqué, compte rendu, rapport, etc.

Noter les éléments à mentionner

Il peut s'agir, par exemple, d'indiquer la date, le lieu et l'heure d'un colloque, le thème d'une conférence ou le programme d'une activité spéciale.

Éliminer les détails inutiles

Afin de favoriser la clarté dans toute communication, il est important de ne retenir que les idées essentielles d'un message. Celles-ci doivent être présentées de façon logique dans de courtes phrases. Ainsi, elles pourront davantage retenir l'attention du destinataire et le convaincre d'acquiescer à la demande qui lui est faite.

Si vous répondez à une commande que vous avez reçue, il est conseillé de préciser la date ou le numéro de la commande.

Exemple :   Votre commande nº 1328 du 23 mai 20xx

Dresser un plan de rédaction

Avant de rédiger une communication d'affaires, il est essentiel d'en dresser le plan, c'est-à-dire d'en ordonner les différentes idées. Ce plan, qui comprend l'introduction, le développement et la conclusion, assure la cohérence de la communication.

Rédiger

Selon l'objet de la lettre et la personne à qui elle s'adresse, des formules types d'appel, d'introduction, de conclusion et de salutation sont suggérées. Vous pouvez employer l'une ou l'autre de ces formules présentées aux chapitres 1 et 5. Quant au texte de la lettre, il doit exposer clairement et dans un ordre logique les idées ou les faits.

3.3   *Les facteurs d'efficacité des communications*

La rédaction des communications d'affaires ne peut être improvisée. Pour assurer l'efficacité de son courrier, le rédacteur doit tenir compte des facteurs suivants : rédiger un message clair, être concis, faire preuve de courtoisie, soigner la présentation et rédiger en fonction de la personne à qui est destiné le message. Examinons chacun d'eux de plus près.

3.3.1   *Rédiger un message clair*

Une seule lecture doit suffire au destinataire pour comprendre le message et le but visé. Si le but d'un exposé reste confus, imprécis et que la relation entre les mots et la réalité exprimée demeure ambiguë, il est probable que des nuances d'interprétation en découleront. C'est pourquoi il est important de rappeler les faits et d'être précis et logique. Par conséquent, si vous faites référence à une lettre reçue, précisez-en la date.

3.3.2   *Être concis*

La longueur du texte n'a aucun rapport avec son efficacité. Ce qui compte, c'est l'exposé des idées essentielles. L'emploi de formules types d'introduction et de conclusion favorise la concision, car ces formules permettent de présenter le sujet succinctement et de conclure brièvement. En ce sens, la rédaction de phrases courtes est fortement suggérée.

3.3.3   *Faire preuve de courtoisie*

La brièveté d'un message n'exclut pas la courtoisie. Les formules d'appel et de salutation étudiées au chapitre 1 conviennent au protocole associé aux communications d'affaires. L'étude des divers procédés propres au style de la langue des affaires, tels que l'emploi fréquent du conditionnel et des éléments incidents, vous aidera également à rédiger des communications qui respectent les règles de la courtoisie.

3.3.4   *Soigner la présentation*

Une présentation soignée et standardisée dans laquelle apparaissent dans un ordre précis les composantes des documents d'affaires favorise également la clarté du sujet développé. Les interlignes réservés, les retraits et l'insertion de caractères spéciaux ne sont que quelques moyens qui contribuent à l'amélioration d'une présentation harmonieuse.

3.3.5   *Rédiger en fonction de la personne à qui est destiné le message*

Dans une communication d'affaires, l'emploi du pronom « vous » est susceptible de provoquer une réaction plus directe chez le destinataire. Ainsi, la phrase

« Vous profiterez d'un rabais de 15 % » aura plus d'impact que « Nous vous offrons un rabais de 15 % », car, dans le premier cas, l'emploi d'éléments persuasifs met l'accent sur l'avantage dont bénéficiera le destinataire.

Voici d'autres conseils qui vous aideront à entretenir de bonnes relations d'affaires et à mesurer l'efficacité de vos communications.

Ne pas formuler d'ordres, d'accusations ou de jugements de valeur

Des situations difficiles ou des erreurs dont nous sommes victimes peuvent nous inciter à en imputer la responsabilité à une personne ou à un service d'une entreprise. Pour le maintien de bonnes relations, il faut s'abstenir de porter des accusations. Une vérification des faits s'impose avant d'accuser qui que ce soit. L'emploi de formules impersonnelles permet de conserver une certaine neutralité.

Exemples : Une erreur s'est glissée…
Nous sommes surpris de…

De même, toute allusion de nature à signifier au destinataire qu'il a fait preuve d'incompréhension ou d'un manque de savoir-faire doit être exclue.

Enfin, des consignes données de façon directe peuvent provoquer une réaction négative du destinataire. C'est pourquoi il convient d'utiliser des formules de courtoisie telles que « Pourriez-vous… », « Auriez-vous l'amabilité de… » plutôt qu'un verbe conjugué au mode impératif comme dans « Allez chercher le dossier ».

Donner les raisons d'un refus

L'énumération des raisons d'un refus contribue également au maintien de bonnes relations d'affaires. Des explications claires qui justifient l'incapacité de répondre aux attentes d'un client ont toutes les chances de neutraliser son mécontentement.

Utiliser des expressions qui favorisent une réaction positive

Les tournures de phrases dans lesquelles apparaît une négation provoquent généralement une réaction négative du destinataire. En comparant les deux phrases suivantes, vous pourrez constater qu'elles suggèrent deux attitudes différentes : « Vous ne recevrez cet article que dans deux semaines » ; « Vous recevrez cet article d'ici deux semaines. »

Vérifier l'efficacité de la communication

À la suite d'une communication écrite, il est conseillé de vérifier si le but fixé a été atteint. Par exemple, si l'intention était de convaincre et d'amener à une action précise, vous devriez constater des résultats concrets.

Afin de mesurer l'efficacité d'un message, il importe d'accorder une attention particulière à la rétroaction et d'analyser les résultats obtenus. Cette méthode vous permettra d'évaluer la part de succès ou d'échec de votre démarche initiale et de déterminer les points à améliorer.

3.4 Les principes de rédaction

3.4.1 Employer un vocabulaire spécifique

Dans la langue des affaires, on emploie un vocabulaire spécifique. Des mots tels que **bordereau, consensus, boycotter** et **s'arroger** s'utilisent dans les langages oral et écrit se rapportant aux communications d'affaires.

Dans le tableau 3.1, nous présentons quelques expressions employées dans un contexte courant et leur équivalent dans le milieu des affaires.

TABLEAU 3.1
Langue courante et langue des affaires

LANGUE COURANTE	LANGUE DES AFFAIRES
Remettre une réunion à plus tard	Ajourner une réunion
Copie identique	Copie conforme
Formules de paiement	Modalités de paiement
S'engager pour quelqu'un	Se porter caution pour quelqu'un
Attendre pour procéder à	Surseoir à
Spécifier, préciser	Stipuler
Annuler un contrat	Révoquer, résilier
Modifier une loi	Amender une loi
Donner une somme d'argent	Allouer une somme d'argent

Chaque secteur d'activité possède des expressions et des mots particuliers. Les spécialistes de la mécanique automobile ou les gens de l'hôtellerie, par exemple, emploient une terminologie qui leur est propre.

Le tableau 3.2 contient une liste de mots utilisés fréquemment dans le milieu des affaires.

TABLEAU 3.2
Quelques termes spécifiques à la langue des affaires

Abroger	Budget	Fichier	Négociation	Quorum
Actionnaire	Colloque	Franc *ou* franco de port	Octroyer	Quota
Adjoint	Concessionnaire	Grief	Post-scriptum	Recouvrement
Agenda	Conjoncture	Hypothèque	Postuler	Rémunération
Amendement	Consortium	Inflation	Préjudice	Saisie
Bail	Crédit	Inventaire	Procès-verbal	Soumission
Bénéfice	Curriculum vitæ	Investir	Procuration	Suscription
Bilan	Débit	Léser	Promotion	Transfert
Bordereau	Devis	Litige	Quittance	Transiger

L'utilisation judicieuse des expressions rattachées au langage des affaires favorise la bonne compréhension du message transmis.

Dans le tableau 3.3, vous trouverez les principales expressions utilisées dans la correspondance d'affaires, ainsi que leur signification.

TABLEAU 3.3
Quelques expressions propres au langage des affaires

MOT OU EXPRESSION	SIGNIFICATION
Accusé de réception	Avis qui confirme la réception de marchandises, de renseignements, etc.
Avis d'annulation	Message qui annule un envoi ou une commande
Avis de convocation	Message qui invite à une assemblée ou à une réunion
Bénéficiaire	Personne qui profite d'un avantage, d'un droit, d'un privilège, etc.
Bilan	État financier montrant la situation financière et le patrimoine d'une entreprise à la fin d'un exercice
Causer un préjudice à quelqu'un	Causer du tort à une personne
Concessionnaire	Intermédiaire qui a reçu, pour un territoire donné, un droit exclusif de vente d'articles d'une marque déterminée
Conditions de paiement	Ensemble de conditions qui précisent de quelle façon et à quelle date une personne doit régler une facture
Conférence de presse	Exposé d'une personnalité devant des journalistes
Copie conforme	Copie d'une lettre (mention placée à la fin d'une lettre)
Curriculum vitæ	Document qui contient des renseignements personnels sur une personne : formation scolaire, expérience de travail, activités, etc. Il accompagne une offre de service.
Date de livraison	Journée précise prévue pour la livraison
Débiteur	Personne qui doit quelque chose
Délai de livraison	Période qui s'écoule entre le moment où une commande est passée et celui où la marchandise est reçue
Délai de paiement	Période accordée pour régler une dette
Dépositaire	Personne qui reçoit en dépôt des articles de marques déterminées pour les vendre au nom de leur propriétaire
Dès réception de…	Dès que nous aurons reçu…
Envoi contre remboursement	Envoi contre paiement à la réception
État des résultats	État financier montrant les revenus et les dépenses, les profits et les pertes au cours d'un exercice
Exécuter une commande	Préparer la marchandise selon les instructions données lors de la commande
Exercice financier	Période de un an au terme de laquelle une entreprise procède à l'établissement de ses états financiers
Expédier un colis par messagerie	Expédier un colis par un service de messagerie

TABLEAU 3.3 (SUITE)

MOT OU EXPRESSION	SIGNIFICATION
Expédier une commande	Livrer une commande
Facilités de paiement	*Voir Conditions de paiement*
Faire une commande ferme	Faire une commande définitive
Franc *ou* franco transporteur (F.C.A.)	Les frais de transport sont payés par le fournisseur jusqu'au moment où la marchandise à livrer est placée dans le véhicule servant à l'expédier.
Franc *ou* franco de port et d'emballage	Le fournisseur paie les frais de transport et d'emballage de la marchandise.
Gage	Bien laissé à une personne à titre de garantie
Incertitude du marché	Le marché est incertain à cause de la hausse constante des coûts et des prix.
Inventaire	Dénombrement des marchandises qu'une entreprise possède à une date précise et évaluation de leur valeur
Lettre recommandée	Lettre exigeant la signature du destinataire lors de la réception
Liquidation	Procédure reliée à la dissolution d'une entreprise et qui consiste à vendre des marchandises au rabais en vue d'un écoulement rapide
Marchandises en consignation	Marchandises qu'expédie un fournisseur à une entreprise pour qu'elles soient vendues. Le fournisseur conserve la propriété des marchandises et reprend les invendus à une date fixée à l'avance.
Marchandises expédiées en vrac	Marchandises expédiées sans emballage individuel
Minute	Original d'un acte notarié ou d'un jugement dont le dépositaire ne peut se dessaisir
Mise en demeure	Lettre persuasive qui somme une personne de régler ses dettes
Note de rappel	Note qui rappelle à un client que son paiement n'a pas été effectué à la date convenue
Nous vous saurions gré de…	Nous vous serions reconnaissants de…
Nous vous serions obligés de…	Nous vous serions reconnaissants de…
Offrir ses services	S'inscrire comme candidat à un poste
Par la présente lettre,…	Par cette lettre, par ce texte…
Pièce jointe	Document annexé
Politique de crédit	Délai qu'une entreprise accorde pour effectuer un ou plusieurs paiements
Port payé	Les frais de transport sont payés par le fournisseur.
Poser sa candidature à un poste	En réponse à une offre d'emploi, s'inscrire comme candidat
Post-scriptum	Mention ajoutée au bas d'une lettre, après la signature

TABLEAU 3.3 (SUITE)

MOT OU EXPRESSION	SIGNIFICATION
Postuler un emploi	S'inscrire comme candidat à un poste
Procès-verbal	Document écrit dans lequel sont inscrits de façon détaillée les débats d'une réunion ou d'une assemblée
Régler une facture	Payer, acquitter une facture
Rendement	Travail fourni par une personne
Siège social	Lieu où sont centralisés les services d'une entreprise
Solde	Montant qui reste à payer
Solvabilité d'une entreprise	Capacité qu'a une entreprise de payer ses dettes
Stock	Quantité de marchandises qu'une entreprise possède en magasin à un moment précis
Traiter avec une entreprise	Négocier avec une entreprise afin de conclure un marché
Vente à tempérament	Vente dont le prix est réglé en plusieurs versements échelonnés sur une certaine période
Veuillez répondre par retour du courrier.	Veuillez répondre dès que vous recevrez cette lettre.
Vous nous obligeriez si…	Vous nous rendriez service si…
Vous trouverez ci-joint…	Formule informant que l'on joint des documents à une lettre
Vous trouverez sous pli…	Autre formule informant que l'on joint des documents à une lettre

Ces tableaux ne contiennent que quelques exemples types. Ces mots et ces expressions de la langue française revêtent une signification particulière dans la correspondance d'affaires. Ils ont l'avantage d'être assez bien connus grâce aux articles de journaux et aux autres médias d'information.

L'acquisition de cette terminologie se fera au gré de votre expérience et de vos lectures. Celle-ci vous deviendra plus familière si vous avez le souci du mot juste et si vous consultez un dictionnaire au moindre doute.

3.4.2 Rédiger des phrases courtes

Dans la correspondance d'affaires, il importe d'employer des phrases courtes et peu complexes, car elles facilitent la compréhension du message par le destinataire. De plus, il est plus facile de bien structurer des phrases courtes que de bien structurer des phrases longues.

Voici quelques moyens pour composer des phrases simples et claires sans engendrer de malentendus.

- Rédigez des phrases qui ne contiennent qu'un seul verbe conjugué.

Exemple : Nous vous attendons le 7 mai à 14 h 30.

- Juxtaposez deux phrases syntaxiques autonomes en les reliant par un point-virgule ou par un deux-points pour exprimer les liens logiques qui les unissent, comme la cause ou la conséquence.

  Exemples : Il ne peut venir : il assiste à un congrès.
  Cette employée est productive; elle mérite une prime.

- Liez deux phrases et joignez-les par une conjonction de coordination (mais, ou, et, donc, car, ni, or, etc.) qui exprime le lien logique qui les unit.

  Exemples : Nous avons reçu votre commande du 19 juillet,
  mais une erreur s'est produite. *(lien de restriction)*
  Le directeur est de retour et prépare la réunion. *(lien d'addition)*

- Joignez deux phrases syntaxiques par enchâssement (subordination). On enchâsse la subordonnée dans la phrase enchâssante à l'aide d'un subordonnant.

  Exemples :

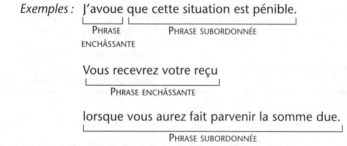

Pour transmettre un message clair, il est conseillé de ne pas ajouter trop de phrases subordonnées. De plus, la rédaction de la correspondance d'affaires en est facilitée.

Voici ce qu'il faut retenir au sujet de la rédaction de phrases courtes. Ces phrases peuvent être constituées :

- d'une phrase simple;

  Exemple : Louise a transmis une note de service.

- de phrases simples juxtaposées;

  Exemple : Ce commerçant s'est acquitté de ses dettes;
  il a vendu tous ses biens.

- de phrases simples coordonnées;

  Exemple : Ce colis a été expédié la semaine dernière,
  mais il semble qu'il ait été égaré.

- de deux phrases jointes par un subordonnant.

  Exemple : Nous pouvons vous assurer que nous apprécierons
  vos suggestions en tout temps.

Pour d'autres précisions à ce sujet, consultez le tableau 11.12 à la page 338.

3.4.3   *Employer judicieusement les pronoms relatifs*

Pour enchaîner plusieurs idées, on peut recourir au pronom relatif. Celui-ci représente un nom ou un pronom et introduit une subordonnée relative qui sert à expliquer et à préciser. Dans le tableau 3.4, nous dressons la liste des principaux pronoms relatifs.

TABLEAU 3.4
Liste de pronoms relatifs

FORMES SIMPLES	
Des deux genres et des deux nombres	Qui, que, quoi, dont, où
FORMES COMPLEXES	
Masculin singulier	Lequel, duquel, auquel
Masculin pluriel	Lesquels, desquels, auxquels
Féminin singulier	Laquelle, de laquelle, à laquelle
Féminin pluriel	Lesquelles, desquelles, auxquelles

Cependant, les pronoms relatifs alourdissent le style. Il est donc important de faire attention à les employer judicieusement et à les supprimer quand c'est possible.

Comment les remplacer ?

- En remplaçant la relative par un **participe adjectif** ou un **adjectif**.

   Exemples : L'objet que vous avez acheté...
   L'objet **acheté**...

   Les personnes qui étaient présentes...
   Les personnes **présentes**...

- En remplaçant la relative par un groupe nominal.

   Exemple : Il a été reçu par celle qui dirige l'entreprise.
   Il a été reçu par **la directrice**.

- En remplaçant la relative par un groupe nominal ou par l'antécédent précédé d'un déterminant possessif, selon le cas.

   Exemples : Louise Tremblay, qui a obtenu un baccalauréat à l'Université X, a été élue femme d'affaires de l'année.
   Louise Tremblay, **bachelière de l'Université X**, a été élue femme d'affaires de l'année.

   Les résultats qu'il a obtenus lui assurent un avenir prometteur.
   Ses résultats lui assurent un avenir prometteur.

3.4.4   Utiliser les participes présents en nombre limité

Une autre façon d'alléger le style consiste à restreindre l'emploi des participes présents et à éviter de les utiliser en tête de phrase. Voici quelques procédés suggérés.

- Employez, à la place du participe présent, le même verbe **conjugué**.

  Exemple :   Ce rendez-vous ayant été annulé, il est allé au cinéma.
  Ce rendez-vous **a été annulé**; il est donc allé au cinéma.

- Employez l'**infinitif** du même verbe.

  Exemple :   Elle ne peut proposer une recommandation,
  ne connaissant pas les résultats de l'enquête.
  Elle ne peut proposer une recommandation
  sans connaître les résultats de l'enquête.

- Remplacez le participe présent par une **subordonnée relative équivalente**.

  Exemple :   Une compagnie offrant un poste important…
  Une compagnie **qui offre** un poste important…

  Remarque

Lorsqu'on emploie un participe présent en tête de phrase sans sujet exprimé, il faut s'assurer que le sujet du participe présent soit le même que celui du verbe principal.

Exemples :   Ayant échoué à son examen, **il dut** le reprendre la session suivante.
En espérant une réponse d'ici peu, **je vous prie** de croire,
Madame, à l'expression de mes sentiments les meilleurs.

En espérant une réponse favorable, veuillez…
(Formulation fautive : les deux verbes n'ont pas le même sujet.)

En espérant une réponse favorable, je vous prie…
(Formulation correcte : les deux verbes ont le même sujet.)

3.4.5   Adopter un ton neutre

En général, le ton d'une lettre d'affaires est objectif. Il doit rester neutre et modéré. Divers procédés permettent de respecter un ton neutre et impersonnel. Utilisés à bon escient, ils brisent temporairement une trop grande rigueur et peuvent nuancer des propos trop directs. Vous trouverez ci-dessous et dans les prochaines pages les principaux procédés susceptibles de nuancer le ton d'une lettre d'affaires.

Un vocabulaire objectif

Selon qu'une personne désire exprimer la colère ou faire preuve d'amabilité, par exemple, il existe un certain nombre d'expressions comportant des nuances.

La colère

Exemples : Nous croyons avoir tout fait pour vous éviter des mesures désagréables.
Nous nous voyons dans l'obligation de remettre
votre dossier à nos avocats.

L'amabilité

Exemples : Nous serions heureux de recevoir votre chèque.
Nous vous serions reconnaissants de poster
votre chèque le plus tôt possible.

Les nuances de ton sont très restreintes; aucun excès révélant une agressivité spontanée ne doit transparaître. De même, les mots **chagriné, touché, navré** et **affecté** sont à éviter, car ils révèlent trop de subjectivité. L'emploi des verbes **constater, consulter, convenir, considérer, conseiller, étudier, définir, examiner, rappeler, signaler, préciser, espérer, adresser, transmettre** et **solliciter** préserve la neutralité du ton. Ces termes sont couramment utilisés dans la correspondance d'affaires.

Remarque

L'emploi du pronom **nous** favorise l'objectivité. Puisque la plupart des lettres sont émises au nom d'un groupe, le choix de ce pronom s'impose bien souvent de lui-même.

Des éléments incidents

L'insertion d'une phrase incidente ou d'éléments incidents dans une phrase permet de nuancer le ton. Une incidente est une phrase insérée dans une autre phrase sans l'aide d'un marqueur de relation. Généralement courte, elle indique le point de vue de l'émetteur (modalisation) sur ce qu'il énonce (*ex. :* comme vous le savez). Un groupe de mots (*ex. :* à notre grand regret) peut tenir lieu d'incidente.

Exemple : Vous avez, **à notre grand regret**, oublié un document.

Le tableau 3.5 contient quelques exemples de phrases incidentes et d'éléments incidents.

Tableau 3.5
Quelques suggestions de phrases incidentes et d'éléments incidents

Comme vous le savez	Comme nous le prévoyons
Vous en conviendrez	Comme il a été entendu
À notre grand regret	À notre satisfaction
Nous en sommes certains	Comme vous pourrez le constater
À notre surprise	Nous en sommes persuadés
Comme vous le comprendrez	Comme convenu

Le conditionnel   Alors que l'emploi du présent de l'indicatif, par exemple, peut servir à exprimer un ordre,

Exemple :   Nous vous demandons d'être présent.

l'emploi du conditionnel exprime la politesse et laisse au destinataire la liberté d'accepter ou de refuser une proposition.

Exemple :   Nous vous demanderions d'être présent.

La demande est identique, mais l'impression donnée au destinataire est quelque peu différente. Le conditionnel exprime un désir et, en ce sens, favorise une attitude positive.

Dans la correspondance d'affaires, vous ferez preuve de courtoisie et obtiendrez peut-être davantage de réponses affirmatives en utilisant le conditionnel lorsque le contexte s'y prête.

Les adverbes   Des adverbes peuvent également vous aider à atténuer certaines affirmations.

Exemple :   Nous ne sommes pas de votre avis.
Nous ne sommes pas **tout à fait** de votre avis.

Il est prudent de nuancer des affirmations trop catégoriques, qu'elles soient favorables ou défavorables. Ainsi, des adverbes tels que :

- beaucoup,
- parfois,
- volontiers,
- probablement,
- peut-être,
- facilement,
- malheureusement,
- seulement,
- tout à fait,
- suffisamment

permettent d'adoucir l'expression d'une idée qui pourrait paraître brutale. Voici quelques exemples de phrases contenant des adverbes.

Beaucoup

Exemple :   Je n'aime pas ce mode de fonctionnement.
Je n'aime pas **beaucoup** ce mode de fonctionnement.

Parfois

Exemple :   Nous ne partageons pas votre opinion.
Parfois, nous ne partageons pas votre opinion.

Volontiers

Exemple :   Nous n'acceptons pas votre démission.
Nous n'acceptons pas **volontiers** votre démission.

Probablement

Exemple : Vous avez commis une erreur.
Vous avez **probablement** commis une erreur.

Suffisamment

Exemple : Il n'est pas qualifié.
Il n'est pas **suffisamment** qualifié.

La phrase impersonnelle et la forme passive

L'emploi de la phrase impersonnelle et de la forme passive permet de ne pas accuser une personne trop directement, de nuancer une affirmation et de ne pas donner d'ordre.

Dans la phrase impersonnelle, ce n'est plus « nous », « vous » ou un service quelconque d'une entreprise qui est engagé dans une action précise, c'est un « il » neutre.

Phrase impersonnelle

Exemples : **Il** semble que votre décision soit hâtive.
Il est possible que vous receviez notre facture.
Il s'agit, sans doute, d'un fâcheux incident.

Pour ce qui est de la forme passive, elle a aussi l'avantage de ne nommer personne, car le sujet ne fait pas l'action : il la subit.

Forme passive

Exemples : Vous devrez effectuer des modifications.
Des modifications devront être effectuées.

Le service de livraison a égaré ce colis.
Ce colis a été égaré par le service de livraison.

Cependant, il ne faut pas abuser de ces deux procédés, car le texte risque de devenir trop impersonnel, trop vague et de ne pas atteindre le but visé.

La phrase interrogative

Si l'on vous dit : « Allez me chercher ce dossier », vous pourriez ne pas apprécier cette demande qui équivaut à un ordre. Par contre, si l'on vous dit : « Pourriez-vous aller me chercher ce dossier ? » ou « Auriez-vous l'obligeance d'aller me chercher ce dossier ? » voilà qui est susceptible de provoquer une réponse plus enthousiaste.

Dans une lettre comme dans une conversation, une question incite davantage à une réponse. On accorde plus d'attention à une demande qu'à un ordre exprimé par le mode impératif, surtout si cette demande est de type interrogatif. En voici quelques exemples.

Mode impératif

Exemples :   Classez ce document.
Allez répondre à cette cliente.
Postez ce communiqué.

Type interrogatif

Exemples :   Pourriez-vous classer ce document?
Auriez-vous l'obligeance de recevoir cette cliente?
Seriez-vous assez aimable pour poster ce communiqué?

La suppression de termes négatifs

Certains mots négatifs ont intérêt à être bannis d'une lettre. L'affirmation d'une vérité ou d'un fait est souvent moins brutale si on utilise un terme positif accompagné d'une négation plutôt qu'un terme négatif, comme le démontrent les exemples qui suivent.

Termes négatifs

Exemples :   Il a produit une fausse déclaration.
Cette étudiante a échoué.

Termes nuancés

Exemples :   Sa déclaration n'était pas exacte.
Cette étudiante n'a pas réussi.

3.4.6   *Recourir aux marqueurs de relation*

Pour parfaire la rédaction d'un texte suivi de façon qu'il ne ressemble pas à une prise de notes, l'emploi de marqueurs de relation s'avère fort utile. Ces derniers lient les idées entre elles et permettent de structurer un texte. Comme vous le verrez dans le tableau 3.6, les marqueurs de relation peuvent introduire une explication, une précision, une restriction, etc.

TABLEAU 3.6
Les principaux marqueurs de relation

EXPLICATION	
C'est-à-dire	La livraison de cette marchandise vous parviendra en retard, **c'est-à-dire** le 10 mai prochain.
C'est pourquoi	Ce travail est urgent; **c'est pourquoi** je vous demande de faire quelques heures supplémentaires.
Effectivement	**Effectivement**, les faits correspondaient aux témoignages.
En d'autres mots	Il n'a pas la compétence nécessaire : **en d'autres mots**, il ne répond pas à toutes nos exigences.

TABLEAU 3.6 (SUITE)

PRÉCISION	
En ce qui concerne	**En ce qui concerne** ce dossier, nous prenons des mesures immédiatement.
En ce sens	Je suis d'accord avec vous; **en ce sens,** je vous assure de mon appui.
Quant à	Elle a payé la facture du 10 courant; **quant à** celle du 20, le chèque nous parviendra sous peu.
RESTRICTION	
Cependant	Vous recevrez la marchandise commandée; **cependant**, nous prévoyons un délai additionnel de trois jours.
Néanmoins	Ce texte m'apparaît conforme à mes instructions; **néanmoins** j'aimerais le relire.
Si ce n'est que	Votre offre de service nous intéresse, **si ce n'est que** pour le moment, nous n'avons pas de poste vacant.
Toutefois	Je vous accorde des vacances; **toutefois**, vous devez prévoir votre remplacement.
CONSÉQUENCE	
Ainsi	Tenez compte de cette note; vous pourrez **ainsi** réaliser ce travail plus rapidement.
Alors	Il ne connaissait pas toutes les clauses de son contrat, **alors** il fit appel aux services d'un avocat.
Bref	**Bref**, les arguments cités précédemment permettront d'apporter les changements désirés.
Conséquemment	Toutes les mesures ont été prises pour éviter les imprévus; **conséquemment**, tout devrait bien se dérouler.
En conséquence	Je constate l'augmentation de mes dépenses personnelles : **en conséquence**, je devrai réviser mon budget.
En définitive	**En définitive**, l'étude de ces dossiers m'a informé sur de nombreux sujets.
Enfin	**Enfin**, les faits indiquent que le servcice devrait être amélioré.
Par conséquent	Elle a épuisé tous les arguments relatifs à cette affaire : **par conséquent**, elle doit fermer ce dossier.
Pour conclure	**Pour conclure**, nous recommandons des modifications importantes.
Pour toutes ces raisons	Vous vous êtes souvent présenté en retard et vous avez négligé votre travail. **Pour toutes ces raisons**, nous vous congédions.
Tout compte fait	**Tout compte fait**, il est satisfait de son entrevue.
OPPOSITION	
À l'opposé	**À l'opposé** des nombreuses enquêtes menées sur le sujet, vos conclusions indiquent que la cause du problème est le manque de ressources financières.
Au contraire	Mon avis, **au contraire**, est que cette réforme n'est pas souhaitable.
Cependant	Elle ne devait pas être présente, **cependant** la voici.
En dépit de	**En dépit de** nombreux rappels, elle n'a pas daigné nous répondre.

TABLEAU **3.6** (SUITE)

OPPOSITION	
Mais	Elle s'est présentée à l'entrevue, **mais** elle n'a pas obtenu le poste.
Malgré	Il a réussi tous ses examens **malgré** ses absences motivées.
Par contre	Le premier argument est valable; **par contre,** celui que vous venez d'évoquer ne l'est pas.
Plutôt que	**Plutôt que** de nier ce fait, acceptez-en les conséquences.
JUSTIFICATION	
À cause de	**À cause de** ses mauvais résultats, elle n'a pas obtenu de bourse d'études.
Attendu que	**Attendu que** le consommateur doit respecter la clause V de son contrat, je ne péux lui accorder un remboursement.
Car	Elle ne peut vous recevoir, **car** elle est absente.
En effet	Voulez-vous me remettre de nouveau ce dossier? **En effet,** je désire le réviser.
Étant donné que	Je lui offre une prime, **étant donné que** les résultats de sa campagne de publicité sont excellents.
Grâce à	Cette réunion a été un succès **grâce à** l'intervention des participantes de la zone 3.
Or	**Or,** les conclusions paraissent évidentes.
Parce que	Il a obtenu le poste **parce qu'**il a fait preuve d'intérêt et de motivation lors de son entrevue.
Puisque	**Puisque** c'est vous qui avez la responsabilité du scrutin, veuillez nous dévoiler les résultats.
Vu que	**Vu que** les chances de gagner ce tournoi sont minimes, je m'inscris dans une autre catégorie.
INSISTANCE	
D'autant plus que	J'ai pensé à apporter ce dossier, **d'autant plus que** le client m'avait informé d'une rencontre possible.
Même	**Même** sa collègue de travail a été surprise de son attitude.
Non seulement… mais aussi	En temps de récession, **non seulement** les commerçants subissent des pertes, **mais** les consommatrices et les consommateurs voient **aussi** leurs revenus diminuer.
ADDITION	
Ainsi que	Ces plaintes **ainsi que** les menaces proférées ne me semblent pas fondées.
D'ailleurs	Elle a reçu tous les renseignements désirés, **d'ailleurs** une commande a été passée.
D'une part,… d'autre part	**D'une part,** cet écrit nous informe; **d'autre part,** il sait nous émouvoir.
Et	J'ai reçu des fleurs **et** des cadeaux.
Par ailleurs	Cet argument est valable; **par ailleurs,** il semble plus véridique que cet autre. L'installation de nouveaux ordinateurs représente un investissement élevé; **par ailleurs,** il provoque de nombreux changements.
Puis	Elle a déposé les lettres, **puis** elle est sortie.

TABLEAU 3.6 (SUITE)

ADDITION	
Quant à	Il a réussi le premier test; **quant au** deuxième, il l'a raté.
Tout d'abord,... ensuite	**Tout d'abord**, examinons ces échantillons; **ensuite**, nous ferons notre choix.
BUT	
Afin que, pour que, de façon que, de telle sorte que, etc.	Nous avons agi **de façon à** donner satisfaction à tout le personnel. J'ai repris ce rapport **afin qu'**il soit mieux formulé.
COMPARAISON	
Ainsi que, autant que, plus que, moins que, comme, davantage, etc.	Ce projet est **plus** intéressant **que** le précédent. Le stagiaire est **plus** autonome **que** je ne le pensais.
TEMPS	
Lorsque, après que, dès que, quand, sitôt que, pendant que, tandis que, ensuite, jusqu'à ce que, etc.	Je dois terminer ce travail **avant que** ma patronne arrive. Je termine ce travail, **puis** j'irai au bureau de poste. Il a attendu **jusqu'à ce que** je termine ce travail. **Sitôt** que vous aurez terminé ce travail, nous partirons.

3.4.7 Éviter les anglicismes

On appelle « anglicisme » un mot, une expression ou une structure de phrase qui appartient à la langue anglaise. Pour bien comprendre le phénomène de l'emploi des anglicismes dans notre langue, il faut se souvenir que de nombreux mots français employés aujourd'hui proviennent d'autres langues. Par exemple, « école » est d'origine latine, « horloge », grecque, « kiosque », turque et « stress », anglaise. Ces emprunts ont enrichi la langue française.

Les liens historiques entre la France et l'Angleterre ont permis de nombreux échanges à partir du XIᵉ siècle. Bien des emprunts à l'anglais sont parfaitement légitimes et s'y opposer serait absurde. Qu'est-ce qui différencie l'emprunt accepté de l'anglicisme ? L'emprunt accepté comble l'absence d'un mot en français (*ex. :* hockey), tandis qu'un anglicisme fait double emploi avec un mot existant déjà en français ou menace la structure de la langue française. Par exemple, le mot « convention » est un anglicisme lorsqu'il est utilisé au sens de « congrès ». De même, la phrase « Elle a payé 10 $ pour cette agrafeuse » contient un anglicisme, car sa structure grammaticale est calquée sur l'anglais. Il faut plutôt dire : « Elle a payé cette agrafeuse 10 $. »

Au fil des ans, nombre d'anglicismes sont apparus dans la langue des affaires. Or, on a tout intérêt à les rejeter, car ils possèdent des équivalents en français. Dans le tableau 3.7, nous signalons les anglicismes les plus courants et donnons pour chacun le terme français approprié. Retenez que les mots de la première colonne du tableau ne sont pas tous des anglicismes, mais qu'ils peuvent faire partie d'une expression renfermant un anglicisme.

TABLEAU 3.7
Les anglicismes dans le langage des affaires

ANGLICISME	EXPRESSION FAUTIVE	EXPRESSION JUSTE
À ce moment	Elle n'est pas libre *à ce moment*.	Elle n'est pas libre **en ce moment, actuellement.**
À l'effet que	La proposition *à l'effet que* les employés recevront un boni à Noël a été acceptée.	La proposition **selon laquelle, voulant que** les employés reçoivent un boni à Noël a été acceptée.
À la discrétion	C'est *à la discrétion* de votre chef de service.	C'est **au choix** de votre chef de service.
À l'intérieur	Ces dépenses sont *à l'intérieur* de nos prévisions budgétaires.	Ces dépenses sont **dans les limites** de nos prévisions budgétaires.
Académique	L'année *académique* Formation *académique*	L'année **scolaire** Formation **générale**
Accru	Les intérêts *accrus*	Les intérêts **courus**
Actifs	Les *actifs* de l'entreprise	L'**actif** de l'entreprise
Admission	Le prix d'*admission* est 7 $.	Le prix d'**entrée** est 7 $.
Affaires (heures)	Les heures d'*affaires*…	**Heures d'ouverture** : de 10 h à 18 h **Ouvert** de… à… Heures **de bureau** : de 10 h à 21 h
Agenda	L'*agenda* de la réunion	L'**ordre du jour**, le **programme** de la réunion
Agressif	Ce vendeur est *agressif*.	Ce vendeur est **dynamique, énergique, persuasif.**
Ajustement	L'*ajustement* des comptes	La **rectification** des comptes
Ajusteur	À la suite d'un accident, il a rencontré l'*ajusteur* d'assurances.	À la suite d'un accident, il a rencontré l'**expert** en assurances (l'**estimateur**).
Aller en grève	Les employés de cette entreprise *iront en* grève.	Les employés de cette entreprise **feront la** (**déclencheront la, se mettront en**) grève.
Alors que	*Alors que* la présidente vous donnera…	**Lorsque** la présidente vous donnera…
Anticiper	*Anticiper* une reprise des ventes	**Prévoir** une reprise des ventes
Application	Faire *application* pour un emploi	Faire une **demande d'emploi, postuler** un emploi
Appointement	Donner un *appointement*	Donner un **rendez-vous**
Apprécier que	Nous *apprécierions que* vous confirmiez votre présence avant le 13 mai.	Nous **souhaiterions**… Nous vous **saurions gré**…
Argents	Les *argents* dont elle dispose sont insuffisants.	L'**argent**, les **sommes**, les **fonds**, les **montants** dont elle dispose sont insuffisants.
Assigner quelqu'un à quelque chose	Assigner *quelqu'un à une tâche*	Assigner **une tâche à quelqu'un**
Assistant	Elle a rencontré l'*assistant*-directeur.	Elle a rencontré le directeur **adjoint**.

TABLEAU 3.7 (SUITE)

ANGLICISME	EXPRESSION FAUTIVE	EXPRESSION JUSTE
Assistant-comptable	Pour tout renseignement à propos de votre compte, veuillez joindre l'*assistant-comptable*.	Pour tout renseignement à propos de votre compte, veuillez joindre l'**aide-comptable**.
Assurance groupe	Assurance *groupe*	Assurance **collective**
À toutes fins pratiques	À toutes fins *pratiques*, ce modèle ne me convient pas.	À toutes fins **utiles**, ce modèle ne me convient pas.
Au meilleur de ma connaissance	*Au meilleur de ma connaissance*, rien ne laissait croire que…	**À ma** connaissance (**pour autant que je sache, autant que je sache**), rien ne laissait croire que…
Audience	L'*audience* a apprécié ce concert.	L'**auditoire** (l'**assemblée**, l'**assistance**, les **spectateurs**) a apprécié ce concert.
Auditeur	L'*auditeur* de la société	Le **vérificateur**, l'**expert-comptable** de la société
Aussi peu que	Pour *aussi peu que* 2 $	Pour 2 $ **seulement**
Aviseur légal	L'*aviseur légal*	Le **conseiller juridique**
Back-order	Ces articles sont *back-order*.	Ces articles sont **en souffrance, en retard**.
Balance	La *balance* d'un compte La *balance* de la semaine	Le **solde** d'un compte Le **reste** de la semaine
Bellboy (hôtel)	Pour ses bagages, il a appelé le *bellboy*.	Pour ses bagages, il a fait appel aux services du **chasseur**.
Bénéfice, bénéfice marginal	Toucher un *bénéfice* Les *bénéfices marginaux*	Toucher une **indemnité**, une **prestation** Les **avantages sociaux**
Bienvenue	Merci. *Bienvenue*.	(Formule d'accueil) **À votre service, je vous en prie, ce n'est rien, de rien**.
Blanc (de chèque)	Un *blanc* de chèque	Une **formule** de chèque, un chèque **en blanc**
Bonus	Recevoir un *bonus*	Recevoir un **boni**, une **prime**, une **gratification**
Braquettes salariales	Les *braquettes salariales* ont été modifiées.	Les **échelons salariaux** ont été modifiés.
Break	Prendre un *break*	Faire une **pause**
Bris (de contrat)	Il y a eu *bris* de contrat.	Il y a eu **rupture**, **violation** de contrat.
Bureau-chef	Le *bureau-chef*	Le **siège social**, le **bureau principal**
Burnout	Ma collègue est en *burnout*.	Ma collègue souffre d'**épuisement professionnel**.
Calendrier	L'année *de calendrier*	L'année **civile**

TABLEAU 3.7 (SUITE)

ANGLICISME	EXPRESSION FAUTIVE	EXPRESSION JUSTE
Canceller	*Canceller* un appel *Canceller* un chèque *Canceller* un contrat *Canceller* un rendez-vous *Canceller* un ordre *Canceller* un mot	**Annuler** un appel **Annuler** un chèque **Résilier** un contrat **Annuler** un rendez-vous **Contremander** un ordre **Biffer** un mot
Carte d'affaires	Je vous remets ma *carte d'affaires*.	Je vous remets ma **carte professionnelle** (**carte de visite**).
Carte de temps	Selon ma *carte de temps*, j'ai travaillé 52 heures.	Selon ma **fiche (feuille) de présence**, j'ai travaillé 52 heures.
Cash	Elle a payé *cash*. Elle manque de *cash*.	Elle a payé **comptant**. Elle manque de **liquide**.
Cédule	Une *cédule* de travail La *cédule* des travaux	Un **horaire** de travail Le **calendrier**, l'**horaire**, le **programme** des travaux
Certificat (de naissance)	Il a dû présenter son *certificat de naissance* pour obtenir un passeport.	**Acte** de naissance **Extrait** de naissance
Change	Je n'ai pas de *change*.	Je n'ai pas de **monnaie**.
Changer	*Changer* un chèque	**Toucher, encaisser** un chèque
Charge	Être *en charge* du bureau	Être **responsable** du bureau
Charger	*Charger* à son compte	**Porter** à son compte
Checker	*Checker* un travail *Checker* ses bagages	**Vérifier** un travail **Enregistrer** ses bagages
Ci-attaché	Vous trouverez *ci-attaché*...	Vous trouverez **ci-joint, ci-annexé**...
Clair	Un bénéfice *clair*	Un bénéfice **net**
Clairer	Se *clairer* de ses dettes *Clairer* 400 $	**Régler**, se **libérer** de ses dettes **Faire un bénéfice de, gagner** 400 $
Clérical	Le travail *clérical* Le personnel *clérical*	Le travail **de bureau** Le personnel **de bureau**
Collecter	*Collecter* une dette	**Percevoir** une dette, **percevoir une créance**
Combler	Ce poste est à *combler*.	Ce poste est à **pourvoir**.
Commercial	Faire passer un *commercial*	Faire passer une **annonce publicitaire**
Compensation	On leur a offert une *compensation* pour les pertes subies.	On leur a offert un **dédommagement** pour les pertes subies.
Compléter	*Compléter* un formulaire *Compléter* un calcul	**Remplir** un formulaire **Terminer** un calcul
Comté électoral	M. Levert a été élu député de son *comté électoral*.	M. Lebert a été élu député de sa **circonscription électorale**.

TABLEAU 3.7 (SUITE)

ANGLICISME	EXPRESSION FAUTIVE	EXPRESSION JUSTE
Congé flottant	Votre contrat de travail stipule que vous obtiendrez deux *congés flottants*.	Votre contrat de travail stipule que vous obtiendrez deux **congés mobiles**.
Conjoint	Il fait partie d'un comité *conjoint*.	Il fait partie d'un comité **mixte**.
Connexion	Avoir des *connexions*	Avoir des **relations**
Conservateur	Un chiffre *conservateur*	Un chiffre **prudent**
Contrat	*Contrat* collectif	**Convention** collective
Convention	Assister à une *convention*	Assister à un **congrès**
Copie	Une *copie* d'un journal, d'une revue, d'un livre Une lettre en plusieurs *copies*	Un **exemplaire** d'un journal, d'une revue, d'un livre Une lettre en plusieurs **exemplaires**
Corporation	La *corporation* Beauregard	La **société**, l'**entreprise** Beauregard
Correct	Vos résultats sont *corrects*.	Vos résultats sont **exacts**.
Corriger	*Corriger* un compte	**Rectifier, redresser** un compte
Cotation	Les *cotations* de la bourse Faire une *cotation*	Les **cotes**, les **cours** de la bourse **Établir, fixer** ou **faire un prix, établir un devis**
Couper	*Couper* les prix	**Réduire** les prix
Coupures	Cette entreprise effectue des *coupures* de budget.	Cette entreprise effectue des **réductions (compressions) budgétaires**.
Courtoisie	Une *courtoisie* de…	**Offert par…** Un **hommage de…**
Coût	La comptabilité des *coûts*	La comptabilité de **prix de revient**
Coûts d'opération	Les *coûts d'opération* sont trop élevés.	Les **frais de fonctionnement (d'exploitation)** sont trop élevés.
Date	Mettre *à date* La *date due* pour votre paiement Jusqu'*à date*	Mettre **à jour** L'**échéance** de votre paiement Jusqu'à **ce jour**, jusqu'à **maintenant**, jusqu'à **présent**
Débenture	Émettre des *débentures*	Émettre des **obligations non garanties**
Déductible	Vous avez un *déductible* de 500 $.	Vous avez une **franchise** de 500 $.
Déduction	Faire des *déductions*	Faire des **prélèvements**, des **retenues**
Dégager	*Dégager* de nouveaux crédits	**Consacrer, engager** de nouveaux crédits
Demander	*Demander* une question	**Poser** une question
Démotion	Il a subi une *démotion*.	Il a subi une **rétrogradation**.
Département	Le *département* des cosmétiques (d'un magasin) Le *département* d'un hôpital Le *département* des ventes	Le **rayon** des cosmétiques (« département » n'est employé qu'à l'université) Le **service** d'un hôpital Le **service** des ventes
Dépendant	*Dépendants*	**Personnes à charge**

TABLEAU 3.7 (SUITE)

ANGLICISME	EXPRESSION FAUTIVE	EXPRESSION JUSTE
Dépenses de voyage	Les *dépenses de voyage*	Les **frais de déplacement**
Dépôt	Demander un *dépôt*	Demander un **acompte**, un **versement**
Dépôt direct	Il a fait un *dépôt direct* pour régler sa carte de crédit.	Il a fait un **virement automatique** pour régler sa carte de crédit.
De routine	Les affaires *de routine* Le travail *de routine*	Les affaires **courantes** Le travail **journalier, habituel**
Dernier	Les *derniers 20 $*	Les **20 derniers** dollars
Développer	*Développer* un nouveau produit	**Concevoir, mettre au point** un nouveau produit
Disposer	*Disposer* d'une question	**Trancher, régler** une question
Dû	Un compte *passé dû* *Dû à* son incompétence…	Un compte **échu, en souffrance** **Par suite de, en raison de, à cause de** son incompétence…
E-mail	Avez-vous reçu un *E-mail* de votre collègue?	Avez-vous reçu un **courrier électronique**, un **courriel** de votre collègue?
Effectif	Ce contrat *deviendra effectif* le…	Ce contrat **entrera en vigueur** le…
Élaborer	*Élaborer sur* une question	**Développer** une question
Éligible	Elle est *éligible* à ce concours.	Elle est **admissible** à, **qualifiée pour** ce concours.
Émettre	*Émettre* un reçu, un chèque	**Délivrer, donner** un reçu, un chèque
Emphase	Ils ont mis l'*emphase* sur l'aspect budgétaire.	Ils ont mis l'**accent, insisté** sur l'aspect budgétaire.
En accord avec	Vous procéderez *en accord avec* l'entente conclue.	Vous procéderez **conformément à (en vertu de, selon)** l'entente conclue.
En approbation	Ce logiciel est *en approbation*.	Ce logiciel est **à l'essai**.
En aucun temps	Vous pouvez visiter les bureaux *en aucun temps*.	Vous pouvez visiter les bureaux **en tout temps, à n'importe quel moment**.
En autant	*En autant* qu'elle veuille…	**Pour** autant qu'elle veuille…
En autant que	*En autant que* je sache…	**Dans la mesure où…**
En autant que je suis concerné	*En autant que je suis concerné*, je ne considère pas cette tâche comme difficile.	**En ce qui me concerne (quant à moi, pour ma part)**, je ne considère pas cette tâche comme difficile.
Encouru	Les pertes *encourues* depuis un an sont énormes.	Les pertes **subies** depuis un an sont énormes.
En dedans de	Elle obtiendra cette promotion *en dedans de* six mois.	Elle obtiendra cette promotion **en moins de, d'ici à, en deçà de** six mois.
En demande	Ce produit est très *en demande*.	Ce produit est très **recherché (demandé)**.
En devoir	Être *en devoir*	Être **de service**

TABLEAU 3.7 (SUITE)

ANGLICISME	EXPRESSION FAUTIVE	EXPRESSION JUSTE
Endos	Écrire à l'*endos*	Écrire au **verso**
Endosser	*Endosser* une décision	**Approuver, appuyer** une décision
En force	Les règlements *en force*	Les règlements **en vigueur**
Engagement	Avoir un *engagement* avec une collègue	Avoir une **obligation**, un **rendez-vous** avec une collègue
Engager	La ligne est *engagée*.	La ligne est **occupée**.
En rapport	*En rapport avec* ce travail	**Relativement à, au sujet de** ce travail
Enregistré	Une lettre *enregistrée*	Une lettre **recommandée**
Entrée	Les *entrées* comptables	Les **écritures** comptables
Espace	Taper à double *espace* *Espace* à vendre	Taper à double **interligne** **Locaux, bureaux** à vendre
Estimé	Un *estimé* des dépenses	Une **estimation**, une **évaluation**, un **état estimatif**, un **devis**
Étampe	L'*étampe* de réception	Le **timbre**, le **tampon** de réception
Être à l'emploi	Il *est à l'emploi* de l'entreprise Yvana.	Il **travaille pour, chez, est au service de** l'entreprise Yvana.
Être supposé	Elles *sont supposées* nous avertir.	Elles **sont censées** nous avertir.
Être d'affaires	Elle *est d'affaires*.	Elle **a le sens des** affaires.
Être sous (l'impression)	*Être sous* l'impression que…	**Avoir** l'impression que…
Exécutif	Le secrétaire *exécutif*	Le secrétaire **général, de direction**
Fax	Utilisez le *fax*.	Utilisez le **télécopieur**.
Figurer	Nous *figurons* que ce travail coûtera…	Nous **estimons**, nous **prévoyons** que ce travail coûtera…
Filière	Mettre un dossier dans la *filière*	Mettre un dossier dans le **classeur**
Final	Une vente *finale* Son choix est *final*.	Une vente **ferme** Son choix est **définitif, sans appel, irrévocable**.
Finance	Acheter *sur la finance*	Acheter **à crédit**
Fiscal	L'année *fiscale*	L'année **financière**, l'**exercice financier**
Forger	*Forger* une signature	**Contrefaire** une signature
Franchise	Accorder une *franchise*	Accorder une **concession**
Futur	*Dans le futur*	**À l'avenir**
Gages	Les *gages* des ouvrières	Le **salaire** des ouvrières
Gagner	Il a *gagné son point*.	Il a **eu gain de cause**.

TABLEAU 3.7 (SUITE)

ANGLICISME	EXPRESSION FAUTIVE	EXPRESSION JUSTE
Gérant	Le *gérant* de ce service	Le **directeur commercial**, le **chef** de ce service
Globalisation des marchés	La *globalisation des marchés* soulève de vives réactions.	La **mondialisation** soulève de vives réactions.
Graduation	Le 10 juin, ce sera la *cérémonie de graduation*.	Le 10 juin, ce sera la **collation des diplômes** (**collation des grades** à l'université).
Grand total	Un *grand total*	Un **total général**
Gratifiant	C'est un emploi *gratifiant*.	C'est un emploi **satisfaisant**.
Holding	Plusieurs actions ont été rachetées par ce *holding*.	Plusieurs actions ont été rachetées par cette **société de portefeuille**.
Horaire flexible	Elle a un *horaire* de travail *flexible*.	Elle a un **horaire** de travail **variable**.
Hors d'ordre	Ce photocopieur est *hors d'ordre*.	Ce photocopieur est **en panne**.
Identification	Présentez une carte d'*identification* pour obtenir votre permis de conduire.	Présentez une carte d'**identité** pour obtenir votre permis de conduire.
Implication	Les *implications* d'une décision	Les **conséquences** d'une décision
Incorporation	Les formalités d'*incorporation*	Les formalités de **constitution en société**
Incorporer	Une entreprise *incorporée*	Une entreprise **légalement constituée**
Information	Service d'*information* *Pour* votre information	Service de **renseignements** **À titre** d'information
Initialer	*Initialer* une lettre	**Apposer ses initiales à**, **parapher** une lettre
Intercom	L'*intercom* ne fonctionne pas.	L'**interphone** ne fonctionne pas.
Inventaire	Nous avons trop d'*inventaire*.	Nous avons trop de **marchandises**.
Item	Les *items* du budget Un *item* à l'ordre du jour Les *items* commandés	Les **postes** du budget Un **point**, une **question** à l'ordre du jour Les **articles** commandés
Job	Chercher une *job* Travailler *à la job*	Chercher un **travail** Travailler **à forfait**, **à la pièce**
Junior	Commis *junior* Comptable *junior*	Commis **débutant** **Second** comptable ou comptable stagiaire
Juridiction	Ce n'est pas de notre *juridiction*.	Ce n'est pas de notre **compétence**, de notre **ressort**.
Kit	À ce congrès, elle a reçu un *kit de documentation*.	À ce congrès, elle a reçu une **pochette**.
Laptop	Il a perdu des données sauvegardées sur son *laptop*.	Il a perdu des données sauvegardées sur son **ordinateur portatif**, **portable**
Laser	Disque *au laser*	Disque **compact** Disque **audionumérique**

TABLEAU 3.7 (SUITE)

ANGLICISME	EXPRESSION FAUTIVE	EXPRESSION JUSTE
Légal	Des poursuites *légales* Un aviseur *légal* Une terminologie *légale* Un service *légal*	Des poursuites **judiciaires** Un **conseiller juridique** Une terminologie **juridique** Un service **juridique**, un (service du) **contentieux**
Levée de fonds	Cette association a organisé une *levée de fonds*.	Cette association a organisé une **campagne de financement**, une **souscription**.
Lever	*Lever* un grief	**Soulever, exprimer, formuler** un grief
Ligne d'articles	Cette *ligne d'articles* n'est plus disponible.	Cette **série, ces modèles** d'articles ne sont plus disponibles.
Liquid paper	Utilisez-vous du *liquid paper*?	Utilisez-vous du **correcteur**, du **liquide correcteur**?
Liste	Le prix de *liste*	Le prix de **catalogue**
Lister	*Lister* des articles	**Dresser, établir la liste** des articles
Livraison spéciale	Envoyez ce colis par *livraison spéciale*.	Envoyez ce colis par **exprès**.
Loger	*Loger* une plainte	**Déposer** une plainte, **porter** plainte
Mailing	Je termine le *mailing*.	Je termine le **publipostage**.
Maintenance	Cet employé s'occupe de la *maintenance*.	Cet employé s'occupe de l'**entretien**.
Majeur	C'est un événement *majeur*.	C'est un événement **grave (primordial, capital)**.
Maller	*Maller* une lettre	**Poster** une lettre
Manquer	Nous *manquons* notre directrice.	Nous nous **ennuyons** de notre directrice. **Notre directrice nous manque**.
Meeting	Vous êtes convoqué à un *meeting* à 14 h.	Vous êtes convoqué à une **réunion** à 14 h.
Minutes	Les *minutes* d'une assemblée Le *livre des minutes*	Le **procès-verbal** d'une assemblée Le **registre des procès-verbaux**
Monétaire	Il a des problèmes *monétaires*.	Il a des problèmes **d'argent**.
Montant	Un chèque *au montant de* 50 $	Un chèque **de, d'une somme de** 50 $
Nil	*Nil*	Dans les formulaires à remplir: **néant**
Nom	*Mon nom est…*	Je m'appelle… Ici… Je suis…
Nominé	Ce groupe a été *nominé…*	Ce groupe a été **sélectionné (mis en nomination)** pour les Jeux de la Francophonie.
Notice	Lire une *notice* La comptable a donné sa *notice*. Recevoir sa *notice*	Lire un **avis** Le comptable a donné sa **démission**. Recevoir son **congé**, un **avis de congédiement**
n.s.f.	Chèque *n.s.f.*	Chèque **sans provision**

TABLEAU 3.7 (SUITE)

ANGLICISME	EXPRESSION FAUTIVE	EXPRESSION JUSTE
Nul	*Nul* après le 15 mai	**Expire** le 15 mai
Off	Semaine *off*	Semaine **libre, de congé**
Office	Elle travaille à l'*office*.	Elle travaille au **bureau**, à la **réception**.
Opération	La machine est *en opération*. Les *coûts d'opération*	La machine **est en fonctionnement, en marche.** Les **frais d'exploitation**
Opérer	*Opérer* un commerce	**Diriger, exploiter, tenir** un commerce
Opportunité	À la première *opportunité* Elle a beaucoup d'*opportunités* d'emploi.	À la première **occasion** Elle a beaucoup de **possibilités** d'emploi, de **perspectives d'avenir.**
Optionnel	Une clause *optionnelle*	Une clause **facultative**
Ordonner	*Ordonner* une commande	**Commander, passer** une commande
Ordre	(Assemblée) Rappeler à l'*ordre* *Soulever un point d'ordre* *Hors d'ordre*	(Assemblée) Rappeler **au règlement.** **Faire appel au règlement** **Invoquer le règlement** **Irrecevable, non recevable**
Ouverture	Il y a des *ouvertures* au bureau.	Il y a des **perspectives d'emploi**, des **postes vacants**, des **débouchés** au bureau.
Overtime	Cet employé a fait 11 heures d'*overtime*.	Cet employé a travaillé 11 heures **supplémentaires.**
Pad	J'ai inscrit les détails sur un *pad*.	J'ai inscrit les détails sur un **bloc-notes.**
Pamphlet	Plusieurs *pamphlets* sont parus sur ce produit.	Plusieurs **dépliants (brochures, prospectus)** sont parus sur ce produit.
Par affaires	Voyager *par affaires*	Voyager **pour affaires**
Part	Acheter des *parts* à la bourse	Acheter des **actions** à la bourse
Partir	*Partir* à son compte	**S'établir, travailler** à son compte
Passer	*Passer* des remarques Ce comité a *passé* un nouveau règlement.	**Faire** des remarques Ce comité a **voté**, a **adopté** un nouveau règlement.
Patronage	Le *patronage*	Le **favoritisme**
Payant	Un téléphone *payant*	Un téléphone **public**
Payeur de taxes	Les *payeurs de taxes*	Les **contribuables**
Per diem	Le *per diem* est 140 $.	L'**indemnité quotidienne, journalière** est 140 $.
Plan	Un *plan* de paiement Un *plan de pension* Connaissez-vous ce nouveau *plan* d'assurance?	Des **modalités** de paiement Un **régime de retraite** Connaissez-vous ce nouveau **régime** d'assurance?

TABLEAU 3.7 (SUITE)

ANGLICISME	EXPRESSION FAUTIVE	EXPRESSION JUSTE
Plancher	Mon bureau est au deuxième *plancher*.	Mon bureau est au deuxième **étage**.
Poinçonner	*Poinçonner* à 8 h 30	**Pointer** à 8 h 30
Pool	Le *pool* des réceptionnistes	L'**équipe** des réceptionnistes
Pour	Il a payé 5 $ *pour* ce stylo.	Il a payé ce stylo 5 $.
Pour aucune considération	*Pour aucune considération,* je n'accepterai ce compromis. Nous ne reprendrons le vote *pour aucune considération.*	**Sous aucun prétexte (à aucun prix, pour quelque motif que ce soit),** je n'accepterai ce compromis. Nous ne reprendrons le vote **sous aucun prétexte, à aucun prix, pour rien au monde.**
Préadressé	N'oubliez pas d'inclure une enveloppe *préadressée*.	N'oubliez pas d'inclure une enveloppe-**réponse**.
Préjudice	Nous n'avons aucun *préjudice* contre lui.	Nous n'avons aucun **préjugé** contre lui.
Prendre le vote	*Prendre le vote*	**Procéder au scrutin, au vote, voter**
Prendre pour acquis	Il *prend* son succès *pour acquis*.	Il **tient** son succès **pour acquis**.
Prérequis	Il n'a pas les *prérequis* pour suivre ce cours.	Il n'a pas les **préalables** pour suivre ce cours.
Prime	Dans le contexte actuel, vous pouvez obtenir une *prime de séparation*.	Dans le contexte actuel, vous pouvez obtenir une **indemnité de cessation d'emploi**.
Prime à vie	Il reçoit une *prime à vie*.	Il reçoit une **prime viagère**.
Probation	La période de *probation* de ce nouvel employé se termine le 23 juin.	La période **d'essai** de ce nouvel employé se termine le 23 juin.
Procédure	Adopter une nouvelle *procédure*	Adopter une nouvelle **méthode**, un nouveau **procédé**, une nouvelle **marche à suivre**
Promissoire	Un billet *promissoire*	Un billet **à ordre**
Prospect	Cette région compte de nombreux *prospects*.	Cette région compte de nombreux **clients potentiels**.
Punch	Prêtez-moi votre *punch*.	Prêtez-moi votre **perforateur**.
Pushing	Pour obtenir cet emploi, elle a eu du *pushing*.	Elle a obtenu cet emploi grâce à ses **relations**, à des **influences**.
Qualifications	Nous ne doutons pas de ses *qualifications*.	Nous ne doutons pas de sa **compétence**, de ses **qualités**, de sa **formation**.
Rapport	Un *rapport d'impôts* *En rapport* avec cette question	Une **déclaration de revenus, d'impôts** **Au sujet de, relativement à** cette question
Rapporter	*Rapporter* un accident de travail *Se rapporter* au travail	**Signaler** un accident de travail **Se présenter** au travail
Références	*Lettre de références*	**Lettre de recommandation**

TABLEAU 3.7 (SUITE)

ANGLICISME	EXPRESSION FAUTIVE	EXPRESSION JUSTE
Référer	Je *réfère* ce dossier à la personne responsable. La candidate que vous nous avez *référée*. Veuillez vous *référer* à la note du 6 mai. Cette lettre *réfère* à la réclamation du mois dernier. Elle a *référé* ce dossier à son adjoint.	Je **confie** ce dossier à la personne responsable. La candidate que vous nous avez **recommandée**. Veuillez vous **reporter** à la note du 6 mai. Cette lettre **concerne (traite de)** la réclamation du mois dernier. Elle a **transmis** ce dossier à son adjoint.
Regarder	Les prévisions *regardent* mal.	Les prévisions **s'annoncent** mal.
Relation	Je vous envoie une analyse statistique *en relation* avec le document que vous êtes en train de rédiger.	Je vous envoie une analyse statistique **relative au (au sujet du, à propos du)** document que vous êtes en train de rédiger.
Relocalisé	Le bureau sera *relocalisé* à Gatineau.	Le bureau sera **transféré** à Gatineau.
Rencontrer	*Rencontrer ses paiements* Il n'a pas *rencontré* ses engagements. *Rencontrer des exigences* *Veuillez rencontrer* M. Roy. Je suis heureuse de *vous rencontrer*. Elle a *rencontré* des difficultés.	**Acquitter ses dettes, faire face à ses échéances** Il n'a pas **respecté, tenu** ses engagements. **Répondre à, satisfaire à** des exigences **Je vous présente** M. Roy. Je suis heureuse, enchantée de **faire votre connaissance**. Elle a **éprouvé, affronté** des difficultés.
Réquisition	N'oubliez pas de faire une *réquisition* des fournitures de bureau nécessaires.	N'oubliez pas de faire une **commande** des fournitures de bureau nécessaires.
Résigner	Elle doit *résigner*.	Elle doit **démissionner, résigner ses fonctions.**
Retour	L'adresse de *retour*	L'adresse de l'**expéditeur**
Rush	Nous sommes *dans le rush*.	Nous vivons une **période de pointe**.
Satisfait avec	Il est *satisfait avec* l'expérience.	Il est **satisfait** de l'expérience.
Sauver	*Sauver* de l'argent *Sauver* du temps	**Épargner, économiser** de l'argent **Gagner, économiser** du temps
Scab	*Scab*	**Briseur de grève**
Sceller	*Sceller* des enveloppes	**Cacheter** des enveloppes
Scoop	*Scoop*	**Primeur, exclusivité**
Scotch tape	Apportez-moi le *scotch tape*.	Apportez-moi le **ruban adhésif**.
Seconder	*Seconder* une proposition	**Appuyer** une proposition
Semi-finale	C'est l'épreuve de la *semi-finale*.	C'est l'épreuve de la **demi-finale**.
Séniorité	L'avancement d'après la *séniorité*	L'avancement d'après l'**ancienneté**
Service	Déduire les frais de *service*	Déduire les frais d'**administration**, de **gestion**
Siéger sur	Elle *siège sur* un comité.	Elle **siège à** un comité, **fait partie, est membre** d'un comité.
Soumissionner pour	*Soumissionner pour* des travaux	**Soumissionner** des travaux

Tableau 3.7 (suite)

ANGLICISME	EXPRESSION FAUTIVE	EXPRESSION JUSTE
Sous aucune considération	*Sous aucune considération,* je ne divulguerai cette nouvelle.	**Sous aucun prétexte (à aucun prix),** je ne divulguerai cette nouvelle.
Sous-total	Il obtient un *sous-total* de 589 $.	Il obtient un **total partiel** de 589 $.
Spécial	Une assemblée *spéciale*	Une assemblée **extraordinaire**
Spéciale	Livraison *spéciale*	Livraison **exprès**
Stage	À ce *stage* de notre enquête	À ce **stade** de notre enquête
Statut	Le *statut* civil	L'**état** civil
Statut marital	Quel est votre *statut marital*?	Quel est votre **état matrimonial**?
Subpœna	Il a reçu un *subpœna*.	Il a reçu une **citation à comparaître**.
Support	Avoir le *support* de… Il nous a offert son *support*.	Avoir l'**appui** de… Il nous a offert son **aide**, son **soutien**, son **appui**.
Sur semaine	Les appels interurbains sont plus coûteux *sur semaine*.	Les appels interurbains sont plus coûteux **en semaine**.
Tag	Mettre un *tag*	Mettre une **étiquette**
Technicalités	Ce n'est qu'une question de *technicalités*.	Ce ne sont que des **détails techniques**, des **subtilités**, des **formalités**.
Temps	Faire du *temps* supplémentaire Une feuille de *temps*	Faire des **heures** supplémentaires Une fiche de **présence**
Terme	Des *termes faciles*	Des **facilités de paiement**
Timing	C'est un *bon timing* pour distribuer des dépliants publicitaires.	C'est le **moment propice** pour distribuer des dépliants publicitaires.
Touage	Zone de *touage*	Zone de **remorquage**
Transférer	Elle a été *transférée* à Québec.	Elle a été **mutée** à Québec.
Transiger	*Transiger* des affaires	**Traiter, conclure, négocier** des affaires
Travail à contrat	Elle accepte du travail *à contrat*.	Elle accepte du travail **à forfait**.
Trouble	Cette tâche me donne du *trouble*.	Cette tâche me donne de la **peine**, du **mal**, des **tracas**, des **ennuis**.
Trust	*Trust*	**Société de gestion, de fiducie**
Turn-over	Le *turn-over* augmente. Le *turn-over* du personnel	Le **chiffre d'affaires** augmente. La **mobilité** du personnel
Union	Les ouvriers font partie de l'*union*.	Les ouvriers font partie du **syndicat**.
Urgence	*Sortie d'urgence*	**Sortie de secours, issue de secours**
Vacances payées	Le personnel est en *vacances payées*.	Le personnel est en **congé payé**.
Valeur	Les meilleures *valeurs*	Les **articles à prix avantageux**, la **meilleure qualité**

TABLEAU 3.7 (SUITE)

ANGLICISME	EXPRESSION FAUTIVE	EXPRESSION JUSTE
Valeur au comptant	Son contrat d'assurance inclut une clause stipulant qu'elle a une *valeur au comptant* élevée.	Son contrat d'assurance inclut une clause stipulant qu'elle a une **valeur de rachat** élevée.
Vente	*Grande vente*	**Soldes, vente au rabais, vente de soldes**
Vente d'écoulement	On a annoncé une *vente d'écoulement* à la boutique Impromptu.	On a annoncé une **vente de liquidation** à la boutique Impromptu.
Voie	*Voie de service*	**Voie de desserte**
Voir à	L'architecte *voit à*…	L'architecte **s'occupe de, est chargé de**…
Vote	Mettre *au vote* une proposition *Prendre le vote*	Mettre **aux voix** une proposition **Procéder au scrutin**
Voûte	Les documents importants sont dans la *voûte*.	Les documents importants sont dans la **chambre forte**.

3.4.8   Solécismes, pléonasmes et impropriétés

Solécismes

Un solécisme est une erreur de syntaxe très souvent liée à l'emploi incorrect d'une préposition ou d'un pronom.

Pléonasmes

Un pléonasme est une répétition inutile de termes ayant le même sens.

Impropriétés

Une impropriété est l'emploi incorrect lié au sens d'un mot.

Voici quelques exemples de solécismes, de pléonasmes et d'impropriétés accompagnés des expressions correctes correspondantes.

TABLEAU 3.8
Solécismes, pléonasmes et impropriétés

SOLÉCISME	EXPRESSION CORRECTE
Le bureau au chef d'équipe	Le bureau du chef d'équipe
Il prend une pause aux quatre heures	Il prend une pause toutes les quatre heures.
Le messager passe à tous les jours.	Le messager passe tous les jours.
À prime abord, ce projet m'intéresse.	De prime abord, ce projet m'intéresse.
Elle se demande qu'est-ce qu'elle doit dire.	Elle se demande ce qu'elle doit dire.
Son bureau est vis-à-vis la salle de conférences.	Son bureau est vis-à-vis de la salle de conférences.
Cet employé aura de besoin de conseils.	Cet employé aura besoin de conseils.
Nous, on pense que ce projet échouera.	Nous, nous pensons que ce projet échouera.

TABLEAU 3.8 (SUITE)

PLÉONASME	EXPRESSION CORRECTE
Le secrétaire a besoin de d'autres disquettes.	Le secrétaire a besoin d'autres disquettes.
Car en effet	En effet
Comme par exemple	Par exemple
Descendre en bas	Descendre
Prévoir d'avance	Prévoir
Première priorité	Priorité
Puis ensuite	Ensuite
Collaborer ensemble	Collaborer
Il suffit simplement	Il suffit
Tous sont unanimes	Ils sont unanimes
Monople exclusif	Monopole

IMPROPRIÉTÉ	EXPRESSION CORRECTE
Ce renseignement s'est avéré vrai.	Ce renseignement s'est révélé vrai.
Broche et brocheuse	Agrafe et agrafeuse
Cartable	Classeur à anneaux
Casier postal	Case postale
Être sur le chiffre de jour	Être de l'équipe de jour
Cueillette des données	Collecte des données
Défrayer les dépenses de quelqu'un	Défrayer quelqu'un de ses dépenses
En ordre alphabétique	Par ordre alphabétique
Écrire à l'endos	Écrire au verso
Nous vous serions gré	Nous vous saurions gré
Impliquer les employés	Faire participer les employés
Écrire en lettres moulées	Écrire en caractères d'imprimerie
Salle de montre	Salle d'exposition
Se mériter un trophée	Gagner, mériter, remporter un trophée
Au niveau du travail	En ce qui concerne le travail, pour ce qui est du travail
S'objecter	S'opposer à
Tant qu'à moi	Quant à moi

3.4.9 *La syntaxe de la phrase et les erreurs de formulation*

La syntaxe est l'ensemble des règles qui concernent l'ordre des mots et la construction des phrases.

Le tableau suivant vous présente quelques principes de rédaction qui touchent à la syntaxe.

TABLEAU 3.9

La syntaxe de la phrase et les erreurs de formulation

PRINCIPE	EXEMPLE DE CONSTRUCTION FAUTIVE	PHRASE CORRIGÉE
1. S'assurer de la présence d'un verbe conjugué dans une phrase	Tout d'abord, les possibilités d'emploi des élèves.	Tout d'abord, **regardons** les possibilités d'emploi des élèves.
2. Ne pas oublier le « ne » de la négation	Nous avons pas le matériel nécessaire. On a que deux jours pour réaliser ce travail.	Nous **n'**avons pas le matériel nécessaire. On **n'**a que deux jours pour réaliser ce travail.
3. Utiliser le bon auxiliaire	Cela me déçoit qu'on est adopté ce nouvel horaire.	Cela me déçoit qu'on **ait** adopté ce nouvel horaire.
4. Utiliser correctement les verbes transitifs ou intransitifs	Nous nous rappelons de cet événement. Il faut pallier à ces inconvénients.	Nous nous **rappelons cet** événement. Il faut pallier ces inconvénients.
5. Utiliser correctement les pronoms (référents)	Ce problème nous amène à s'interroger. Le logiciel de dessin que je t'ai parlé serait très utile.	Ce problème nous amène à **nous** interroger. Le logiciel de dessin **dont** je t'ai parlé serait très utile.
6. Employer la préposition qui convient ou supprimer celle qui ne convient pas	Elle se fie sur sa collègue. Il aide à quelqu'un.	Elle se fie **à** sa collègue. Il aide quelqu'un.
7. Lorsqu'un participe présent est en tête de phrase : a) s'assurer d'avoir un deuxième verbe conjugué; b) s'assurer que la personne à laquelle renvoie le GPart est la même que le sujet du verbe conjugué;	En espérant une réponse affirmative, croyez à l'expression de mes sentiments les meilleurs.	En espérant une réponse affirmative, **je** vous **prie** de croire à l'expression de...
Note : Dans la correspondance d'affaires, l'emploi d'expressions équivalentes (*ex. :* dans l'attente de, dans l'espoir de) ou l'emploi d'un verbe conjugué (*ex. :* nous souhaitons, nous espérons, nous comptons que) sont préférables à l'utilisation du participe présent.		
8. Répéter le déterminant devant des êtres ou des objets différents	Ce matin, elle a reçu des lettres, colis et télécopies.	Ce matin, elle a reçu des lettres, **des** colis et **des** télécopies.
ERREURS DE FORMULATION		
9. Éviter les répétitions	Nous accusons réception de la commande reçue.	Nous accusons réception de la commande du (date).
10. Supprimer les pléonasmes	Ils sont tous unanimes.	Ils sont unanimes.
11. Utiliser des mots de même classe dans une énumération	Les tâches à effectuer sont les suivantes : rédiger des lettres, le classement des documents et le tri du courrier.	Les tâches à effectuer sont les suivantes : rédiger des lettres, classer des documents et trier le courrier.

La numération, la majuscule, les abréviations et la ponctuation

Objectif général

Appliquer les règles de base concernant :

- la numération,
- la majuscule,
- les abréviations
- et la ponctuation

lors de la rédaction des communications d'affaires.

Objectif intermédiaire

Déterminer les règles de base touchant :

- la numération,
- l'emploi de la majuscule,
- les abréviations
- et la ponctuation.

4.1   Généralités

Vous trouverez dans ce chapitre les principales règles qui régissent la numération, l'emploi de la majuscule, les procédés d'abréviation et la ponctuation.

De nombreux exemples vous permettront de retenir plus facilement ces règles. Une liste des abréviations et des symboles utilisés couramment dans les communications d'affaires est également proposée.

4.2 *La numération*

Dans la correspondance d'affaires, les nombres font très souvent partie du message; il importe donc de les écrire correctement. Une question peut parfois se poser : faut-il écrire les nombres en chiffres ou en lettres? Nous tenterons de répondre à cette question dans les pages qui suivent.

4.2.1 *Les nombres écrits en lettres*

Les nombres s'écrivent en toutes lettres :

- dans les documents à portée juridique ou financière, pour éviter toute falsification. Ils sont alors suivis du nombre en chiffres arabes placé entre parenthèses;

  Exemple : Pour la somme de cinq mille dollars (5000 $)

- dans certaines invitations officielles;

  Exemple : Le quinze octobre deux mille quatre

- dans les ouvrages littéraires;

- lorsqu'ils indiquent une durée,

  Exemples : Durée de l'examen : une heure et demie
  J'ai étudié pendant deux ans au collège Victoire.

  sauf lorsque cette durée comporte plusieurs éléments;

  Exemple : La course a duré 2 h 16 min 25 s 9/100.

- s'ils sont inférieurs au nombre 10, mais qu'on cite plusieurs chiffres dans une même phrase et que les uns sont inférieurs à 10 et les autres égaux ou supérieurs à 10, on les écrit tous en lettres ou tous en chiffres;

  Exemples : Elle parle quatre langues.
  Ils n'étaient que 4 à 15 à profiter de ces avantages.
  ou Ils n'étaient que quatre à quinze à profiter de ces avantages.

- lorsque les mots midi, minuit, quart et demi en font partie;

  Exemple : Je l'ai invité à midi et demi.

- lorsqu'ils commencent une phrase;

  Exemple : Dix-huit personnes ont assisté à la réunion.

- lorsqu'ils sont employés comme noms;

  Exemples : Un cinq de cœur
  Les deux tiers de son salaire

- lorsqu'ils sont en tête de colonne, dans un tableau;

    Exemples : En millions de dollars
    En milliers de dollars

- lorsque le nom d'une rue est constitué d'un adjectif ordinal ou selon les indications de la municipalité;

    Exemples : 125, Deuxième Rue
    125, 35ᵉ Avenue

- lorsqu'on peut les exprimer à l'aide des noms « millier », « million », « milliard », qui sont alors précédés d'un chiffre arabe;

    Exemple : Cette ville compte 3 millions d'habitants.

- lorsqu'un nombre se termine par un ou plusieurs zéros.

    Exemple : Plus de deux cents personnes ont participé à ce colloque.

4.2.2   *Les nombres écrits en chiffres arabes*

Les nombres doivent être écrits en chiffres arabes dans les travaux scientifiques, dans les études statistiques et dans les tableaux. De plus, l'usage veut qu'on les écrive en chiffres :

- dans les adresses, les numéros de bâtiment, d'appartement, de case postale et la partie numérique du code postal;

    Exemples : 255, avenue Desmaures, app. 22
    C. P. 38
    H4J 2L7

- la date et l'année (sauf dans les documents juridiques);

    Exemples : Le 15 juillet 20xx
    Dans les années 1970
    L'année financière 2004-2005

- les dates dans les formulaires;

    Exemples : 20xx-10-23
    20xx 10 23

- la division du temps (selon la période de 24 heures)

    Exemples : La réunion aura lieu de 15 h 30 à 19 h 5.
    Le magasin est ouvert de 9 h à 16 h.

    et les données horaires dans les tableaux;

    Exemple : Départ à 17:30:22

- les sommes d'argent et les conditions de paiement;

  Exemples :   0,99 $
  125,50 $
  net/10
  3500 $ ou 3 500 $
  2/10

- les sommes d'argent en millions ou en milliards;

  Exemple : Cette entreprise a réalisé des profits évalués à 5 millions de dollars canadiens.

- les quantités et les numéros d'articles ou de modèles dans les textes commerciaux;

  Exemple : Les 27 classeurs du modèle F-314 ont été abîmés pendant le transport.

- les pourcentages;

  Exemples : Un intérêt de 13 %
  Le personnel a reçu une augmentation de 4,9 % en 20xx, de 3,8 % en 20xx et de 3,4 % en 20xx.

  Remarque
  Le symbole « % » est généralement employé dans les travaux scientifiques ainsi que dans les tableaux et dans les textes ordinaires.

- les fractions, quand elles sont précises,

  Exemple : Pour la correspondance, utilisez du papier 21,5 cm × 28 cm.

  sauf si elles correspondent à une indication approximative et sont employées comme noms;

  Exemple : Il arrive en retard les trois quarts du temps.

- les numéros d'articles, de lois, de revues, de journaux;

  Exemples : L'article 142-A
  La loi 101
  Le magazine *Grains de poivre* n° 15

- les nombres suivis d'un symbole d'unité de mesure (poids, distances, degrés, etc.);

  Exemples : 52,3 kg
  25 m
  22 °C

- les nombres décimaux.

  Exemple : 0,57

Remarque

Les nombres qui représentent une quantité s'écrivent par tranches de trois chiffres séparées par un espace que l'on appelle *séparateur de milliers*. Dans les adresses, le nombre est un numéro d'ordre et n'est donc pas concerné par cette règle.

Exemples : 14 578
14963, rue Lavigne
22 049
0,012 76

4.2.3 *Les nombres écrits en chiffres romains*

Il est généralement admis d'écrire en chiffres romains :

- les siècles, en petites majuscules;

  Exemple : Le XXe siècle (mais aussi 20e siècle)

- les numéros de tomes;

  Exemple : Les tomes I, II et III

- les nombres désignant un souverain, une armée, une dynastie ou un événement historique;

  Exemples : Henri VIII
  Les XXIe Jeux olympiques

- les pages liminaires d'un ouvrage, en petites majuscules.

  Exemple : Les pages I, II, III, IV

Remarques

Contrairement aux chiffres arabes, qui s'alignent verticalement à droite dans une colonne, les chiffres romains s'alignent à gauche.

Exemple : 5   V
22   XI
103   XIV

Les principaux symboles des chiffres romains et leur correspondance en chiffres arabes sont présentés ci-dessous.

I = 1	IV = 4	V = 5
IX = 9	X = 10	XIX = 19
XL = 40	L = 50	LXX = 70
XC = 90	C = 100	D = 500
M = 1000		

4.3 *La majuscule*

On peut remarquer dans plusieurs écrits un usage inconsidéré de la majuscule. Il en va de l'usage de la majuscule comme du respect des règles d'écriture des nombres : une certaine uniformité est souhaitable. La majuscule a pour but d'accroître la clarté d'un texte, de le rendre plus compréhensible. Si l'emploi de la majuscule est évident dans certains cas, il laisse parfois perplexe dans d'autres situations. Voici quelques règles qui vous aideront à maîtriser l'utilisation de la majuscule.

4.3.1 *Quand utiliser la majuscule*

De façon générale, on met une majuscule :

- au début d'une phrase ou d'une citation qui constitue une phrase complète;

  Exemples : Vous recevrez votre commande d'ici dix jours.
  Elle lui a dit : « Venez me rencontrer demain. »

- après les points d'interrogation, d'exclamation ou de suspension s'ils terminent la phrase;

  Exemples : Où allez-vous? Je vais à un congrès, à Chicoutimi.
  Quelle bonne nouvelle ! Je ne le crois pas encore !
  J'y penserai… Cette proposition m'intéresse.

- à tous les noms de personnes;

  Exemple : Les Dupont et les Boyer arriveront bientôt.

  ### *Remarque*
  Les particules « de » et « d' » gardent la minuscule, tandis que les particules « du » et « des » prennent généralement la majuscule. Selon les cas, l'usage est flottant.

  Exemples : Alfred de Musset
  Hubert d'Iberville
  Mireille Des Châtelets
  Pauline Du Fort

- aux noms de peuples, de races, de groupes d'habitants, etc.;

  Exemples : les Québécois les Montréalais
  les Parisiennes les Italo-Québécois

- aux noms des divinités et aux termes servant à désigner Dieu;

  Exemples : Zeus le Créateur
  Apollon le Saint-Esprit
  Athéna

- aux titres de civilité et aux titres honorifiques lorsqu'on s'adresse à la personne elle-même;

Exemples : Madame la Directrice,
Veuillez agréer, Monsieur le Maire...

Remarque
Les deux mots d'un titre composé prennent une majuscule initiale lorsqu'on s'adresse aux personnes elles-mêmes (dans l'appel et dans la salutation d'une lettre).

Exemples : Madame la Vice-Présidente,
Monsieur le Secrétaire-Trésorier,
Monsieur le Sous-Ministre,

- à la fin des lettres, lorsque les titres précèdent la signature, seul le déterminant qui les accompagne prend une majuscule;

Exemples : La directrice du personnel,   Le vice-président,
(quatre à sept interlignes)   *(quatre à sept interlignes)*

Louise Lemaire   Yves Dussault

- aux titres de civilité lorsqu'ils sont abrégés dans un texte;

Exemples : M. Beaulieu
Mmes Lavoie et Crépault

- aux noms géographiques attribués à un pays, à une ville, à une mer, etc.;

Exemples : le Québec
Notre-Dame-des-Bois
la Méditerranée
les Appalaches

- aux adjectifs complétant les noms de pays, de montagnes, de fleuves, de rues, etc.;

Exemples : les montagnes Rocheuses
les Grands Lacs

- à un point cardinal lorsque celui-ci est rattaché au nom d'un continent, d'un pays, d'une région, d'une ville ou d'une voie de circulation;

Exemples : l'Amérique du Nord
les provinces de l'Ouest
l'arrondissement Montréal-Nord
690, avenue Lafayette Sud

- aux noms des planètes quand ils désignent les astres eux-mêmes;

  Exemples : la Terre
  Vénus

- aux noms de fêtes civiles ou religieuses;

  Exemples : la fête du Travail   le jour du Souvenir
  Pâques   l'Action de grâce
  la fête des Mères

- aux noms de grandes époques, de faits, de dates ou de lieux historiques;

  Exemples : la Renaissance   les plaines d'Abraham
  la Deuxième Guerre mondiale   la guerre du Golfe

- aux dénominations d'associations, de compagnies ou de sociétés commerciales, agricoles, industrielles et financières;

  Exemples : l'Association régionale des machinistes
  l'Académie de médecine
  la Fédération québécoise des techniques de loisir
  la Chambre de commerce de Sherbrooke
  la Société générale des constructeurs de maisons en copropriété
  la Compagnie d'assurance canadienne générale
  la Caisse populaire de Fermont
  le Barreau du Québec

- aux dénominations d'expositions, de galeries, de manifestations commerciales, artistiques ou sportives;

  Exemples : l'Exposition provinciale des sports d'hiver
  la Biennale de la tapisserie québécoise
  la Semaine des enseignants et des enseignantes
  le Salon des photographes
  les Jeux olympiques
  les Jeux de la Francophonie

- aux dénominations désignant des organismes uniques dans un État;

  Exemples : la Bibliothèque nationale du Québec
  l'Assemblée nationale du Québec
  la Société des alcools du Québec
  la Sûreté du Québec
  la Cour des sessions de la paix
  la Cour des petites créances
  le Parlement

Remarques

On met une minuscule au mot « ministère » et une majuscule à la désignation du domaine que gère le ministère.

Exemple : le ministère des Transports

Utilisé seul, le mot « ministère » peut prendre la majuscule lorsqu'on désire souligner son caractère unique dans une administration ou une institution.

Exemple : ... au ministère de l'Éducation. Le Ministère a décidé...

- aux dénominations des entités administratives (direction, service, division, section, etc.) et universitaires (faculté, département, école, institut, etc.) qui font partie d'un organigramme;

  Exemples : la Faculté des arts
  le Département de littérature
  le Service des ressources humaines
  la Direction des communications

- aux noms de partis politiques;

  Exemples : le Parti québécois
  le Nouveau Parti démocratique

- aux titres de journaux et de périodiques;

  Exemples : La Presse
  Le Nouvel Observateur

- aux titres d'ouvrages, au premier mot;

  Exemple : Techniques de gestion

  ### Remarque

  Lorsque le titre contient un déterminant, on met une majuscule à la première lettre du déterminant.

  Exemple : Je consulte *Le bon usage* de Grévisse.

- après les mentions « N. B. » ou « P.-S. », de même qu'au début d'une référence ou d'une note en bas de page;

  Exemple : P.-S. – N'oubliez pas de consulter le procès-verbal
  de la dernière réunion.

- aux noms de logiciels.

  Exemples : Access
  WordPerfect
  Excel
  Word

Remarque

L'Office de la langue française recommande de mettre les accents, le tréma et la cédille aux majuscules lorsque les minuscules équivalentes en comportent. Toutefois, les sigles et les acronymes (sigles qui peuvent se prononcer comme un mot) ne prennent aucun accent.

Exemples : le collège Édouard-Beauséjour
CSDM
REER

4.3.2 *Quand conserver la minuscule*

Il est conseillé d'employer la minuscule :

- dans les titres de civilité et les titres honorifiques lorsqu'on ne s'adresse pas à la personne même et que le nom de cette personne suit le titre,

  Exemple : Mme la mairesse Jocelyne Larivière

  mais, dans le cas contraire, on utilise la majuscule;

  Exemple : M. le Maire nous rendra visite bientôt.

- lorsque les mots désignant les noms de peuples, d'habitants sont des adjectifs;

  Exemple : le peuple canadien-français

- lorsqu'un nom est suivi d'un adjectif;

  Exemple : les touristes manitobains

- dans l'indication des points cardinaux lorsqu'ils désignent une direction;

  Exemples : Montréal est au nord de Toronto.
  J'irai dans l'ouest du Canada.

- dans la désignation des langues;

  Exemple : Je parle français, italien et grec.

- dans les noms de jours et de mois, de religions et de membres de partis politiques;

  Exemples : le mercredi 30 septembre
  le catholicisme
  les libéraux

- lorsque des entités administratives ou universitaires sont considérées comme un nom commun;

  Exemple : les facultés désireuses d'utiliser…

- aux mots « ministère », « secrétariat », « école », « collège », etc., lorsqu'ils sont suivis d'un nom propre ou d'une désignation.

  Exemples : le ministère des Loisirs
  le secrétariat des Affaires sociales
  l'école Claude-Lambert

4.3.3 *Remarques complémentaires*

- On écrit « université » avec une majuscule lorsqu'on désigne une raison sociale

  Exemple : l'Université de Sherbrooke

  et avec une minuscule lorsque ce mot est employé comme générique.

  Exemple : Elle fréquente une université de Montréal.

- Le mot « église » prend une majuscule lorsqu'il désigne la doctrine spirituelle ou l'ensemble des fidèles, mais il s'écrit avec une minuscule s'il représente le bâtiment.

  Exemples : le rôle de l'Église
  Elle va à l'église tous les dimanches.

- Le mot « état » prend une majuscule lorsqu'il désigne un pays, un gouvernement ou l'administration d'un pays, mais il s'écrit avec une minuscule quand il a un sens général.

  Exemples : les affaires de l'État
  les états financiers
  un état de siège

- Le mot « place » désignant un immeuble ou un ensemble immobilier doit être joint à la dénomination par un trait d'union.

  Exemples : Place-Ville-Marie
  Place-des-Arts
  Place-Bonaventure

- Les mots « province » « gouvernement » et « opposition » gardent généralement la minuscule.

  Exemple : les fonctionnaires du gouvernement du Québec

- Le mot « loi » prend une majuscule lorsqu'on cite le titre exact de la loi, mais il s'écrit avec une minuscule dans le cas contraire.

  Exemples : La Loi sur le patrimoine familial
  Les lois sur le divorce ont été récemment amendées.

- Le terme « hôtel de ville » prend des majuscules s'il désigne l'administration; il garde des minuscules s'il s'agit du bâtiment.

  Exemples : Le budget de l'Hôtel de Ville a été voté.
  L'hôtel de ville sera bâti à cet endroit.

4.3.4 Liste de noms de lieux publics, de bâtiments et de sociétés financières

le Biodôme	la station de métro Bonaventure
la tour de la Bourse	l'immeuble Vincent-d'Indy
le complexe Desjardins	le parc Rimbault
le jardin botanique de Montréal	la salle Maisonneuve
le centre Bell	le Musée des beaux-arts de Montréal
la Ronde	le Musée de la civilisation
la maison de la culture Côte-des-Neiges	la Bibliothèque nationale du Québec
le palais des congrès de Montréal	le Parlement
la place d'Armes	la Caisse populaire de Verdun
le stade olympique	la Banque Nationale

4.4 Les abréviations

L'abréviation consiste à retrancher une partie des lettres d'un mot. Dans les communications d'affaires, les abréviations permettent d'économiser du temps et de l'espace. Elles favorisent parfois une lecture plus rapide des données. Il est essentiel de respecter les règles qui autorisent ou proscrivent l'emploi de l'abréviation. Il est déconseillé d'en faire un usage abusif, car cela pourrait nuire à la clarté et à la compréhension du message transmis.

4.4.1 Règles générales

On abrège généralement un mot en supprimant les lettres finales après une consonne. Ces lettres sont remplacées par le point abréviatif.

Exemples : avenue   av.
            chapitre   chap.
            intérêt   int.

On peut aussi abréger un mot :

- en retranchant les lettres médianes et en conservant la ou les lettres finales. Dans le cas où la dernière lettre d'un mot est conservée, l'abréviation n'est pas suivie du point abréviatif;

  Exemples : quelqu'un   qqn   département   dép^t ou dép.
              docteur   D^r verso   v^o

- en conservant uniquement la lettre initiale et quelques consonnes;

  Exemples : quelquefois   qqf.
              quelque chose   qqch.

- en ne gardant que la lettre initiale. Cette lettre est suivie du point abréviatif.

  Exemples : ouest   O.
               page   p.

4.4.2   *Remarques complémentaires*

- Les mots abrégés ne prennent pas la marque du pluriel, sauf dans les cas suivants :

docteures	D^{res}	mesdemoiselles	Mlles
docteurs	D^{rs}	messieurs	MM.
établissements	É^{ts} ou Éts	numéros	N^{os} ou n^{os}
maîtres	M^{es}	saintes	S^{tes}
mesdames	Mmes	saints	S^{ts}

- Les points abréviatifs se confondent avec le point final et avec les points de suspension, mais ils ne disparaissent pas devant les autres signes de ponctuation.

  Exemple : Elle a appelé sa compagnie Simard inc.

- La mention « etc. » est toujours précédée d'une virgule et n'est jamais suivie de points de suspension.

  Exemple : En ce début d'année scolaire, nous avons commandé des livres, des cahiers d'activités, des agrafeuses, etc.

- Lorsque des mots s'écrivent avec des traits d'union et des accents, leur abréviation les conservent.

  Exemples : c'est-à-dire   c.-à-d.
                 procès-verbal   p.-v.

Cas particuliers

Les titres de civilité et les titres honorifiques

Les titres de civilité et les titres honorifiques ne s'abrègent pas dans les parties suivantes de la lettre : la vedette, l'appel et la salutation (on s'adresse alors à la personne même). Ces titres peuvent cependant s'abréger dans le texte de la lettre, lorsqu'ils sont suivis du nom ou de la fonction d'une personne et qu'on ne s'adresse pas directement à cette personne.

Exemples : Madame Paule Desjardins (*vedette*)
Je vous prie d'agréer, Monsieur,... (*salutation*)
La réunion a été ouverte par Mme la présidente. (*texte de la lettre*)

Les titres et les grades universitaires

Dans le corps des textes, on n'abrège pas les mots désignant des titres ou des grades universitaires.

Exemple : Il a obtenu un baccalauréat en sciences.

Cependant, pour l'impression d'une carte professionnelle ou la parution dans un annuaire, il existe certaines normes établies par l'usage :

certificat	C.
baccalauréat	B.
licence	L.
maîtrise	M.
doctorat	D.

En ce qui a trait à la spécialité ou à la discipline rattachée au titre, elle suit les règles générales de l'abréviation.

Exemples :

baccalauréat en administration des affaires	B.A.A.
maîtrise en ingénierie	M. Ing.
licence en pharmacie	L. Pharm.

Les noms de villes, de rues ou de personnes

Il est conseillé de ne pas abréger les noms de villes, de rues ou de personnes.

Exemples : Sainte-Thérèse-de-Blainville
le boulevard Sainte-Croix
Monsieur Jacques Saint-Laurent

La date

On peut abréger la date dans une référence, mais non au début d'une lettre.

Exemples : V/Lettre du 7 sept.
Québec, le 21 octobre 20xx

Les adjectifs ordinaux et les adverbes

Mis à part « premier » et « première », les adjectifs ordinaux s'abrègent avec un « e » supérieur au singulier et un « es » supérieur au pluriel. Quant aux adverbes qui marquent le rang, ils sont suivis du symbole « ° ».

Exemples :

premier	1er	premièrement	$1°$
premières	1res	deuxièmement	$2°$
deuxièmes	2^{es}		
vingt-troisième	23^{e}		

Les unités de mesure

Les symboles des unités de mesure s'écrivent sans point abréviatif. On les emploie avec un nombre écrit en chiffres.

Exemples :

millimètre	mm	19,5 centimètres	19,5 cm
mètre	m	28 kilomètres par heure	28 km/h
gramme	g		
kilogramme	kg		
seconde	s		
minute	min		
heure	h		

Le statut légal

Les termes « limitée », « incorporée » et « enregistrée » s'abrègent et s'écrivent avec la minuscule.

Exemples : Buffet Maloin ltée
Machinerie G. Dubé inc.
Les Services Kalim enr.

Les abréviations usuelles et les symboles

Vous trouverez dans le tableau 4.1 une liste des abréviations usuelles et des symboles les plus courants. Il est généralement conseillé d'abréger le moins possible afin de favoriser une meilleure compréhension du texte.

TABLEAU 4.1
Les abréviations courantes et les principaux symboles

A		D (suite)	
a commercial (affaires), arobas (adresse électronique)	@	conseil d'administration	C. A.
à l'ordre de	o/	contre	c.
acompte	ac.	contre remboursement	C. R.
action	act.	copie conforme	c. c.
adresse	adr.	correspondance	corresp.
année	a	crédit	cr. *ou* c^t
appartement	app.	**D**	
article	art.	degré Celsius	°C
aux soins de	a/s de	département	dép. *ou* dép^t
avenue	av.	destinataire	dest.
avis de paiement	AP	deuxième, deuxièmes	2e, 2^{es}
avis de réception	A/R	deuxièmement	2°
B		directeur, direction, directrice	dir.
billet à ordre	B/	docteur, docteurs	D^r, D^{rs}
bordereau	b^{reau}	docteure, docteures	D^{re}, D^{res}
boulevard	boul. *ou* b^d	document	doc.
brut	b^t	dollar	$
C		douzaine	douz. *ou* dz
canadien	can.	**E**	
case postale	C. P.	édition	éd.
cent (monnaie)	¢	enregistrée (dans une raison sociale)	enr.
centimètre	cm	entreprise	entr.
c'est-à-dire	c.-à-d.	environ	env.
chapitre	chap.	escompte	esc.
chemin	ch.	et cetera	etc.
collection	coll.	est	E.
commande	c^{de} *ou* comm.	établissement	Ét^t *ou* Ét
compagnie	Cie *ou* Cie	établissements	Ét^{ts} *ou* Éts
comptabilité	compt.	exclus, exclusivement	excl.
comptable agréé	CA *ou* c. a.	exemplaire	exempl.
comptant	cpt *ou* comp^t	exemple	ex.
compte courant	C/c	expéditeur, expéditrice	exp.
compte ouvert	c/o	**F**	
compte rendu	c. r.	facture	fact.
confer (reportez-vous à)	*cf.*	faire suivre	F. S.
		figure	fig.
		frais généraux	F. G.

TABLEAU 4.1 (SUITE)

G	
gouvernement	gouv.
gramme	g

H	
habitant, habitante	hab.
heure	h
hypothèque	hyp.

I	
ibidem (au même endroit)	*ibid.*
idem (la même chose)	*id.*
illustration	ill.
inclus, inclusivement	incl.
incorporée (dans une raison sociale)	inc.
intérêt	int.
inventaire	inv.

J	
jour	j ou d (unité SI)

K	
kilogramme	kg
kilomètre par heure	km/h
kilowatt	kW

L	
lettre de crédit	LC *ou* l/cr
limitée (dans une raison sociale)	ltée
liquidation	liq.
liste de prix	l.p.
litre	L *ou* l
livraison	livr.
location	loc.
loco citato (à l'endroit cité)	*loc. cit.*

M	
madame	Mme
mademoiselle	Mlle
maître, maîtres (avocat, avocate, notaire)	M^e, M^{es}
marchandise	m^{dise}
maximum	max.
mesdames	Mmes
mesdemoiselles	Mlles
mètre	m
minimum	min.
minute	min
mois	m.
monseigneur	Mgr
monsieur	M.
messieurs	MM.
montant	m^t

N	
nombre	n^{bre} *ou* nb
nota bene	N. B.
notre compte	n/c
notre référence	N/Réf. *ou* N/R
nouveau	nouv.
numéro	N^o *ou* n^o
numéros	N^{os} *ou* n^{os}

O	
ouest	O.
opere citato (dans l'ouvrage déjà cité)	*op. cit.*

P	
page(s)	p.
par exemple	p. ex.
par intérim	p. i.
par procuration	p. p.
paragraphe	paragr.
partie	part.
personne	pers.
petites et moyennes entreprises	P.M.E. *ou* PME
pièce jointe, pièces jointes	p. j.
port dû	P. D.
port payé	P. P.
post-scriptum	P.-S.
pour cent	p. cent, p. 100 *ou* %
premier, premiers	1er, 1ers
première, premières	1re, 1res
premièrement	1°
président-directeur général, présidente-directrice générale	p.-d. g. *ou* P.-D. G. *ou* PDG *ou* pdg
prix courant	p. c^t
prix de revient	P. R.
prix de vente	P. V.
prix fixe	P. F.
prix unitaire	prix unit.
procès-verbal	P.-V.
professeur, professeure	Pr *ou* prof.
province	prov.

Q	
qualité	qual.
quantité	quant. *ou* q^{té}
Québec	QC
quelque	qq.
quelque chose	qqch.
quelquefois	qqf.
quelqu'un	qqn
question	Q. *ou* quest.

TABLEAU 4.1 (SUITE)

R	
rapport	rapp.
recherche	rech.
recommandé	R
recto	r^o
référence	réf.
rendez-vous	R.-V.
répondez s'il vous plaît	R.S.V.P.
réponse	R.
révérend père	R. P.
route	rte

S	
saint, saints	S^t, S^{ts}
sainte, saintes	S^{te}, S^{tes}
sans date	s. d.
sans lieu	s. l.
sans objet	s. o. *ou* S. O.
seconde	s
section	sect.
semaine	sem.
siècle	s.
s'il vous plaît	SVP *ou* svp
société	s^{té}
Son Éminence (cardinal)	S. Ém.
Son Excellence (ambassadeur, ambassadrice, évêque)	S. E.

suivant, suivante	suiv.
supplément	suppl.

T	
télécopie	téléc.
téléphone	tél.
téléphone cellulaire	tél. cell.
tome	t.
tournez s'il vous plaît	TSVP
traduction	trad.
trimestre	trim.
toutes taxes comprises	TTC *ou* t. t. c.

V	
vente	V. *ou* v^{te}
verso	v^o
vice-président, vice-présidente	v.-p.
virement	vir^t
voir	V. *ou* v.
volume	vol.
votre, vous, vos	v/
votre compte	v/c
votre lettre	V/Lettre
votre ordre	V/O
votre référence	V/Réf. *ou* V/R

4.5   *La ponctuation*

La ponctuation est l'ensemble des signes conventionnels qui marquent les pauses dans une phrase afin de préserver des unités de sens. Elle permet de mettre en évidence la structure d'une phrase. Une ponctuation judicieuse facilite la compréhension de toute communication écrite.

L'absence de ponctuation ou une mauvaise ponctuation peut entraîner des erreurs d'interprétation. Il importe donc de ponctuer correctement pour assurer la clarté du texte et bien préciser sa pensée. Les principaux signes de ponctuation sont :

- le point (.);
- le point-virgule (;);
- le deux-points (:);
- les points de suspension (…);
- le point d'interrogation (?);
- le point d'exclamation (!);
- la virgule (,);
- les parenthèses ( );
- les guillemets (« »);
- le tiret (—);
- les crochets ([ ]);
- la barre oblique (/);
- la barre oblique inversée (\).

4.5.1   Le point

Le point indique qu'une phrase de type déclaratif ou impératif est terminée.

Exemples :   La lecture de ce livre m'a passionnée.
Remplissez ce questionnaire avant la fin de la semaine.

Le point est également employé :

- pour abréger un mot lorsque la dernière lettre du mot n'est pas conservée;
- pour séparer les lettres d'un sigle;
- pour séparer, dans une référence bibliographique, les nom et prénom de l'auteur du titre de l'ouvrage.

Remarque

On ne met pas de point après :

- un titre ou un intertitre;
- des points de suspension;
- une signature;
- les unités de mesure;
- les titres de colonnes dans un tableau.

4.5.2   *Le point-virgule*

Le point-virgule sépare des phrases syntaxiques autonomes liées par le sens.

Exemples :   Isabelle a rédigé les lettres de réclamation; Roger, les lettres de recouvrement.
La directrice rencontrera le député mardi prochain; elle en profitera pour lui parler du projet concernant la sécurité dans les entreprises.

Le point-virgule a pour fonction de juxtaposer des phrases qui présentent une addition ou une opposition ou une ressemblance. Il marque leurs liens de sens.

Exemple :   Ce travail peut paraître difficile, complexe; il n'est jamais inutile.

On utilise aussi le point-virgule pour séparer les éléments d'une énumération présentée en retrait et introduite par un deux-points.

Exemple :   Les principaux points à l'ordre du jour sont :
1. le rapport financier;
2. les rapports des comités;
3. la planification des réunions.

4.5.3   *Le deux-points*

Le deux-points introduit une énumération ou une citation.

Exemples :   Les tâches à effectuer sont les suivantes : dépouiller le courrier, rédiger des lettres et accueillir la clientèle.
Dans son mémoire, Mme Leduc déclare : « Le jeu est autant essentiel au développement de l'enfant que le boire et le manger. »

Il juxtapose deux phrases pour marquer une explication, une preuve, une cause, une conséquence ou un exemple.

Exemples :   Le commis comptable a été congédié : il s'est absenté plusieurs fois sans raison valable. (*cause*)
Le commis comptable s'est absenté plusieurs fois sans raison valable : il a été congédié. (*conséquence*)

4.5.4 *Les points de suspension*

Rarement utilisés dans la langue des affaires, les points de suspension se placent à la fin d'une phrase. Ils indiquent le plus souvent que l'idée exprimée est incomplète ou que des points d'énumération pourraient être ajoutés.

Exemple : Il a été question de la campagne de promotion, des nouveaux produits, de la dernière étude de marché…

Dans une citation, ils révèlent que des mots ou des phrases ne sont pas reproduits. Dans ce cas, ils sont placés entre crochets.

Exemple : « Choisir des mots, équilibrer des phrases, distribuer des paragraphes […] là où il n'y a qu'une pensée informe. »

Remarques

On ne met jamais de points de suspension après « etc. ».

Les points de suspension ne sont pas suivis d'un point final.

4.5.5 *Le point d'interrogation*

Le point d'interrogation se met à la fin d'une phrase de type interrogatif.

Exemple : Pourriez-vous me remplacer à 14 h?

Il marque l'interrogation dans :

- une phrase déclarative;

  Exemple : Vous assistiez à la réunion?

- une phrase non verbale.

  Exemple : Vraiment?

Remarques

Dans le cas d'une interrogation indirecte, on ne doit pas l'employer.

Exemple : Dites-moi s'il est possible que vous me remplaciez à 14 h.

Dans le cas d'une phrase de type interrogatif suivie d'une phrase incise, le point d'interrogation est placé avant l'incise.

Exemple : « Est-il possible que vous me remplaciez à 14 h? » demanda-t-elle.

4.5.6 *Le point d'exclamation*

Très peu utilisé dans les écrits administratifs, le point d'exclamation se place après un mot, un groupe de mots ou une phrase. Il exprime un sentiment ou une émotion. Il marque l'exclamation dans :

- une phrase introduite par un marqueur exclamatif;

  Exemple : Quel beau travail vous avez accompli!

- une phrase non verbale;

Exemple : Quelle belle journée!

- une phrase déclarative.

Exemple : Vous aviez terminé ce travail et vous ne me l'avez pas dit!

4.5.7 La virgule

La virgule est le signe le plus complexe à utiliser et le plus révélateur de la maîtrise de la ponctuation. Voici les principaux cas où la virgule est requise.

- Pour séparer des attributs du sujet.

Exemple : Ce produit est pratique, solide, peu coûteux.

- Pour séparer les sujets d'une phrase.

Exemple : Le président, le directeur et les chefs d'équipe ont formulé de nouvelles propositions.

- Pour détacher un complément de phrase placé en tête de phrase.

Exemple : Après avoir vu cette vidéo, il décida d'en parler à ses collègues.

- Pour détacher un complément de phrase placé au milieu de la phrase.

Exemple : Chaque année, à Paris, des milliers de touristes visitent le musée du Louvre.

- Pour séparer des compléments de verbe.

Exemple : La secrétaire a rédigé des lettres, des procès-verbaux et des notes de service.

Remarque
On omet généralement la virgule quand le verbe suit immédiatement le complément de phrase et quand il y a inversion du sujet et du verbe.

Exemple : En 20xx commença la formation des stagiaires.

- Pour détacher un complément du nom à valeur explicative.

Exemple : Monsieur Pierre Durant, directeur de cette usine, a annoncé…

- Pour séparer des termes mis en apostrophe.

Exemple : Acceptez, Madame la Présidente, mes salutations distinguées.

- Après les locutions conjonctives suivantes placées au début d'une phrase : « d'une part », « d'autre part », « par exemple », « en effet », « sans doute », « en l'occurrence », « par ailleurs », « de fait », « en fait », « pour ma part », « quant à moi ».

Exemple : En effet, ce nouveau produit est très apprécié de notre clientèle.

- Après les conjonctions suivantes placées en tête de phrase : « donc », « par conséquent », « certes », « enfin », « cependant », « néanmoins », « pourtant », « ainsi ».

  Exemple :   Certes, je trouve l'idée…

- Devant les coordonnants « mais », « car », « puis », « c'est-à-dire », « sinon » et « du moins » qui apparaissent dans une phrase, lorsque ces mots séparent des phrases subordonnées coordonnées.

  Exemple :   Nous avons reçu votre commande, mais la marchandise
  ne sera livrée que la semaine prochaine.

- Devant un coordonnant à sens explicatif : « à savoir que », « soit », « voire », etc.

  Exemple :   Les ventes ont progressé de 2 millions de dollars, soit de 12 %.

- Après les coordonnants « ou », « ni » et « et », lorsqu'ils sont employés plus de deux fois dans une énumération.

  Exemple :   Il n'apprécie ni l'apparence, ni la solidité,
  ni la couleur de ce produit.

- Lorsque le coordonnant sépare deux phrases qui n'ont pas le même sujet.

  Exemple :   Ils ont distribué une circulaire, et la clientèle a augmenté.

- Après la parenthèse fermante (si nécessaire), mais jamais avant la parenthèse ouvrante.

  Exemple :   Quand nous l'avons connu (il y a quelques mois),
  il occupait un autre poste.

- Pour isoler tout élément ayant une valeur explicative.

  Exemple :   Cet article, le dernier reçu, nous semble plus solide.

- Pour marquer l'effacement d'un élément dans une phrase coordonnée.

  Exemple :   Le produit X nous convient, l'autre, pas du tout.

- Pour isoler une subordonnée relative à valeur explicative.

  Exemple :   Notre magasin, qui d'ailleurs est le plus connu de toute la ville,
  a été vendu.

- Avant un terme collectif.

  Exemple :   Vos travaux, votre manière d'agir, tout me satisfait.

- Pour isoler une phrase incise ou incidente.

  Exemples :   Vous voyez, reprit-elle, les conséquences de cette mauvaise publicité.
  Ce refus, nous en sommes persuadés, vous le comprendrez.

- Devant l'abréviation « etc. »

  Exemple :   Elle a effectué toutes les tâches relatives à la réception
  des marchandises, à la facturation, à la comptabilité, etc.

Remarque

On ne met pas de virgule entre les chiffres qui forment un nombre, sauf pour les décimales.

Exemples : 23 675 caractères
18 432,58 $
12,5 % de rabais

4.5.8   Les parenthèses

Les parenthèses permettent d'insérer dans une phrase une réflexion, un commentaire, une explication ou une indication non essentielle dont on veut éviter de faire une phrase distincte.

Exemples : Toutes les personnes présentes ont apprécié les propos
de la conférencière (y compris les spécialistes invités).
Les documents nécessaires à la tenue de la réunion (ordre du jour
et procès-verbal) ont été envoyés aux personnes concernées.

4.5.9   Les guillemets

Les guillemets servent à encadrer une citation, un mot étranger, un terme familier, les titres d'articles de journaux ou de revues. Ils peuvent aussi mettre en valeur un mot ou un groupe de mots.

Exemples : Dans une allocution, il a confirmé les propos de son prédécesseur :
« La motivation du personnel est le principal facteur de notre réussite. »
Elle a « pioché » pour réussir son examen.
Avez-vous lu l'article intitulé « Comment prendre des notes »
dans la revue *Affaires* ?

Remarques

Il est recommandé d'utiliser les guillemets français en forme de chevrons (« ») plutôt que les guillemets anglais en forme de virgules (" ").

Si une citation est coupée par une phrase incidente, les guillemets ne sont pas répétés.

Exemple : « Je préfère, dit-elle, améliorer le produit existant. »

Si le passage cité est une phrase complète, le signe de ponctuation précède les guillemets fermants. Dans le cas contraire, la ponctuation suit les derniers guillemets.

Exemples : Je reprends ses propos : « Soyez réalistes ! »
Il est malheureux que « tout ce qui brille ne soit pas or ».

4.5.10   Le tiret

Dans un dialogue, le tiret annonce un changement d'interlocuteur.

Exemple : — Savez-vous à qui s'adresse cette invitation ?
— Oui. À tous les représentants.

Dans une phrase, deux tirets peuvent encadrer une remarque ou une explication accessoire à la manière des parenthèses, excepté que la coupure avec le texte est ici plus marquée.

Exemple :   J'affirme — et je ne crois pas me tromper — que cet appareil
a un défaut de fabrication.

On peut aussi s'en servir pour introduire les éléments d'une énumération.

Exemple :   Vous devrez apporter le matériel suivant :
— des crayons-feutres;
— des ciseaux;
— de la colle.

Remarque
Le second tiret est supprimé avant un point final.

Exemple :   Il faudra remettre le rapport d'analyse à tous les
participants — Québécois, Montréalais et Sherbrookois.

4.5.11   *Les crochets*

Les crochets s'emploient pour isoler une indication dans un texte déjà entre parenthèses, pour signifier qu'une partie d'une citation a été omise ou pour ajouter des mots dans une citation.

Exemples :   Le roman de l'auteure à l'étude (Gabrielle Roy [1909-1983])
a plu à toute la classe.
« Ces résultats […] démontrent que l'usine devrait être agrandie. »
« Par la suite, elles [les directrices] acceptèrent l'offre d'achat. »

4.5.12   *La barre oblique*

La barre oblique remplace très souvent la préposition « par ».

Exemples :   90 km/heure signifie « 90 kilomètres par heure ».
25 hab./km^2 signifie « 25 habitants par kilomètre carré ».

Dans la langue des affaires, la barre oblique est utilisée pour abréger certaines expressions et pour séparer les initiales d'identification.

Exemples :   V/Réf.   o/   a/s de   HD/cl

4.5.13   *La barre oblique inversée*

La barre oblique inversée est utilisée pour obtenir le chemin d'accès à un répertoire lorsqu'on travaille à l'ordinateur.

Exemple :   c:\wpwin6.1\nom du document

La ponctuation, la majuscule ou la minuscule
4.5.14 *dans une énumération*

Les éléments d'une énumération peuvent être intégrés au texte ou présentés verticalement. Dans le premier cas, ils sont introduits par une phrase se terminant par un deux-points et généralement séparés par un point-virgule. Cependant, si chaque élément est très court, on peut utiliser la virgule.

Dans le deuxième cas, voici quelques remarques générales concernant la présentation verticale des éléments d'une énumération :

- la phrase qui introduit une énumération est suivie d'un deux-points;
- des signes typographiques, des chiffres ou des lettres peuvent être utilisés pour introduire les éléments énumérés;
- en général, le premier mot d'une énumération commence par une minuscule. Cependant lorsque chaque élément constitue une phrase, celle-ci commence obligatoirement par une majuscule et se termine par un point ou un point-virgule;
- le dernier élément d'une énumération se termine par un point;
- la présentation des éléments doit être uniforme.

Le tableau 4.2 illustre les différentes façons de présenter les éléments d'une énumération verticale. Il précise également les choix possibles quant à l'emploi de la majuscule ou de la minuscule.

TABLEAU 4.2
La présentation d'une énumération verticale

OUVERTURE DE L'ÉNUMÉRATION	PREMIÈRE LETTRE D'UN ÉLÉMENT	PONCTUATION QUI SUIT CHAQUE ÉLÉMENT
Aucun élément d'ouverture	Minuscule	, *ou* ; (courte énumération) ; (énumération plus longue)
◆ ■ ●	Minuscule Majuscule	, *ou* ; ; *ou* . *ou* sans signe de ponctuation si l'élément est très court
Suivi d'un point 1., 2. … A., B. …	Majuscule	; *ou* .
Suivi d'un point et d'un tiret I. – ou A. –	Majuscule	; *ou* .
Suivi d'une parenthèse 1), 2)… a), b)…	Majuscule ou minuscule	; *ou* .
1°, 2°…	Minuscule	, *ou* ;

5 Les lettres d'affaires

Objectif général

Rédiger et mettre en forme des lettres d'affaires d'usage courant.

Objectifs intermédiaires

- Indiquer les caractéristiques des lettres d'affaires d'usage courant.
- Lire des lettres d'affaires bien rédigées.
- Dresser le plan de rédaction des lettres d'affaires.
- Rédiger des lettres d'affaires d'usage courant.

5.1 Généralités

Nous avons vu au chapitre 1 les différents éléments de la lettre d'affaires et leur ordre de présentation. Il convient maintenant de considérer la rédaction même de la lettre. Dresser d'abord un plan de rédaction permet de se limiter aux faits essentiels et d'établir l'ordre logique des idées et des informations à transmettre. Si vous possédez peu d'expérience en rédaction, il peut être avantageux de faire un brouillon. Au fur et à mesure que vous acquerrez de l'expérience, cette étape deviendra facultative.

Toutes les lettres d'affaires requièrent une attention spéciale, car elles reflètent le sérieux d'une entreprise. Que l'on ait à remplir des formules types ou à rédiger une lettre sur un sujet donné, il importe d'avoir le souci d'une présentation uniforme, d'utiliser les mots justes, de ponctuer correctement et de faire preuve de courtoisie.

Dans ce chapitre, vous verrez dans un premier temps plusieurs types de lettres d'usage courant. Pour chaque type, nous donnerons la définition, le but, les caractéristiques, le plan, des formules d'introduction, de conclusion et parfois des conseils pratiques. Par la suite, vous trouverez un tableau synthèse du plan de chacune des lettres à l'étude. Finalement, nous vous proposons plusieurs modèles de lettres à utiliser selon les circonstances.

Même si ce chapitre porte principalement sur la rédaction de la correspondance, il est souhaitable que vous mettiez en pratique vos connaissances relatives à la disposition des composantes de la lettre ainsi que vos habiletés concernant les fonctions d'un logiciel de traitement de texte. De plus, appliquez la méthode de relecture de la lettre décrite dans le chapitre 1. Par ailleurs, retenez qu'une codification établie d'après un plan de classification choisi par l'entreprise ou le milieu de formation peut figurer sur chaque lettre à l'endroit où sont inscrites les mentions de références.

Exemple :   N/Réf. : Dossier n° 130-02

Prenez note que les communications peuvent être transmises autrement que par courrier, soit par téléphone, par messagerie électronique, par télécopieur, etc. La lettre est plutôt utilisée pour officialiser un acte administratif, mais aussi pour transmettre un message dans certaines circonstances.

5.2 *Plan de la lettre*

Le plan de rédaction d'une lettre précise la structure du message. Il permet de rassembler les idées dans un ordre logique et d'éviter les oublis ou les répétitions. Quelle est la marche à suivre pour obtenir un plan bien construit?

- Avant de commencer à écrire, il faut déterminer le but de la lettre.
- Ensuite, il faut trouver les idées principales en les écrivant spontanément, sans se soucier de leur ordre logique.
- Finalement, il convient d'ordonner ces idées par ordre d'importance et de grouper celles qui sont semblables.

Exemple : Date, heure et lieu d'un rendez-vous

Le texte de la lettre

Les pages suivantes détaillent la structure du texte de la lettre et donnent plusieurs exemples de formulation.

La lettre se divise généralement en trois parties : l'introduction, le développement et la conclusion.

L'introduction

Quelle est la bonne façon de commencer une lettre? Voilà une question souvent formulée. La clarté, la précision et la concision étant de rigueur dans les communications d'affaires, il convient d'aborder directement le sujet de la lettre.

Si ce n'est déjà fait dans la mention des références, vous pouvez en premier lieu rappeler la lettre précédente du destinataire.

Selon le but de la lettre (offrir, demander, s'excuser, répondre, etc.), il est possible de se référer à des formules types d'introduction. Le tableau 5.1 propose diverses formules d'introduction. Sa consultation vous évitera de placer au début de vos lettres des expressions calquées sur l'anglais, telles que « suite à », ou le participe présent « ayant », dont l'emploi est désuet.

Avec l'expérience, il est possible que vous en veniez à délaisser les formules du tableau pour en arriver à rédiger vos propres débuts de lettres.

TABLEAU 5.1
Les formules d'introduction de lettres

BUT	FORMULES
Donner suite à un appel téléphonique	• Au cours de notre entretien téléphonique du… • Nous nous reportons à notre… • En confirmation de notre…
Accuser réception	• Nous avons pris connaissance de… • Nous venons de recevoir… • Nous accusons réception de… • Nous avons le plaisir d'accuser réception de… • … vient de nous parvenir ce matin.
Remercier	• Nous vous remercions de… • Nous désirons vous remercier de…
Demander	• Nous vous prions de nous adresser… • Nous vous serions reconnaissants de… • Voudriez-vous avoir l'amabilité de… • Veuillez nous expédier…
Inviter	• Vous êtes cordialement invité à… • (Nom de l'entreprise) vous invite à…
Informer	• Je désire vous informer que… • Nous avons le plaisir de vous informer que… • Nous avons le regret de vous informer que… • Permettez-nous de vous signaler…
Confirmer	• Nous confirmons… • À la suite de…, nous avons le plaisir de confirmer…
Répondre à	• Nous nous empressons de répondre à… • En réponse à votre lettre du… • Pour faire suite à votre lettre du…
Manifester un désir	• Nous aimerions que… • Veuillez nous faire part de… • Auriez-vous l'obligeance de…
Manifester un regret	• Nous avons le regret de… • C'est avec regret que nous devons vous… • Nous regrettons…
Manifester une insatisfaction	• Nous sommes surpris de… • Nous avons le regret de…
Informer qu'on a pris connaissance d'un fait, d'un document, etc.	• C'est avec beaucoup d'intérêt que nous avons pris connaissance de… • Nous avons pris connaissance de…
S'excuser	• Nous vous prions de recevoir nos excuses pour…

Le développement

On trouve dans le développement l'essentiel de la communication. Chaque paragraphe expose une idée distincte, et les éléments d'information se suivent dans un ordre logique. Quel que soit l'objet de la lettre, le développement doit amener le destinataire à comprendre rapidement le sujet traité et le but poursuivi.

La conclusion

Selon le degré de complexité de la lettre, la conclusion résume parfois les propos de l'expéditeur, exprime clairement ce qu'il attend du destinataire et incite ce dernier à réagir. Dans une lettre simple, la conclusion peut se joindre à la formule de salutation.

Exemple : Dans l'attente de votre réponse, nous vous prions…

Il existe des formules types de conclusion qui correspondent à des demandes, à des remerciements, à des regrets, à des refus, etc. Le tableau 5.2 propose plusieurs formules de conclusion de lettres.

TABLEAU 5.2
Les formules de conclusion de lettres

BUT	FORMULES
Exprimer l'attente d'une réponse	• Dans l'attente de… • Nous attendons une confirmation… • Nous espérons une réponse dans les plus brefs délais. • Nous vous remercions de la rapidité avec laquelle vous nous ferez parvenir…
Demander une réponse	• Auriez-vous l'obligeance de nous répondre dans les plus brefs délais ? • Nous vous serions très obligés de bien vouloir nous répondre avant le… • Une prompte réponse serait appréciée. • Veuillez me faire parvenir une réponse avant le…
Demander une confirmation	• Veuillez nous confirmer… • Nous vous serions reconnaissants de nous confirmer…
Demander un document	• Nous vous saurions gré de bien vouloir nous retourner… • Veuillez nous retourner, signé, le formulaire ci-annexé.
Remercier	• Avec tous nos remerciements… • Nous vous remercions de…
Regretter	• Nous devons donc, à notre grand regret… • Nous regrettons de ne pouvoir vous être utiles…
Refuser	• En raison de…, nous ne pouvons accepter votre demande. • Nous regrettons de…
Espérer	• Nous espérons que… • Dans l'espoir de… • Nous espérons que vous nous ferez l'honneur de…
Présenter des excuses	• Nous souhaitons que cet incident n'affecte pas nos relations futures. • Nous regrettons ce malentendu. • Soyez assuré que nous ferons dorénavant tout notre possible pour éviter de telles erreurs.

Pour illustrer cette méthode de rédaction de lettre à partir d'un plan, voici une mise en situation : vous avez relevé, dans le journal *La Presse* du 22 juin 20xx, une annonce demandant une ou un secrétaire. On exige un an d'expérience.

Les tâches à effectuer sont les suivantes : rédiger le courrier, utiliser un logiciel de traitement de texte et faire un peu de tenue de livres. Un curriculum vitæ doit accompagner la demande d'emploi. Le plan de rédaction de cette offre de service se lit comme suit :

Objectif : Postuler un emploi

Objet : Offre de service

Introduction

- Référence : journal *La Presse* du 22 juin 20xx
- Précisions sur le poste offert
- Annonce de la candidature

Développement

- Études, expérience : diplômes obtenus, emplois occupés
- Qualités, intérêts, autres réalisations liées au poste offert
- Demande d'entrevue : disponibilité

Conclusion

- Souhait d'une réponse favorable
- Salutation : formule de politesse

En suivant ce plan, il devient facile de rédiger la lettre suivante :

Madame,

J'ai relevé dans *La Presse* du 22 juin 20xx l'offre d'emploi par laquelle vous demandez un secrétaire. Je désire poser ma candidature à ce poste, car je crois pouvoir répondre aux exigences requises.

J'ai terminé un cours de secrétariat et ma formation a été complétée par un stage dans une entreprise. Je suis donc vivement intéressé par la diversité des tâches mentionnées. Je joins à cette lettre mon curriculum vitæ, qui vous renseignera davantage sur mes qualifications et sur cette expérience de travail.

Je suis disponible pour une entrevue le jour qui vous conviendra.

Dans l'espoir d'une réponse favorable, je vous prie de recevoir, Madame, mes salutations distinguées.

5.3 La demande de renseignements

Définition   Lettre dans laquelle on demande des renseignements de tout genre.

But   Obtenir de l'information.

Caractéristiques
- La rédaction de ce type de lettre exige que les questions soient formulées avec précision et qu'elles respectent un ordre logique.
- Pour assurer l'efficacité de ce type de lettre, il faut éviter les longueurs et garder en tête le but visé par la demande.

TABLEAU 5.3
Le plan d'une demande de renseignements

PLAN	TEXTE
Appel	Madame,
Références ou raisons qui ont incité à recourir aux services de cette entreprise	Votre récent catalogue de meubles nous a beaucoup plu. La nouvelle chaise pivotante (modèle X-15) pourrait correspondre aux besoins de notre personnel.
Énumération des renseignements désirés	Nous souhaiterions obtenir les renseignements suivants : – Quel est le prix d'achat de 25 chaises ou plus? – Accordez-vous un escompte lors d'une commande importante? – Quel mode de livraison offrez-vous? – Quel est le délai requis pour la réception de la marchandise?
Demande d'une réponse	Dans l'éventualité d'une commande de notre part, nous vous serions reconnaissants de nous faire parvenir ces renseignements le plus tôt possible.
Salutation	Recevez, Madame, nos salutations distinguées.

Formules d'introduction
- Auriez-vous l'obligeance de…
- Voudriez-vous avoir l'amabilité de…
- Nous vous serions reconnaissants de…
- Pourriez-vous nous faire parvenir…
- Vous pouvez commencer en mentionnant la référence (journal, catalogue, dépliant publicitaire). Celle-ci doit être facilement identifiable par le destinataire (n°, mois, page, etc.) pour éviter toute confusion avec un document moins récent.

Formule de conclusion
- Avec nos remerciements…
- Nous vous remercions…
- Nous vous serions reconnaissants de nous faire part de ces renseignements le plus tôt possible.
- Dans l'attente de…

Conseils pratiques
- Il est souhaitable d'utiliser le même mode de formulation pour énumérer les renseignements demandés. Au choix, vous pouvez opter pour la forme interrogative (Quel…? – Comment…? – Accordez-vous…?) ou préférer l'emploi des substantifs (Nous aimerions connaître : vos prix; le mode et le délai de livraison; les facilités de paiement.).

- Les renseignements désirés seront plus apparents si vous les placez en retrait dans le texte de la lettre. Dans ce cas, chaque élément est précédé d'un tiret ou d'un chiffre et figure sur une ligne distincte.

Note : Dans le cas où une demande de renseignements concerne les qualités personnelles et les activités professionnelles d'une personne, il est important de souligner le caractère confidentiel des renseignements fournis. Cette précision est mentionnée à la suite de l'énumération des renseignements désirés. Voici le plan de rédaction de cette lettre.

Introduction : Raison qui motive cette demande (*ex. :* réception d'une offre de service)

Développement : Énumération des renseignements souhaités (*ex. :* comportement, qualités professionnelles, raison d'une cessation d'emploi, etc.)
Assurance de la confidentialité

Conclusion : Souhait de la collaboration

5.4   *La communication de renseignements*

Définition

Lettre dans laquelle on fournit à une personne les renseignements susceptibles d'accentuer son intérêt pour un produit ou un service.

But

Communiquer des renseignements.

Caractéristiques

- Le ton de cette lettre doit démontrer de la serviabilité.
- Deux types de réponses peuvent être données :
  - une réponse précise et complète;
  - une réponse partielle.

TABLEAU 5.4
Le plan d'une communication de renseignements

PLAN	TEXTE
Appel	Monsieur,
Introduction **Cas n° 1 :** réponse précise et complète **Cas n° 2 :** réponse partielle	En réponse à votre demande d'information du 24 novembre, nous vous transmettons les renseignements désirés. Nous regrettons de ne pouvoir vous faire parvenir d'ici cinq jours…
Détails de la réponse **Cas n° 1 :** communication des renseignements demandés **Cas n° 2 :** raison qui justifie la réponse défavorable ou partielle	– (*élément de réponse*); – … – … En raison d'un manque de marchandises…
Complément d'information **Cas n° 1** **Cas n° 2**	• Nous demeurons à votre disposition pour vous communiquer tout autre renseignement utile. • Nous comptons pouvoir vous servir prochainement. • Nous espérons vous être plus utiles dans un avenir proche.
Salutation	Recevez, Monsieur, nos salutations distinguées.

Formules d'introduction	• Nous vous remercions de l'intérêt que vous portez à nos produits. • C'est avec plaisir que nous vous fournissons les renseignements demandés dans votre lettre du... • Nous regrettons de ne pouvoir vous donner les renseignements demandés au sujet de...
Formule de conclusion	• Nous serions heureux de vous compter parmi notre future clientèle. • Nous demeurons à votre disposition pour vous communiquer tout renseignement complémentaire. • Nous espérons vous être utiles dans un avenir proche.
Conseils pratiques	• Quand de l'information ne peut être communiquée rapidement, il importe d'accuser réception promptement et d'indiquer le moment où les renseignements demandés pourront être transmis. • Afin de favoriser la clarté, il est suggéré de mettre en retrait les divers éléments de réponse et de les placer l'un en dessous de l'autre. C'est la meilleure disposition lorsque, par exemple, plusieurs données d'un produit sont énumérées : prix, escompte accordé, délai de livraison, etc. • Si le correspondant a demandé des renseignements dans un ordre précis, il est souhaitable de respecter cet ordre dans les réponses données. • Il est possible d'ajouter à la lettre des renseignements que l'on juge pertinents. Cette information complémentaire constitue souvent une forme de publicité discrète, directe et personnelle.

5.5   *La lettre de commande*

Définition	Lettre dans laquelle on énumère des articles désirés.
But	Recevoir les produits demandés.
Caractéristique	L'énumération des produits ou des services désirés doit être précise et détaillée : quantité, numéro de modèle, description de l'article (couleur, dimensions, etc.), référence au catalogue (s'il y a lieu), prix, délai de livraison, mode de transport, modalités de paiement, etc.
Conseil pratique	Il est recommandé de mettre en évidence les différents produits désirés ainsi que leurs caractéristiques. L'utilisation de retraits ou de caractères spéciaux favorise la clarté et une lecture rapide de ce type de lettre.

TABLEAU 5.5
Le plan d'une lettre de commande

PLAN	TEXTE
Appel	Monsieur,
Référence : catalogue, brochure publicitaire ou rencontre avec un représentant	Après avoir consulté votre dernier catalogue, nous sommes intéressés par... À la suite d'une rencontre avec l'un de vos représentants...
Énumération détaillée des produits ou des services désirés	Nous désirons recevoir les articles suivants : (*quantité, produit, numéro de modèle, couleur, etc.*)
Délai de livraison Mode de transport Rappel des modalités de paiement	Nous souhaitons recevoir cette commande avant le (*date*), par votre service de livraison habituel. Comme convenu, nous réglerons la facture en deux versements égaux : le premier à la livraison et le deuxième, 30 jours plus tard.
Conclusion Autres précisions	Nous vous remercions à l'avance de la rapidité avec laquelle vous traiterez cette commande. Si certains articles ne sont pas disponibles, veuillez nous en avertir au plus tôt.
Salutation	Recevez, Monsieur, nos salutations distinguées.

Formules d'introduction

- Nous venons de recevoir votre dernier catalogue et nous sommes intéressés par...
- À la suite de la visite d'un de vos représentants, nous aimerions commander les articles suivants...
- Vu la qualité de vos produits et l'excellence de vos services, nous désirons...
- Nous avons consulté avec intérêt votre brochure publicitaire...

Formules de conclusion

- Nous souhaitons recevoir cette commande dans le délai prévu à l'adresse mentionnée ci-dessus.
- Nous vous remercions à l'avance de la rapidité avec laquelle vous nous ferez parvenir cette commande.
- Nous comptons recevoir cette commande avant le (*date*) afin de pouvoir répondre aux besoins de notre clientèle.

5.6   *La lettre d'annulation de commande*

Définition   Lettre dans laquelle on annule une commande en expliquant pourquoi.

But   Annuler une commande passée.

Caractéristiques
- Les raisons de l'annulation de la commande sont exposées de manière claire et concise.
- Toutes les précisions relatives à la commande antérieure doivent être mentionnées : date de la commande, numéro du bon de commande (s'il y a lieu), description des articles, etc.

TABLEAU 5.6
Le plan d'une lettre d'annulation de commande

PLAN	TEXTE
Appel	Madame,
Allusion à la commande passée	• Le 17 juillet dernier, nous avons commandé... • Le 17 juillet dernier, nous vous avons fait parvenir le bon de commande n° 13-457, dans lequel étaient énumérés les articles suivants : (*détails relatifs à la commande*)
Raisons de l'annulation	• Nous devions recevoir cette commande avant le 30 juillet. Malheureusement, ce délai étant écoulé, nous ne... • Vous nous avez informés que plusieurs articles ne seraient disponibles qu'au mois d'août. Nous ne pouvons patienter jusqu'à cette date, vu les besoins de notre clientèle.
Annulation proprement dite	Nous nous voyons donc dans l'obligation d'annuler cette commande.
Conclusion	Cependant, soyez assurée que nous poursuivrons nos relations d'affaires.
Salutation	Recevez, Madame, nos salutations les meilleures.

Formules d'introduction

• Le 17 juillet dernier, nous vous avons fait parvenir le bon de commande n° 13-197.
• Le 17 juillet dernier, nous avons commandé plusieurs articles que nous devions recevoir avant le 30 juillet.

Formules de conclusion

• Soyez assuré que vous pouvez compter sur notre fidèle clientèle.
• Nous espérons que ce contretemps n'affectera pas nos relations d'affaires.

5.7 L'accusé de réception

Définition

Lettre qui confirme la réception de marchandises, d'une demande de renseignements, etc.

But

Aviser une personne que son envoi est arrivé à destination.

Caractéristiques

• L'envoi d'un accusé de réception prouve l'intérêt porté aux demandes formulées. Voici des lettres dont la réception peut être confirmée :
  – une offre de service incluant un curriculum vitæ;
  – une demande de carte de crédit;
  – une plainte formulée à l'endroit d'une entreprise.
• La lettre doit être précise, brève et courtoise.
• Selon les règles en vigueur dans chaque entreprise, l'accusé de réception peut consister en une lettre, en un formulaire ou en une carte postale imprimée.
• Une entreprise envoie parfois un accusé de réception quand elle ne peut pas répondre immédiatement à une demande précise.

TABLEAU 5.7
Le plan d'un accusé de réception

PLAN	TEXTE
Appel	Madame,
Accusé de réception proprement dit	Nous accusons réception de...
Complément d'information :	
1. Raisons pour lesquelles on ne peut satisfaire à la demande;	1. Nous regrettons toutefois de vous informer que...
2. Demande de renseignements complémentaires;	2. Nous aimerions avoir plus de renseignements...
3. Assurance que toutes les conditions seront remplies.	3. Votre commande sera expédiée dès le...
Remerciements	Nous vous remercions de l'intérêt que vous avez manifesté...
Salutation	Veuillez agréer, Madame, nos sincères salutations.

Formules d'introduction

- Nous accusons réception de...
- Nous nous empressons de vous remercier...
- Nous vous remercions de nous avoir adressé...

Formules de conclusion

- Nous sommes heureux de pouvoir vous compter parmi notre clientèle.
- Si vous n'êtes pas pleinement satisfait, veuillez communiquer avec nous.
- Soyez assuré de notre entière collaboration.

5.8   La lettre de réclamation

Définition

Lettre dans laquelle un client exprime son insatisfaction d'un service reçu.

But

Informer quelqu'un de la mauvaise qualité d'un service reçu et proposer une rectification en vue d'obtenir une réponse et un règlement satisfaisants.

Caractéristiques

- La lettre de réclamation peut être utilisée dans les cas suivants :
  - marchandise endommagée, manquante, non conforme à la description donnée;
  - erreur de facturation : suppléments non justifiés, prix plus élevé que celui qui a été convenu, omission d'une remise consentie au préalable, etc.;
  - livraison et qualité du service non satisfaisantes : retard de livraison, personnel peu attentif, mauvais emballage, etc.
- En plus d'être brève, cette lettre doit adopter un ton ferme mais courtois afin d'assurer le maintien de bonnes relations avec le destinataire.

- Il faut faire preuve de tact et de pondération dans l'explication de la plainte. Cela suppose que l'on doive éviter de porter des accusations ou de faire des menaces et ne pas blâmer un service quelconque d'une entreprise ou une personne précise.
- Après l'explication du litige, il convient de proposer le mode de règlement souhaité. Selon le cas, ce peut être un remboursement, un nouveau délai de livraison, un échange, la rectification d'une erreur sur une facture, etc.

TABLEAU 5.8
Le plan d'une lettre de réclamation

PLAN	TEXTE
Appel	Monsieur,
Référence à la commande, à l'achat, etc.	Nous avons bien reçu les dix postes de travail modulaires (modèle 36007) commandés le 13 octobre dernier.
Motif de la réclamation	Nous avons constaté que trois d'entre eux n'étaient pas équipés de la tablette coulissante pour le clavier et la souris.
Mode de règlement désiré	Comme nous devons utiliser ces postes de travail très bientôt, nous désirons les pièces manquantes avant le 25 courant. Veuillez nous joindre le plus tôt possible si ces articles sont en rupture de stock.
Salutation	Recevez, Monsieur, nos salutations distinguées.

Formules d'introduction

- Nous recevons…
- Nous avons reçu…
- À la suite de la réception de…, nous vous mentionnons que…
- Nous constatons que…
- Nous remarquons, après examen de…, que…
- Votre envoi du 3 novembre vient de nous parvenir et nous avons le regret de vous mentionner…
- Le 25 mars dernier, nous vous avons fait parvenir une commande… et nous constatons que…

Formules de conclusion

- Avec nos remerciements anticipés, nous vous prions de recevoir…
- Nous comptons sur votre collaboration dans…
- Avec mes remerciements, je vous prie de recevoir, Mesdames, Messieurs, mes sincères salutations.
- Dans l'attente de votre réponse, je vous prie…
- Nous avons l'assurance que vous donnerez une suite favorable à notre demande.

5.9   *La lettre de réponse à une réclamation*

Définition   Lettre par laquelle une personne répond à une lettre de réclamation.

But   Communiquer une réponse satisfaisante à un client lésé ou bien lui expliquer, preuves à l'appui, que sa réclamation est injustifiée.

Caractéristiques
- Cette lettre exige très souvent la vérification de certains éléments importants : date d'un achat ou de la signature d'un contrat, détails d'une facture, entente convenue, engagement du service à la clientèle. Après cette opération, l'entreprise ou le service concerné est en mesure de répondre adéquatement à la réclamation reçue.
- Selon le cas, plusieurs solutions peuvent être proposées pour faire suite à une réclamation : échange de marchandises, remboursement, offre d'une garantie prolongée, note de crédit, réduction du prix initial, arrangement à l'amiable, etc.
- Si une réclamation n'est pas justifiée, il faut faire preuve de beaucoup de tact et exposer clairement les raisons pour lesquelles on ne peut accéder à la demande du client.
- Si une réclamation est justifiée, il faut également donner les raisons de l'erreur commise.

TABLEAU 5.9
Le plan d'une lettre de réponse à une réclamation

PLAN	TEXTE
Appel	Madame,
Référence à la réclamation	• Nous avons bien reçu… • Votre plainte au sujet de… • Après vérification auprès de notre Service de… • Pour faire suite à votre réclamation du…
Réponse à la réclamation **Cas n° 1 :** réclamation justifiée, règlement proposé	• Nous procéderons à un échange. • Nous pouvons vous accorder un escompte de 10 %. • Vous obtiendrez le remboursement… • Nous pouvons vous suggérer un produit de qualité supérieure… • Nous nous occupons de faire les démarches nécessaires pour régler ce problème.
Cas n° 2 : réclamation injustifiée, refus et justification	• Malheureusement, après vérification auprès de… • La garantie n'est plus en vigueur. • Selon les conditions spécifiées dans le contrat,… • Selon les conditions de…
Conclusion **Cas n° 1**	Nous espérons que cette solution vous donnera entière satisfaction.
Cas n° 2	Pour toutes ces raisons, nous regrettons de ne pouvoir donner suite à votre demande.
Salutation	Recevez, Madame, nos meilleures salutations.

Formules d'introduction	• Nous accusons réception de votre plainte concernant...
	• C'est avec regret que...
	• Nous avons bien reçu votre lettre du... au sujet de...
	• Nous ne pouvons malheureusement donner suite à votre réclamation du... en raison de...

Formules de conclusion	• Nous espérons que ce règlement vous donnera entière satisfaction.
	• Nous regrettons ce malheureux incident et espérons que vous demeurerez parmi notre clientèle.
	• Nous regrettons, vu toutes ces raisons, de ne pouvoir accéder à votre demande.

5.10 La demande de crédit

Définition Lettre par laquelle un client tente d'obtenir la modification temporaire de ses modalités de paiement.

But Obtenir un crédit d'une maison d'approvisionnement ou d'une institution financière.

Caractéristique Une demande de crédit doit préciser les raisons qui motivent une telle démarche. La plupart du temps, ce sont des difficultés passagères qui contraignent un client à demander un délai supplémentaire pour effectuer ses paiements.

TABLEAU 5.10
Le plan d'une demande de crédit

PLAN	TEXTE
Appel	Monsieur,
Référence à la dernière commande, expression de la satisfaction	J'accuse réception de... et je suis entièrement satisfait de vos services.
Demande de crédit et justification	De récents travaux de rénovation à notre succursale m'obligent à vous demander un délai supplémentaire de trente jours pour régler cette facture.
Souhait d'une réponse favorable	J'espère que vous tiendrez compte de la régularité avec laquelle j'ai toujours effectué mes paiements antérieurs.
Salutation	Dans l'attente d'une réponse favorable, je vous prie de recevoir, Monsieur, mes meilleures salutations.

Formules d'introduction	• Nous avons bien reçu la commande du...
	• En raison de..., j'apprécierais que vous m'accordiez un délai de... pour régler la facture n°...
	• (*Rappel des conditions de paiement habituelles*)... Cependant,... (*demande de crédit*)

Formules de conclusion	• J'espère que vous accepterez ma demande.
	• J'espère que vous pourrez accepter ces modalités de paiement.
	• Dans l'attente d'une réponse affirmative, je vous présente...
	• Dans l'espoir que vous accueillerez favorablement ma demande...

5.11   *Les lettres de recouvrement*

Définition   Lettres qui rappellent à un client que son paiement n'a pas été effectué à la date convenue.

But   Percevoir un montant dû.

Caractéristiques
- Le recouvrement peut se faire en trois temps, selon les délais prévus :
  1. On rappelle une échéance.
  2. On envoie une seconde lettre de rappel.
  3. On fait parvenir une mise en demeure.
- Avant d'expédier ces lettres, il faut d'abord vérifier l'entente convenue avec le client et s'informer des règles de recouvrement en vigueur dans l'entreprise.
- Le ton de ces lettres variera selon qu'il s'agit du premier rappel, du second rappel ou de la mise en demeure.
- Ces lettres doivent être brèves et directes.

5.11.1   *Le premier rappel d'une échéance*

Caractéristiques
- Le ton du premier rappel demeure cordial.
- L'échéance est rappelée avec tact.
- Ce rappel peut se faire par :
  - une communication téléphonique;
  - l'envoi du compte en souffrance auquel est jointe une note qui indique l'échéance;
  - une lettre.

TABLEAU 5.11
Le plan d'un premier rappel d'échéance

PLAN	TEXTE
Appel	Madame,
Exposé de la situation (*mention du montant de la dette*)	Notre Service de la comptabilité nous signale que votre facture de 549,85 $ n'a pas été réglée.
Demande de règlement	Nous comptons sur votre collaboration habituelle pour acquitter ce solde sans délai.
Mention de la possibilité d'une erreur (*s'il y a lieu*)	Si vous nous avez déjà fait parvenir votre paiement, veuillez ne pas tenir compte de cet avis.
Salutation	Recevez, Madame, nos salutations les meilleures.

5.11.2   Le second rappel d'une échéance

Caractéristiques
- Si la personne ne répond pas au premier rappel, l'envoi d'une seconde lettre de rappel, et parfois même d'une troisième selon le règlement en vigueur dans l'entreprise, s'impose.
- S'il faut effectuer plusieurs rappels, le délai entre l'envoi de deux lettres est généralement de deux à quatre semaines.
- Le ton est ferme tout en demeurant poli. On ne s'adresse plus à une personne distraite ou mal informée, mais à quelqu'un qui fait preuve de négligence. On peut suggérer une autre solution pour régler le compte en souffrance.

TABLEAU 5.12
Le plan d'un second rappel d'échéance

PLAN	TEXTE
Appel	Madame,
Allusion au rappel précédent, mention du solde en souffrance et des conditions convenues au départ	Notre lettre du 20 novembre est demeurée sans réponse et nous nous permettons de vous rappeler que la facture n° 227 totalisant 549,85 $...
Offre d'une solution de rechange	Si vous éprouvez des difficultés passagères, veuillez nous en informer. Nous pourrons chercher ensemble une solution de règlement.
Demande d'une prompte réponse et salutation	Dans l'attente d'une réponse prochaine, nous vous prions d'agréer, Madame, nos salutations distinguées.

5.11.3   La mise en demeure

Caractéristiques
- Si les rappels précédents demeurent sans réponse, il faut considérer la mise en demeure comme le dernier recours possible. Par la suite, il se peut que l'entreprise engage des poursuites judiciaires pour recouvrer sa créance.
- La mise en demeure devrait être envoyée par courrier recommandé et porter la mention « sous toutes réserves ». Cette mention est soulignée et s'inscrit en majuscules.
- Le ton est courtois mais ferme, étant donné que nulle entente ne peut être envisagée.

TABLEAU 5.13
Le plan d'une mise en demeure

PLAN	TEXTE
Appel	Madame,
Allusion aux lettres précédentes, mention du montant de la dette	Nous vous rappelons les lettres des 3 et 22 mai par lesquelles nous vous demandions de régler le solde de 549,85 $...
Rappel des conditions acceptées	• Il était prévu que... • Il était entendu que... • Cette facture est demeurée impayée malgré les deux avis que nous vous avons envoyés.
Dernier délai, mesures envisagées	Si d'ici dix jours vous ne réglez pas cette dette, nous nous verrons dans l'obligation d'entamer une poursuite judiciaire afin de recouvrer la somme due.
Souhait de ne pas en arriver à des mesures désagréables	Ne nous obligez pas à recourir à une telle mesure.
Salutation	Recevez, Madame, nos salutations.

Formules d'introduction

- Nous désirons vous rappeler...
- Nous devons vous souligner...
- Notre Service de la comptabilité nous signale que...
- Des avis vous ont été envoyés les 3, 15 et 24 novembre dernier au sujet de...
- En dépit des nombreuses lettres de rappel que nous vous avons envoyées, votre compte...

Formules de conclusion

- Dans l'attente de...
- Nous souhaiterions recevoir ce paiement dans les plus brefs délais.
- Nous comptons sur votre collaboration pour...
- Ne nous obligez pas à avoir recours à des mesures désagréables.
- Malheureusement, vous ne nous laissez pas d'autre choix.

5.12 La lettre de demande de correction d'erreur

Définition

Lettre dans laquelle une personne signale une erreur dont elle demande la correction.

But

Obtenir la rectification d'une erreur.

Caractéristiques

- Une lettre de demande de correction d'erreur doit préciser la nature de l'erreur et fournir tous les détails nécessaires à sa rectification. *Exemples :* numéro de compte, relevé de compte, numéro de facture, date, objet, etc. Ces précisions peuvent constituer les mentions de références de la lettre.
- Si le destinataire a tous les éléments pour effectuer les recherches nécessaires, l'erreur sera corrigée plus rapidement.

TABLEAU 5.14

Le plan d'une lettre de demande de correction d'erreur

PLAN	TEXTE
Référence au document : facture, relevé de compte, bon de commande, etc.	V/Réf. : Compte n° 1710-2-543
Appel	Monsieur,
Mention d'une erreur	À la réception de mon dernier relevé de compte, je constate qu'une erreur s'est produite.
Nature de l'erreur	Le solde indiqué est 309,90 $. Ce montant correspond à deux versements de 150 $ pour les mois de février et mars. Des frais de 9,90 $ pour retard de paiement ont été ajoutés.
Mention d'une pièce jointe	Vous trouverez ci-joint une photocopie du reçu de 150 $ qui prouve que le paiement du mois de mars a été effectué à la Banque Millionnaire le 25 février dernier.
Demande de rectification	Je vous demande donc de me faire parvenir une facture rectifiée et de déduire les frais de retard portés à mon compte.
Salutation	Recevez, Monsieur, mes salutations distinguées.

Formules d'introduction

- Dans le dernier relevé de compte que j'ai reçu, je constate...
- Nous avons reçu le (*date*) un relevé de compte qui indique que...
- La dernière facture reçue le (*date*) indique...

Formules de conclusion

- Nous vous saurions gré de corriger cette erreur le plus rapidement possible.
- Nous souhaiterions recevoir une facture rectifiée dans les plus brefs délais.
- Veuillez corriger cette erreur afin que...
- Veuillez nous faire parvenir un nouveau relevé de compte afin que nous puissions régler le solde dû.

5.13 *La lettre de confirmation de correction d'erreur*

Définition　Lettre qui confirme une erreur et propose un règlement.

But　Rectifier une erreur.

Caractéristique　Cette lettre mentionne la nature de l'erreur, précise la référence (numéro de facture ou entente conclue) et formule le règlement proposé.

TABLEAU 5.15
Le plan d'une lettre de confirmation de correction d'erreur

PLAN	TEXTE
Référence au document	V/Réf. : Facture n° 221-17
Appel	Monsieur,
Mention de la référence (numéro de la facture)	Nous faisons suite à votre demande concernant la facture mentionnée en référence. Après vérification, nous constatons qu'une erreur s'est effectivement produite.
Rappel de l'entente Règlement proposé	Selon l'entente conclue, vous profitez d'un escompte de 10 % sur l'achat de fournitures de bureau totalisant 1000 $ et plus. La somme que vous avez versée en trop, 120 $, vous est donc remboursée sous forme de chèque.
Offre d'excuse et souhait de la satisfaction	Nous nous excusons de ce contretemps et espérons que ce règlement vous donnera entière satisfaction.
Salutation	Dans l'espoir que vous continuerez à nous faire confiance, nous vous prions de recevoir, Monsieur, nos salutations distinguées.

Formules d'introduction

- Nous avons pris connaissance de l'erreur mentionnée dans...
- En réponse à votre demande relative à une erreur qui s'est produite...

Formules de conclusion

- Nous souhaitons que ce règlement vous donnera entière satisfaction.
- Veuillez croire que nous ferons en sorte qu'une telle erreur ne se reproduise pas.

5.14 La lettre de demande de confirmation de solde

Définition

Lettre par laquelle un client exprime son désir de connaître le solde inscrit à son compte.

But

Obtenir le montant exact du solde de son relevé de compte.

Caractéristiques

- Cette lettre généralement brève est adressée à une banque, à un créancier ou à un fournisseur.
- Plusieurs raisons peuvent motiver cette demande : modification des modalités de paiement, fermeture d'un compte, consolidation de dettes, achats importants, vente d'un commerce, vente d'un immeuble, etc.

TABLEAU 5.16
Le plan d'une lettre de demande de confirmation de solde

PLAN	TEXTE
Appel	Monsieur,
Référence au compte dont on veut connaître le solde	J'ai un prêt hypothécaire, dont la référence est 75-576-00, à votre succursale bancaire.
Demande de confirmation de solde et justification	J'ai pris la décision de mettre en vente l'immeuble situé au 234, boulevard des Érables. Avant de signer un contrat avec une agence immobilière, je désire recevoir une confirmation du solde inscrit à mon compte.
Autres renseignements	Dès qu'un acheteur sera intéressé par l'acquisition de cet immeuble, je communiquerai avec vous.
Demande d'une réponse	Je compte sur votre diligence habituelle pour obtenir...
Salutation	Recevez, Monsieur, mes salutations distinguées.

Formules d'introduction

- Je désire obtenir une confirmation du solde de mon compte n°...
- (*Mention de la raison*), je désire obtenir une confirmation du solde de mon compte n°...

Formule de conclusion

Je souhaite recevoir cette confirmation de solde dans les plus brefs délais.

5.15   *La lettre de confirmation de solde*

Définition

Lettre par laquelle un fournisseur donne suite à une demande d'un client concernant le solde débiteur de son compte.

But

Fournir les détails qui confirment le solde d'un compte.

Caractéristique

Cette lettre est généralement accompagnée d'une pièce jointe, soit le relevé de compte sur lequel sont mentionnés les dates de versement, le montant, les intérêts et le solde reporté.

TABLEAU 5.17
Le plan d'une lettre de confirmation de solde

PLAN	TEXTE
Appel	Monsieur,
Référence à la demande de confirmation de solde	En réponse à votre lettre du 7 mai dernier, nous nous empressons de vous fournir des précisions concernant le solde de votre compte n° 345-07-19.
Mention d'une pièce jointe Précisions sur le solde dû	Comme vous pourrez le constater sur le relevé de compte ci-joint, le solde de votre compte s'élève à 7397,79 $.
Autres renseignements	Nous vous rappelons qu'il est possible de verser un montant supérieur à celui inscrit dans la colonne « Remboursement ». Vous pourriez ainsi réduire votre période de remboursement, les intérêts exigés ainsi que votre dette globale.
Souhait de répondre aux attentes du client	Si d'autres renseignements vous sont nécessaires, vous pouvez nous joindre du lundi au vendredi, de 9 h à 18 h.
Salutation	Nous vous prions de croire, Monsieur, à l'expression de nos meilleurs sentiments.

Formules d'introduction
- En réponse à votre demande du 25 mai, nous nous empressons de...
- Nous donnons suite à votre demande relative au solde débiteur de votre compte n°...

Formules de conclusion
- Nous espérons avoir répondu à vos attentes.
- Nous souhaitons que ces renseignements vous aident dans votre planification financière.

5.16 La lettre de demande de transfert de fonds[1]

Définition
Lettre adressée à une institution bancaire dans laquelle est formulée une demande de transfert de fonds d'un compte bancaire à un autre.

But
Transférer un montant d'un compte bancaire à un autre.

Caractéristique
Cette demande est généralement brève et mentionne les numéros de comptes, le montant ainsi que la date du transfert. De nos jours, elle est fréquemment transmise par courrier électronique.

---

1. Grâce aux services bancaires offerts dans Internet, la lettre de demande de transfert de fonds tend à disparaître.

TABLEAU 5.18
Le plan d'une lettre de demande de transfert de fonds

PLAN	TEXTE
Appel	Monsieur,
Précisions sur le transfert	Pourriez-vous effectuer un transfert de fonds de 13 840 $ du compte optima n° 81-900-543 au compte chèque n° 60-543-231 ?
Date du transfert	Ce transfert devra être fait le jeudi 10 février avant 18 h.
Demande d'une confirmation	Nous vous serions reconnaissants de nous faire parvenir une confirmation de ce transfert.
Remerciements et salutation	Nous vous remercions de votre collaboration et vous prions d'agréer, Monsieur, nos meilleures salutations.

Formule d'introduction

Nous désirons que vous effectuiez un transfert de fonds de... à... (*montant*)

Formules de conclusion

- Nous comptons sur votre entière collaboration.
- Vous remerciant à l'avance..., nous...

5.17 *La lettre de confirmation de transfert de fonds (courriel)*

Définition

Message qui confirme un transfert de fonds.

But

Créer une trace pour fins de vérification.

Caractéristique

Message bref qui mentionne les numéros de comptes bancaires, le montant et la date du transfert.

TABLEAU 5.19
Le plan d'une lettre de confirmation de transfert de fonds

PLAN	TEXTE
Objet	État de votre transaction
Message	Votre virement de fonds postdaté du compte 8078 24 au compte 9020 56 en date du 2004-02-10 pour un montant de 1750 $ a été complété avec succès. Votre numéro de confirmation est le 70306154.
Signature	Service à la clientèle de la Banque Internationale www.bi.ca 1 888 856-5678

5.18 *La lettre de demande de correction à un dossier de crédit*

Définition   Lettre dans laquelle une personne lésée fait appel à la Commission d'accès à l'information.

But   Obtenir la correction d'une erreur à un dossier de crédit.

Caractéristiques
- Cette lettre doit être adressée trente jours après une lettre de demande de correction d'erreur à laquelle aucune réponse n'a été fournie.

- Elle mentionne la nature de l'erreur. On y joint une copie de la demande envoyée précédemment.

TABLEAU 5.20
Le plan d'une lettre de demande de correction à un dossier de crédit

PLAN	TEXTE
Appel	Madame, Monsieur,
Mention de l'envoi d'une demande	Le (*trente jours avant la date du jour*), j'ai demandé par écrit à Pluriprêts la correction d'une erreur apparaissant dans mon dossier de crédit.
Précisions sur l'erreur à corriger	Il s'agit d'une note mentionnant que j'effectue de façon irrégulière les versements mensuels dus sur un prêt que j'ai obtenu il y a trois ans. Cependant, en un an, j'ai remboursé en totalité ce prêt. Je demandais donc que ces renseignements erronés soient supprimés de mon dossier.
Situation actuelle	Une récente consultation de mon dossier de crédit m'a permis de constater que la correction n'a toujours pas été faite.
Demande d'aide	Je sollicite donc votre aide pour obliger Pluriprêts à effectuer les corrections nécessaires afin que mon dossier ne contienne désormais que des informations exactes.
Mention de pièce jointe	Vous trouverez ci-joint une copie de la lettre envoyée à Pluriprêts.
Remerciements et salutation	Je vous remercie de l'attention que vous porterez à ma demande et vous prie de croire, Madame, Monsieur, à l'expression de mes sentiments les meilleurs.

Formule d'introduction   Le (*date*), j'ai adressé une demande écrite à (*institution ou service de crédit*) concernant une erreur…

Formule de conclusion   Je souhaite que vous fassiez les démarches nécessaires afin que j'obtienne la correction demandée.

Une lettre de plainte en vertu de la Charte québécoise des droits et libertés de la personne

5.19

Définition   Lettre dans laquelle sont exposés les motifs d'une plainte relative à la discrimination fondée sur le sexe, la couleur, la race, la religion, l'état civil, etc.

But   Démontrer qu'une situation est discriminatoire afin de faire valoir ses droits.

Caractéristique   Cette lettre doit exposer clairement les raisons qui justifient le recours à l'application de la loi. Dans la plupart des cas, elle doit être accompagnée de pièces jointes.

TABLEAU 5.21
Le plan d'une lettre de plainte en vertu de la Charte québécoise des droits et libertés de la personne

PLAN	TEXTE
Appel	Madame, Monsieur,
Éléments contextuels	Depuis cinq ans, j'occupe un poste de commis comptable chez Graphipro. Le 18 mars dernier, à cause d'une diminution des activités commerciales, mon employeur a procédé à des congédiements.
Précisions sur la situation	Selon un protocole établi par l'employeur, ce dernier a procédé au licenciement systématique des célibataires plutôt que des personnes mariées.
Mention de la loi qui justifie la requête	Je sais qu'en vertu de la Charte québécoise des droits et libertés de la personne, une telle décision est illégale, parce qu'elle constitue un cas de discrimination fondée sur l'état civil.
Demande d'une enquête	Conséquemment, je demande à la Commission des droits de la personne et des droits de la jeunesse d'effectuer une enquête et de m'aider à faire valoir mes droits.
Mention d'une pièce jointe	Vous trouverez ci-joint une copie de ma cessation d'emploi.

Formule d'introduction   (*Énoncé des faits qui justifient la plainte.*)

Formule de conclusion   Pour toutes ces raisons, je demande…

Une lettre de plainte en vertu de la Loi sur l'accès aux documents des organismes publics et sur la protection des renseignements personnels

5.20

Définition Lettre dans laquelle un requérant formule une plainte concernant une demande demeurée sans réponse. Cette lettre concerne l'accès à un dossier contenant des renseignements personnels auxquels a droit le requérant.

But Avoir recours à la Loi sur l'accès aux documents des organismes publics et sur la protection des renseignements personnels afin de pouvoir consulter un dossier personnel.

Caractéristique Cette lettre ne peut être adressée que trente jours après l'envoi d'une demande écrite faite à l'organisme ou à l'institution concernée.

Tableau 5.22
Le plan d'une lettre de plainte en vertu de la Loi sur l'accès aux documents des organismes publics et sur la protection des renseignements personnels

PLAN	TEXTE
Appel	Madame, Monsieur,
Objet de la demande Mention d'une pièce jointe	Il y a plus d'un mois, j'ai fait une demande écrite à la Société de l'assurance automobile du Québec au sujet de la possibilité de vérifier le contenu de mon dossier. Vous trouverez ci-joint la copie de cette lettre.
Précisions sur la situation	Comme le prévoit la Loi sur l'accès aux documents des organismes publics et sur la protection des renseignements personnels, le délai de trente jours est expiré et je n'ai reçu aucune réponse de la part de la Société.
Demande d'intervention	Je demande donc l'intervention de la Commission d'accès à l'information auprès de la SAAQ afin qu'on m'accorde le droit d'accès à mon dossier.
Remerciements Disponibilité pour fournir d'autres renseignements	Je vous remercie de l'attention que vous porterez à ma demande et demeure à votre disposition pour vous fournir tout renseignement supplémentaire dont vous auriez besoin.
Salutation	Recevez, Madame, Monsieur, mes salutations les meilleures.

Formule d'introduction Le (*date*), j'ai fait parvenir une demande…

Formule de conclusion Je souhaite que votre intervention me permette d'avoir accès à mon dossier.

5.21 *La lettre d'invitation*

Définition

Lettre par laquelle on invite quelqu'un à une causerie, à un congrès, à l'ouverture d'une nouvelle succursale, à une activité sociale, etc.

But

Obtenir la participation d'une personne à une activité culturelle, sociale ou professionnelle.

Caractéristiques

- Les invitations écrites peuvent être présentées sous forme de cartes imprimées ou de lettres. Selon l'occasion et le nombre de personnes invitées, on préférera l'un ou l'autre mode.
- Avant de commencer la rédaction proprement dite, il est important de se mettre à la place du destinataire et de se poser les questions suivantes :
  - Qu'est-ce qui susciterait mon intérêt et m'inciterait à accepter telle invitation plutôt que telle autre?
  - Serait-ce la présence d'un conférencier reconnu, un dîner copieux ou la rencontre de gens travaillant dans le même secteur d'activité que moi?

En tenant compte des réponses à ces questions, vous serez davantage en mesure de rédiger une invitation convaincante.

TABLEAU 5.23
Le plan d'une lettre d'invitation

PLAN	TEXTE
Appel	Monsieur,
Invitation (*nom de l'organisme ou nature de l'activité*)	• Vous êtes cordialement invité à participer à… • L'Association culturelle des jeunes a le plaisir de vous inviter à (*une soirée, un souper, un congrès, l'ouverture de…*).
Lieu, date et heure	Cette rencontre aura lieu le 22 octobre à 17 h 30, à l'hôtel Beaulieu.
Brève description des activités	Mme Michèle Roy, connue pour ses nombreux ouvrages sur les loisirs des jeunes, animera la discussion.
Souhait de la participation du destinataire	Votre présence serait grandement appréciée.
Salutation	Recevez, Monsieur, nos sincères salutations.

Formules d'introduction

- Nous avons le plaisir de…
- (*Nom de l'organisme*) a le plaisir de vous inviter à…
- Vous êtes cordialement invité à…

Formules de conclusion

- Votre présence serait grandement appréciée.
- Nous comptons sur votre présence pour le succès de…
- Nous espérons une réponse affirmative à…
- Nous comptons sur votre participation.
- Nous souhaitons vivement votre présence.

Conseils pratiques

- L'emploi du caractère gras pour les mentions de la date et du lieu permet de mettre en évidence ces éléments.

- Une disposition originale contribue à donner une image particulière à une invitation. En ce sens, l'emploi des nouvelles techniques (éditique, traitement de texte, etc.) offre la possibilité de modifier à loisir la mise en forme des invitations.

5.22 La lettre d'acceptation d'une invitation

Définition

Lettre par laquelle une personne accepte une invitation.

But

Répondre aux attentes exprimées dans une lettre d'invitation.

Caractéristique

La réponse à une invitation doit confirmer la participation d'une personne à une activité professionnelle, sociale ou culturelle. Il est donc important qu'apparaisse un rappel des points mentionnés dans l'invitation afin d'éviter tout malentendu. *Exemples :* lieu, date et heure, objet (animation d'ateliers, congrès, conférence, vernissage, lancement d'une campagne publicitaire, présentation d'un produit ou d'un service, etc.).

TABLEAU 5.24
Le plan d'une lettre d'acceptation d'une invitation

PLAN	TEXTE
Appel	Madame,
Allusion à l'invitation reçue	En réponse à votre invitation du 7 mai dernier,
Acceptation	j'ai le plaisir d'accepter de participer à...
Rappel de l'objet de l'invitation	Comme vous l'avez mentionné, je préparerai un atelier sur les nouveaux programmes de français du secteur professionnel.
Énumération des coordonnées	Vous pouvez compter sur ma présence le 27 mai à 14 h 30, au salon Renoir de l'hôtel Dufy.
Remerciements Désir de répondre aux attentes des organisateurs de l'activité	• Croyez que je préparerai avec soin... • Croyez que je suis très heureux d'avoir été choisi pour... • J'apprécie l'honneur que vous me faites en me conviant à...
Salutation	Croyez, Madame, à l'expression de mes sentiments les meilleurs.

Formules d'introduction

- Après avoir considéré votre aimable invitation, reçue le...
- J'ai le plaisir d'accepter de participer à (*objet de l'invitation*).

Formules de conclusion

- J'espère répondre à toutes vos attentes.
- Je vous remercie de la confiance que vous m'accordez en me demandant de...

5.23 *La lettre de désistement*

Définition Lettre dans laquelle on rompt un engagement de participation à une activité sociale ou professionnelle en expliquant pourquoi.

But Rompre un engagement.

Caractéristique La lettre de désistement doit mettre en évidence les raisons qui obligent une personne à ne pas tenir un engagement. Dans certains cas, si une solution de rechange peut être envisagée, il est bon de le souligner.

TABLEAU 5.25
Le plan d'une lettre de désistement

PLAN	TEXTE
Appel	Madame,
Rappel de l'engagement	Le 22 février dernier, j'avais répondu affirmativement à votre demande pour que je donne un cours d'initiation au logiciel Windows au personnel de bureau de votre entreprise.
Énumération des raisons et expression du regret	Malheureusement, je dois m'absenter de la région à cette période et ne pourrai donc respecter cet engagement.
Proposition d'une solution	Cependant, une de mes collègues de travail, Mme Monique Therrien, pourrait être intéressée à donner ce cours. Vous pouvez la joindre en composant le (418) 555-3434.
Souhait de la collaboration dans l'avenir	Je vous remercie de la confiance que vous m'avez manifestée et souhaite collaborer avec vous dans un avenir proche.
Salutation	Recevez, Madame, mes salutations les meilleures.

Formules d'introduction
- Je désire vous aviser que…
- Le 23 avril dernier.… (*rappel de l'engagement*)
- J'ai le regret de vous aviser que…

Formule de conclusion
- J'espère que cette solution de rechange vous conviendra.
- Croyez que je regrette sincèrement ce contretemps.

5.24 *La lettre de remerciements*

Définition Lettre par laquelle on témoigne sa gratitude.

But Exprimer sa reconnaissance.

Caractéristiques
- Les occasions de remercier une personne sont nombreuses. Un service rendu, une lettre de recommandation envoyée, un cadeau, un témoignage de sympathie ou un prêt d'argent sont autant de circonstances où il est de mise d'exprimer sa reconnaissance.

- Cette lettre doit être empreinte de courtoisie et, si on connaît bien la personne à remercier, elle peut prendre un ton amical.

TABLEAU 5.26
Le plan d'une lettre de remerciements

PLAN	TEXTE
Appel	Madame,
Remerciements et objet	Je vous remercie sincèrement de l'offre exceptionnelle dont vous m'avez fait bénéficier.
Expression de la reconnaissance	Soyez assurée de mon entière collaboration dans l'avenir.
Remerciements réitérés et salutation	Avec toute ma reconnaissance, je vous prie d'agréer, Madame, mes meilleures salutations.

Formules d'introduction

- Je désire vous exprimer toute ma reconnaissance pour...
- Je vous remercie de...
- Nous tenons à vous remercier de...

Formule de conclusion

- Soyez assuré de toute ma reconnaissance.
- Avec nos remerciements sincères...
- Avec toute ma reconnaissance, je vous prie de...
- Permettez-moi de réitérer mes remerciements pour...

5.25 *La lettre de félicitations*

Définition

Lettre adressée à une personne pour lui témoigner la part que l'on prend à un événement heureux de sa vie.

But

Souligner un événement heureux.

Caractéristique

Plusieurs situations peuvent justifier la rédaction de ce type de lettre : nomination, succès dans le domaine professionnel, artistique ou sportif, événement heureux de la vie personnelle...

TABLEAU 5.27
Le plan d'une lettre de félicitations

PLAN	TEXTE
Appel	Madame,
Manière dont la personne a appris l'événement	• J'ai appris par une collègue de travail que vous avez obtenu le poste de... • J'ai appris par le journal que...
Félicitations	Je vous offre mes sincères félicitations pour cette nomination.
Mention des qualités (selon le cas)	Votre créativité, votre ardeur au travail et votre professionnalisme sont depuis longtemps reconnus, et cette nomination constitue une progression de votre carrière.
Vœux de succès	Je vous souhaite bonheur et succès dans vos nouvelles fonctions.
Salutation	Croyez, Madame, à l'expression de mes sentiments les meilleurs.

Formules d'introduction

• J'ai lu dans *Carrières du XXIe siècle* que vous avez obtenu le poste de...
• J'ai appris par des collègues de travail que vous avez été promu au poste de...
• Des amis communs m'ont appris que vous avez obtenu le premier prix...

Formule de conclusion

• Je vous souhaite succès et bonheur dans vos nouvelles fonctions.
• Je suis heureux de partager ce succès avec vous.
• Je vous réitère mes plus sincères félicitations pour...

Conseil pratique

Selon le cas, le rédacteur peut souligner les qualités personnelles ou professionnelles de la personne à qui est adressé ce message de félicitations. *Exemples :* ténacité, créativité, persévérance.

5.26 *La lettre de recommandation*

Définition

Lettre dans laquelle on décrit les qualités personnelles et professionnelles d'une personne.

But

Fournir des renseignements sur une personne.

Caractéristique

Dans la majorité des cas, cette lettre est de nature confidentielle.

TABLEAU 5.28
Le plan d'une lettre de recommandation

PLAN	TEXTE
Appel	Monsieur,
Allusion à la demande Nom de la personne recommandée	Pour faire suite à votre demande de renseignements sur (*nom de la personne*), nous avons le plaisir de vous confirmer que ses services nous ont donné entière satisfaction.
Indication du poste occupé Énumération des qualités	Pendant six mois, il/elle a remplacé un employé et nous avons apprécié l'excellente qualité de son travail. Il/elle a fait preuve de motivation, d'un désir d'apprendre et d'un grand sens des responsabilités. Son entregent et sa capacité de travailler en équipe ont été remarqués par ses collègues de travail.
Recommandation	Nous ne pouvons que vous recommander (*nom de la personne*) pour l'emploi qu'il/elle postule dans votre entreprise. Nous sommes persuadés qu'il/elle pourra vous fournir d'excellents services.
Conclusion	Nous espérons que ces renseignements vous satisferont et vous aideront à choisir la candidate ou le candidat idéal pour le poste que vous offrez.
Salutation	Recevez, Monsieur, nos salutations distinguées.

Formules d'introduction

- Pour faire suite à votre demande concernant (*nom de la personne*)...
- Nous nous empressons de vous communiquer des renseignements concernant (*nom de la personne*).
- Nous avons le plaisir de vous fournir des renseignements au sujet de (*nom de la personne*).

Formule de conclusion

- Nous espérons que ces renseignements vous satisferont.
- Nous espérons que ces renseignements vous guideront dans votre prise de décision.
- Nous souhaitons que ces renseignements vous aident à choisir le candidat idéal pour le poste que vous offrez.

5.27   *La lettre de réservation*

Définition   Lettre par laquelle on réserve des locaux ou des services.

But   Retenir un service pour une date et un événement précis.

Caractéristiques
- La lettre de réservation doit contenir toutes les informations concernant l'événement, qui peut être un congrès ou un dîner-causerie, par exemple : le nombre de personnes, la date, les activités prévues, l'horaire, etc.
- Elle est généralement acheminée par courriel ou par télécopie.

TABLEAU 5.29
Le plan d'une lettre de réservation

PLAN	TEXTE
Appel	Monsieur,
Objet de la réservation	Nous aimerions réserver une salle pouvant accueillir trois cents personnes le 24 mai prochain, de 9 h à 12 h.
Brève description du matériel et des services requis	Pour donner suite à notre conversation téléphonique, voici la liste du matériel et des services nécessaires : • un lutrin; • un micro; • du café, des croissants et des brioches.
Demande de confirmation	Nous vous serions reconnaissants de nous faire parvenir une confirmation dans les plus brefs délais.
Salutation	Recevez, Monsieur, nos salutations distinguées.

Formules d'introduction
- Le 2 février prochain, nous prévoyons…
- Nous désirons réserver…
- Nous voudrions réserver pour le 25 mai prochain…

Formule de conclusion
- Dans l'attente d'une confirmation, nous…
- Nous attendons une confirmation d'ici…
- Nous souhaitons que vous puissiez répondre à nos attentes.

5.28 La circulaire

Définition
Lettre produite en plusieurs exemplaires.

But
Communiquer une information à plusieurs personnes.

Caractéristiques
- La circulaire peut être expédiée à plusieurs destinataires : institutions financières, maisons d'approvisionnement, commerces, clients, etc.

- Les renseignements transmis peuvent concerner les sujets suivants :
  – annonce de soldes;
  – modification de prix;
  – changement d'adresse ou de raison sociale;
  – services ou produits nouveaux;
  – amélioration des services offerts;
  – modernisation ou agrandissement d'une succursale, etc.

- Afin de personnaliser cette forme de communication, il est souhaitable que le nom du destinataire, son adresse ainsi que la signature manuscrite de l'expéditeur soient inscrits sur la lettre. L'option Fusion qu'offrent plusieurs logiciels de traitement de texte facilite la personnalisation d'une circulaire type.

TABLEAU 5.30
Le plan d'une circulaire

PLAN	TEXTE
Appel	Madame, Monsieur,
Offre d'un produit ou d'un service	L'atelier d'encadrement Cadridée vous informe de l'ouverture d'une nouvelle succursale située au 8327, rue Beausoleil, à Montréal.
Promotion du produit ou du service offert Indication d'une offre exceptionnelle	Pour souligner cet événement, une offre exceptionnelle vous est faite. Vous obtenez 50 % de rabais sur toutes les affiches en magasin lorsque vous choisissez de les faire encadrer. Cette offre sera en vigueur du 2 au 23 octobre prochain. De plus, nous vous proposons un éventail de services personnalisés concernant la décoration intérieure.
Invitation à poursuivre des relations d'affaires	Nous vous invitons à venir consulter notre personnel qualifié.
Salutation	Dans l'attente de vous servir prochainement, nous vous présentons, Madame, Monsieur, nos plus cordiales salutations.

5.29 Des plans de lettres selon les circonstances

Voici un tableau synthèse dans lequel vous trouverez le plan des principales lettres d'affaires. D'un type de lettre à l'autre, on observe évidemment de nombreuses différences, mais aussi plusieurs constantes. Vous pouvez consulter ce tableau au besoin.

TABLEAU 5.31
Tableau synthèse des plans de lettres

TYPE DE LETTRE	INTRODUCTION	DÉVELOPPEMENT	CONCLUSION	SALUTATION
Demande de renseignements (produit ou service)	Référence (journal, catalogue, brochure, etc.)	Énumération des renseignements désirés	Demande d'une réponse	Formule usuelle
Demande de renseignements (personne)	Raisons de la demande	– Énumération des renseignements désirés – Assurance de la confidentialité	Souhait d'une réponse	Formule usuelle
Communication de renseignements (réponse précise et complète)	Référence à la demande	Communication des renseignements	– Complément d'information (s'il y a lieu) – Désir de répondre aux besoins du client	Formule usuelle
Communication de renseignements (réponse partielle)	Référence à la demande	Raisons qui justifient la réponse défavorable ou partielle	Complément d'information (offre d'un autre produit ou service)	Formule usuelle

TABLEAU 5.31 (SUITE)

TYPE DE LETTRE	INTRODUCTION	DÉVELOPPEMENT	CONCLUSION	SALUTATION
Commande	Référence (brochure, catalogue, rencontre avec un représentant)	– Énumération détaillée des produits ou des services désirés – Délai de livraison – Modalités de paiement	Souhait de réception de la commande dans le délai précisé	Formule usuelle
Annulation de commande	Rappel de la commande initiale	Raisons de l'annulation	– Regret de devoir annuler la commande Selon le cas : – Assurance d'autres commandes à venir – Insatisfaction et choix d'un autre fournisseur	Formule usuelle
Accusé de réception	Accusé de réception proprement dit	Précisions additionnelles (produit, délai de livraison, conditions de paiement ou autres détails particuliers) ou raisons pour lesquelles on ne peut satisfaire à une demande	– Remerciements – Désir de répondre aux besoins du client (dans le cas d'une commande)	Formule usuelle
Réclamation	Référence à la commande, à l'achat, etc.	Motifs de la réclamation	Mode de règlement désiré	Formule usuelle
Réponse à une réclamation	Référence à la réclamation	Proposition d'une solution (dans le cas où la réclamation est justifiée) ou refus et justification (dans le cas où la réclamation est injustifiée)	– Souhait que la solution proposée soit jugée satisfaisante – Expression du regret – Désir de répondre aux besoins du client (s'il y a lieu)	Formule usuelle
Demande de crédit	– Référence aux services reçus ou à la dernière commande – Expression de la satisfaction	– Demande de crédit – Raisons qui justifient cette demande	Souhait d'une réponse favorable	Formule usuelle
Lettres de recouvrement • Premier rappel d'une échéance	– Exposé de la situation – Montant dû	Demande de règlement	Mention de la possibilité d'une erreur (paiement déjà fait)	Formule usuelle
• Second rappel d'une échéance	Allusion au rappel précédent (date, montant dû, entente conclue)	– Demande de règlement – Contact à établir (dans le cas de difficultés passagères) – Offre d'une solution de rechange	Demande d'une réponse prochaine	Formule usuelle
• Mise en demeure	Allusion aux lettres précédentes (date, montant dû)	– Rappel des conditions acceptées – Dernier délai – Mesures envisagées	Souhait de ne pas en arriver à des mesures désagréables	Formule usuelle

TABLEAU 5.31 (SUITE)

TYPE DE LETTRE	INTRODUCTION	DÉVELOPPEMENT	CONCLUSION	SALUTATION
Demande de correction d'erreur	Référence au document (relevé de compte, facture, bon de commande, etc.)	– Nature de l'erreur – Mention d'une pièce jointe (s'il y a lieu)	Demande de rectification	Formule usuelle
Confirmation de correction d'erreur	Référence à la demande	Rappel de l'entente et règlement proposé	Souhait de la satisfaction	Formule usuelle
Demande de confirmation de solde	Référence au compte dont on veut connaître le solde	– Demande de solde – Raisons de la demande	Demande d'une réponse (banque, fournisseur, etc.)	Formule usuelle
Confirmation de solde	– Référence à la demande – Date	Précisions sur le solde (montant, intérêt, dates des paiements effectués)	Disponibilité pour renseignements supplémentaires	Formule usuelle
Demande de transfert de fonds	Demande de transfert	Précisions sur le transfert (montant, numéros [n^{os}] de compte, date)	Demande d'une confirmation du transfert	Formule usuelle
Confirmation de transfert de fonds	État de la transaction demandée	Précisions sur le transfert (date, montant, numéros [n^{os}] de compte)	Souhait de la satisfaction du destinataire	Formule usuelle
Demande de correction à un dossier de crédit	Mention de l'envoi d'une demande	Précisions sur l'erreur à corriger	Demande d'aide Remerciements	Formule usuelle
Plainte en vertu de la Charte québécoise des droits et libertés de la personne	Éléments contextuels	Mention de la loi qui justifie la requête	Demande d'une intervention	Formule usuelle
Dépôt d'une plainte en vertu de la Loi sur l'accès aux documents des organismes publics et sur la protection des renseignements personnels	Précisions sur l'objet de la demande	Demande d'intervention	Remerciements et disponibilité à fournir d'autres renseignements	Formule usuelle
Invitation	– Invitation – Précisions sur l'objet de l'invitation (nature de l'activité) – Lieu, date et heure	Brève description des activités	Souhait de la participation du destinataire	Formule usuelle
Acceptation d'une invitation	– Allusion à l'invitation reçue – Acceptation formelle	– Précisions sur la nature de la participation à l'activité professionnelle ou sociale – Rappel du lieu, de la date et de l'heure du premier rendez-vous	– Remerciements – Désir de répondre aux attentes des organisateurs de l'activité	Formule usuelle

TABLEAU 5.31 (SUITE)

TYPE DE LETTRE	INTRODUCTION	DÉVELOPPEMENT	CONCLUSION	SALUTATION
Désistement	Rappel de l'engagement pris	– Raisons qui justifient le désistement – Expression du regret – Proposition d'une solution	Souhait d'une collaboration dans l'avenir	Formule usuelle
Remerciements	Remerciements, objet	Expression de la reconnaissance relative à la faveur ou au service reçu	Remerciements réitérés	Formule usuelle
Félicitations	– Manière dont la personne a appris l'événement – Objet des félicitations (nomination, succès, prix obtenu, etc.)	– Félicitations – Expression du partage de la joie liée à l'événement heureux vécu par la personne – Rappel des qualités de la personne félicitée	Vœux de succès et de bonheur	Formule usuelle Dans le cas d'un ami : « Sois assuré de ma fidèle amitié. »
Recommandation	– Référence à la demande reçue – Nom de la personne recommandée	– Indication du poste occupé par la personne – Énumération des qualités personnelles, des compétences professionnelles et des réalisations particulières de la personne – Recommandation en bonne et due forme, assurance que la personne recommandée fournira d'excellents services	Disponibilité pour fournir d'autres renseignements	Formule usuelle
Réservation	Objet de la réservation	Description du matériel et des services demandés	Demande de confirmation	Formule usuelle
Circulaire, publicité	Offre d'un produit ou d'un service	– Promotion du produit ou du service offert – Indication d'une offre exceptionnelle (rabais, bons de réduction, tirage, etc.)	Invitation à se procurer le produit ou à profiter du service mentionné	Formule usuelle

5.30 *Des lettres selon les circonstances*

Voici quarante modèles de lettres qui pourront vous aider à rédiger des demandes spécifiques. Ils présentent uniquement l'appel, le texte de la lettre et la salutation. Selon les besoins, il faudra y ajouter les autres mentions ou éléments étudiés au chapitre 1. Ces modèles correspondent à des situations susceptibles d'être vécues au travail ou dans la vie quotidienne. L'objet, qui sert à préciser le contenu de chaque message, est indiqué au début de chacun d'eux. Vous pouvez utiliser ces lettres textuellement ou les modifier au besoin.

1. Objet : Accusé de réception

Monsieur,

Nous accusons réception de votre offre de service comme commis principal au sein des Entreprises Durolac.

Nous regrettons de ne pouvoir y donner suite présentement, car nous n'avons aucun poste vacant. Nous gardons néanmoins votre offre au Service des ressources humaines pour le cas où nous aurions une vacance cette année.

Nous vous remercions de l'intérêt que vous avez manifesté pour notre entreprise et vous prions d'agréer, Monsieur, l'expression de nos sentiments les meilleurs.

2. Objet : Convocation à une entrevue

Madame,

Pour faire suite à votre candidature au poste de secrétaire administrative, nous avons le plaisir de vous convoquer à une entrevue le 17 mai prochain, à 14 h. Veuillez vous présenter au bureau 203 de l'édifice Monopole.

Nous aimerions que vous apportiez votre diplôme le plus récent.

Recevez, Madame, nos salutations les meilleures.

3. Objet : Confirmation d'emploi

Madame,

Nous désirons confirmer votre engagement au sein de notre entreprise.

Titre d'emploi : commis principale
Statut : permanent à temps partiel
Date d'entrée : le 30 septembre 20xx
Salaire : selon la classe 2, échelon 5 de la convention en vigueur
Avantages : tous les avantages sociaux inscrits dans la présente convention
Période d'essai : six mois

Nous vous souhaitons tout le succès possible dans vos nouvelles fonctions.

Recevez, Madame, nos salutations distinguées.

4. Objet : Attestation d'emploi

Mesdames,
Messieurs,

Nous confirmons par la présente que M. Lionel Lavallée est au service de notre entreprise depuis le 4 mai 20xx.

Il a d'abord occupé un poste de préposé au Service à la clientèle. Le 20 octobre 20xx, il a été promu directeur du personnel.

Si vous désirez de plus amples renseignements à son sujet, n'hésitez pas à communiquer avec nous.

Recevez, Mesdames, Messieurs, nos salutations distinguées.

5. Objet : Recommandation

Mesdames,
Messieurs,

J'ai le plaisir de vous fournir les renseignements demandés au sujet de Mme Louise Bass.

Elle a effectivement occupé un poste de secrétaire dans notre entreprise pendant six mois.

Sa facilité d'apprentissage et la rapidité avec laquelle elle exécutait les tâches nous ont assuré un excellent rendement de sa part.

Vu sa compétence et ses nombreuses qualités personnelles, j'ai grand plaisir à vous recommander Mme Louise Bass pour l'emploi qu'elle sollicite dans votre entreprise.

Recevez, Mesdames, Messieurs, mes salutations distinguées.

6. Objet : Démission

Monsieur,

C'est avec hésitation que j'ai accepté une offre intéressante dans une autre entreprise. Je quitterai donc le poste que j'occupe présentement le 15 juin prochain.

Ce nouvel emploi correspond à ma formation. Il m'offre plusieurs avantages sociaux et un horaire de travail très enviable.

Je tiens à vous remercier de la confiance que vous m'avez témoignée dans l'exercice de mes fonctions.

C'est avec regret que je vous quitte après deux années de service.

Je vous renouvelle, Monsieur, l'assurance de ma haute considération.

7. Objet : Congédiement

Madame,

Pour faire suite à notre conversation téléphonique, nous vous informons que nous sommes dans l'obligation de mettre un terme à votre contrat de travail. Nous vous signalons que cette décision s'inscrit dans les limites de votre période d'essai.

Si vous jugez nécessaire et pertinent d'obtenir plus de renseignements à ce sujet, n'hésitez pas à communiquer avec nous.

Nous vous souhaitons du succès dans la poursuite de votre carrière.

Veuillez croire, Madame, à l'expression de nos meilleurs sentiments.

8. Objet : Remplacement en période de vacances

Monsieur,

Veuillez prendre note que Mme Louise Desjardins assurera l'intérim durant mon absence.

Je vous invite à communiquer avec elle pour toutes les questions concernant l'administration du Service à la clientèle.

Je vous remercie de votre collaboration.

Croyez, Monsieur, à l'expression de mes sentiments les meilleurs.

9. Objet : Demande de changement de dates de vacances annuelles

Monsieur le Directeur,

J'ai pris connaissance des dates prévues pour les vacances annuelles du personnel et j'aimerais vous présenter la demande de changement suivante.

Je souhaiterais profiter de mes vacances du 2 au 23 mai prochain à cause de…

J'ose espérer que vous pourrez donner une réponse favorable à ma demande.

Veuillez croire, Monsieur le Directeur, à l'expression de mes sentiments respectueux.

10. Objet : Refus d'un changement de dates de vacances annuelles

Madame,

Après avoir consulté votre supérieure immédiate, nous avons le regret de ne pouvoir satisfaire votre demande de changement de dates de vacances annuelles.

Nous devons respecter l'ordre d'ancienneté du personnel dans le choix des dates de vacances.

Nous espérons que vous comprendrez les contraintes qui nous obligent à refuser votre demande et que vous serez en mesure de planifier vos vacances de façon satisfaisante.

Veuillez agréer, Madame, nos salutations distinguées.

11. Objet : Demande de congé non payé

Monsieur,

Conformément à l'article 21.17 de la convention collective des enseignants, je désirerais bénéficier d'un congé non payé durant un an, à partir du 22 janvier prochain.

Je souhaite que vous étudiiez attentivement ma demande et vous prie d'agréer, Monsieur, mes salutations distinguées.

12. Objet : Acceptation d'une demande de congé non payé

Monsieur,

Nous accusons réception de votre lettre du 10 janvier dernier et nous vous avisons que votre demande a été acceptée.

Vous bénéficierez donc d'une année de congé non payé conformément à l'article 21.17 de la convention collective des enseignants. Ce congé commencera le 22 janvier 20xx et devra se terminer au plus tard le 21 janvier 20xx.

Nous vous souhaitons de profiter pleinement de ce congé.

Veuillez croire, Monsieur, à l'expression de nos meilleurs sentiments.

13. Objet : Refus d'accorder un congé non payé

Monsieur,

Pour faire suite à nos entretiens relatifs à votre demande de congé non payé, nous avons le regret de vous informer que la direction des services administratifs ne peut vous l'accorder.

Bien que nous ayons pris en considération votre lettre du 10 janvier dernier, nous ne pouvons autoriser un congé non payé en raison des besoins actuels et de la nature de votre tâche.

Nous vous soulignons que ces dispositions sont conformes à la convention collective en vigueur.

Nous vous prions de croire, Monsieur, à l'expression de nos sentiments les meilleurs.

14. Objet : Fin de congé non payé

Madame,

Comme prévu lors de ma demande faite le 10 janvier 20xx, je vous informe que je mettrai fin à mon congé non payé le 9 août 20xx et que, par le fait même, je réintégrerai mon poste le lundi 12 août 20xx.

Si vous désirez de plus amples renseignements, n'hésitez pas à communiquer avec moi.

Veuillez agréer, Madame, mes meilleures salutations.

15. Objet : Demande de prolongation d'un congé de maternité

Monsieur,

Je vous demande de bien vouloir m'accorder une prolongation de mon congé de maternité, qui doit normalement prendre fin le 19 mai 20xx. J'aimerais bénéficier d'un congé non payé du 20 mai au 3 septembre.

J'espère que vous serez en mesure de répondre favorablement à ma demande.

Recevez, Monsieur, mes meilleures salutations.

16. Objet : Échéance d'une cotisation

Madame,

L'Association Mirabeau vous rappelle que c'est le moment de verser votre cotisation annuelle.

Comme par le passé, cette cotisation s'élève à 30 $ et vous donne accès à de nombreux services. De plus, à partir du 1er mai prochain, nous vous offrirons le service de prêt de livres lorsque vous présenterez votre carte de membre.

Cette année encore, nous espérons vous compter parmi nos membres assidus!

Vous voudrez bien nous faire parvenir votre cotisation dans l'enveloppe-réponse affranchie ci-jointe ou la porter à nos bureaux avant le 31 mars.

Veuillez croire, Madame, à nos sentiments les meilleurs.

17. Objet : Demande de catalogue

Monsieur,

J'ai remarqué votre publicité parue dans le journal *La Nation* du 18 février dernier et j'aimerais recevoir votre dernier catalogue. Cela me permettrait de prendre connaissance de vos produits et de procéder éventuellement à un achat important.

Auriez-vous l'obligeance de m'envoyer également la liste de vos prix courants?

J'espère que vous pourrez répondre rapidement à ma demande.

Agréez, Monsieur, mes salutations les meilleures.

18. Objet : Demande de documentation

Mesdames,

Nous aimerions recevoir des brochures publicitaires sur vos nouveaux produits.

Nous souhaitons avoir plus d'information afin d'être en mesure de faire connaître les avantages de vos produits à notre clientèle.

Vous voudrez bien donner suite à notre demande le plus rapidement possible afin de nous permettre de sélectionner les produits que nous commanderons prochainement.

Recevez, Mesdames, nos salutations distinguées.

19. Objet : Avis de changement à la suite d'une commande

Monsieur,

Nous accusons réception de votre commande du 19 août dernier et nous vous en remercions.

Nous devons malheureusement vous informer que l'article n° 3022 n'est plus en vente. Cependant, nous pouvons vous offrir en remplacement un produit dont vous trouverez la description dans la brochure ci-jointe.

Si vous désirez modifier votre commande et recevoir cet article, veuillez nous en aviser le plus rapidement possible.

Veuillez croire, Monsieur, à l'expression de nos sentiments distingués.

p. j. Brochure d'information (*Cette mention est placée sous les initiales d'identification.*)

20. Objet : Erreur dans un relevé de compte

Madame,

Je constate qu'une erreur s'est glissée dans mon relevé de compte du 30 mars dernier, que je viens de recevoir.

En effet, je vous ai fait parvenir un chèque de 85 $ en paiement final et vous m'indiquez que j'ai un solde de 100,50 $.

Vous trouverez ci-joint une photocopie du chèque n° 1025 relatif à ce paiement final. J'ose croire que vous serez en mesure d'effectuer les corrections nécessaires dans les plus brefs délais.

Recevez, Madame, mes salutations distinguées.

p. j. 1 (*Cette mention est placée sous les initiales d'identification.*)

21. Objet : Correction du solde d'un compte

Monsieur,

À la suite de votre demande du 15 février dernier, notre Service de la comptabilité a procédé à une vérification du solde de votre compte.

Après examen de votre relevé du 1er février, nous avons constaté qu'une erreur s'y était malheureusement glissée : nous avions inscrit 4916 $ au lieu de 9416 $.

Nous avons immédiatement rectifié cette erreur, et la correction figure sur le nouveau relevé que vous trouverez ci-joint.

Veuillez croire, Monsieur, à l'assurance de nos services dévoués.

p. j. Relevé de compte (*Cette mention est placée sous les initiales d'identification.*)

22. Objet : Retard de livraison

Madame,

Nous avons le regret de vous informer que nous ne pourrons vous faire parvenir les articles commandés à la date prévue.

En effet, le transport de ces marchandises ne pourra être effectué que le 15 janvier prochain.

Si cette situation présente pour vous certains inconvénients, veuillez nous en aviser le plus tôt possible.

Nous vous prions d'excuser ce contretemps et nous espérons vous servir de nouveau.

Veuillez croire, Madame, à l'expression de nos sentiments dévoués.

23. Objet : Impossibilité de respecter un délai de livraison

Monsieur,

Nous avons bien reçu votre commande de shampooing du 29 avril dernier et nous vous en remercions.

Malheureusement, à la suite d'une grève du personnel de notre consignataire, nous sommes dans l'impossibilité de vous faire parvenir dans le délai prévu de 10 jours les 12 caisses demandées.

Nous espérons être en mesure d'effectuer cette livraison avant le 1er juin.

Veuillez agréer, Monsieur, nos salutations distinguées.

24. Objet : Annulation d'une commande

Madame,

Le 20 février dernier, nous avons commandé 12 chaises de bureau, du modèle 4655, annoncées dans votre dépliant du mois de janvier.

Lors de notre conversation téléphonique du 18 février, vous nous aviez promis que nous recevrions cette commande au plus tard le 12 mars.

Étant donné que nous n'avons pas reçu cette commande à la date convenue, nous nous voyons dans l'obligation de l'annuler.

Veuillez agréer, Madame, nos salutations distinguées.

25. Objet : Remerciements adressés à un notaire et règlement de ses honoraires

Maître,

Nous accusons réception des documents relatifs à l'achat de l'immeuble situé au 7592, boulevard Montrose, à Montréal, et nous désirons vous remercier de la promptitude avec laquelle vous avez conclu cette transaction.

Vous trouverez ci-inclus un chèque de 2500 $ couvrant l'ensemble de vos honoraires.

Veuillez croire, Maître, à l'expression de nos sentiments les meilleurs.

26. Objet : Renouvellement d'un prêt hypothécaire

Madame,

Nous désirons vous informer que le prêt hypothécaire que notre établissement vous a consenti viendra à échéance le 25 mai 20xx.

Nous vous invitons à venir nous rencontrer avant le 20 mai 20xx, afin de le renouveler et de fixer les modalités de paiement pour la prochaine année.

Nous vous assurons de la disponibilité et de la compétence de notre personnel.

Dans l'attente de vous servir de nouveau, nous vous prions de croire, Madame, à notre sincère dévouement.

27. Objet : Signature d'un nouveau contrat de crédit

Monsieur,

Nous désirons vous aviser que le taux d'intérêt de votre contrat de crédit sera désormais abaissé à 15,5 % et que, par le fait même, la clause n° 4 de votre contrat devra être modifiée.

Auriez-vous l'obligeance de vous présenter à nos bureaux afin que nous puissions apporter ce changement et que vous signiez un nouveau contrat ?

Nous vous remercions de votre collaboration. Si de plus amples renseignements vous étaient nécessaires, n'hésitez pas à communiquer avec nous.

Recevez, Monsieur, nos salutations distinguées.

28. Objet : Demande de signature

Madame,

Nous aimerions que vous apposiez votre signature au bas du formulaire ci-annexé et que vous nous l'expédiiez par retour du courrier.

Nous vous remercions de votre collaboration et vous prions de croire, Madame, à l'expression de nos sentiments dévoués.

p. j. Formulaire (*Cette mention est placée sous les initiales d'identification.*)

29. Objet : Remboursement de frais de déplacement

Monsieur,

Vous trouverez ci-joint un chèque de remboursement des frais de déplacement que vous avez dû assumer pour aller suivre un cours le 10 février dernier.

Nous espérons le tout à votre entière satisfaction.

Veuillez croire, Monsieur, à l'expression de nos meilleurs sentiments.

p. j. Chèque (*Cette mention est placée sous les initiales d'identification.*)

30. Objet : Avis aux locataires

Mesdames,
Messieurs,

Veuillez prendre note qu'à compter du 20 novembre prochain, la serrure de l'entrée principale sera changée.

Nous vous prions de passer au bureau des services administratifs, entre 9 h et 17 h, pour vous procurer la nouvelle clé et nous remettre celle que vous avez en votre possession.

Recevez, Mesdames, Messieurs, nos remerciements pour votre collaboration.

31. Objet : Non-renouvellement d'un bail

Madame,

Nous avons le regret de vous informer que nous ne renouvellerons pas notre bail pour l'année commençant le 1er juillet 20xx.

En effet, nous avons acheté un édifice à Laval et nous déménagerons en juin prochain.

Soyez assurée que nous avons aimé travailler dans vos locaux. Nous vous remercions des services que vous avez mis à notre disposition.

Veuillez croire, Madame, à l'assurance de nos sentiments les meilleurs.

32. Objet : Invitation à une fête

Madame,
Monsieur,

Nous avons le plaisir de vous inviter à célébrer le temps des fêtes lors d'un souper offert au restaurant *La Fourchette française* le 21 décembre, à 19 h.

Afin de faciliter l'organisation de ce souper, nous vous saurions gré de bien vouloir confirmer votre présence auprès de Mme Langer en communiquant au (418) 555-7610 au plus tard le 17 décembre, à 16 h.

Nous comptons sur votre présence.

Recevez, Madame, Monsieur, nos salutations distinguées.

33. Objet : Invitation à un congrès

Cher membre,

Le congrès de l'Association Infolique sera bientôt une réalité, et le comité organisateur met tout en œuvre pour que cette rencontre soit enrichissante et intéressante pour chaque membre.

Si vous n'avez pas rempli le formulaire d'inscription, nous aimerions que vous le fassiez d'ici peu afin d'être des nôtres lors de cet événement.

Nous joignons l'horaire des activités du congrès ainsi que les états financiers que vous voudrez bien annexer à l'ordre du jour de l'assemblée générale annuelle déjà envoyé.

L'association a besoin de votre participation pour continuer à être représentative et efficace.

Nous vous souhaitons donc la bienvenue à ce colloque qui se tiendra les 27, 28 et 29 mars prochains[2].

Croyez, cher membre, en nos sentiments les meilleurs.

p. j. 2 (*Cette mention est placée sous les initiales d'identification.*)

---

2. Ici, « prochains » prend un « s » parce qu'il se rapporte aux 27, 28 et 29 mars, la lettre étant envoyée au début de mars.

34. Objet : Confirmation d'animation d'un atelier

Madame,

Les membres du comité organisateur du colloque 20xx de secrétariat au Québec sont particulièrement heureux de vous compter parmi les personnes-ressources qui animeront les discussions entre les participants dans les divers ateliers.

C'est autour du thème « Coup d'œil sur les nouvelles technologies » que discuteront cette année les personnes qui s'intéressent aux nouvelles techniques de secrétariat.

Nous croyons que votre intervention sera de nature à favoriser une participation active des membres et à amorcer un dialogue fructueux.

Permettez-moi de vous rappeler que vous êtes attendue le 1er juin prochain à 9 h 30 à l'adresse suivante : 9999, rue Marie-Rose, à Sherbrooke. De plus, vous êtes invitée à prendre part à toutes les activités prévues au programme de ce colloque ainsi qu'au dîner du samedi.

Agréez, Madame, nos salutations distinguées.

35. Objet : Remerciements pour l'animation d'un atelier lors d'un colloque

Monsieur,

Nous vous remercions de votre participation comme conférencier lors du colloque des architectes de notre région.

Grâce à votre présence, cette rencontre a permis aux architectes d'avoir une vision nouvelle de l'architecture hydraulique. Ils ont exprimé une vive satisfaction relativement aux renseignements reçus.

Les participants ont beaucoup apprécié votre approche et votre dynamisme. Devant un tel succès, nous pensons renouveler l'expérience l'an prochain et nous espérons que vous serez des nôtres.

Veuillez croire, Monsieur, à l'expression de nos sentiments les meilleurs.

36. Objet : Remerciements pour une collaboration

Madame,

Nous tenons à vous remercier très sincèrement de votre collaboration à l'organisation de notre banquet annuel.

Vos services professionnels ont été grandement appréciés. Nous sommes heureux de vous faire part du fait que plusieurs personnes ont manifesté le désir de vous revoir l'an prochain.

Nous vous exprimons notre reconnaissance et vous prions de croire, Madame, à l'expression de nos sentiments les meilleurs.

37. Objet : Avis d'élection

Madame,
Monsieur,

L'élection de la représentante ou du représentant du personnel se tiendra le lundi 7 décembre 20xx de 12 h à 16 h au siège social, situé au 423, rue Fleurie, 4e étage, Laval. Mme Catherine Boulanger agira comme présidente d'élection.

Le mandat de M. Pierre Margerie, le représentant actuel, prendra fin en janvier 20xx.

Tous ceux dont le nom apparaît sur la liste du personnel peuvent poser leur candidature. Vous pouvez vous procurer des bulletins de mise en candidature au bureau du Service du personnel.

Les bulletins, dûment remplis et contresignés par deux membres du personnel, devront être remis à la présidente d'élection au plus tard le jeudi 19 novembre à 17 h.

Recevez, Madame, Monsieur, nos salutations distinguées.

38. Objet : Demande de dons

Madame,
Monsieur,

Notre entreprise a toujours été consciente de l'importance de participer au mieux-être de la collectivité. C'est dans cette perspective que se situe notre appui à la campagne de financement de l'organisme Justice Québec. Nous lançons donc une invitation à tout le personnel à participer à cette activité.

Personnes âgées isolées, personnes handicapées, familles en situation de crise, jeunes en difficulté, tels sont les groupes auxquels vient en aide Justice Québec.

La campagne de financement pour l'année 20xx se tiendra du 1er au 31 octobre et nous devons toutes et tous faire notre part.

Madame, Monsieur, merci d'aider Justice Québec à aider.

39. Objet : Demande de bourse

Madame,

Nous vous faisons parvenir ci-annexé deux formulaires de demande de bourse de perfectionnement.

Si de plus amples renseignements vous étaient nécessaires, n'hésitez pas à communiquer avec nous.

Agréez, Madame, nos salutations distinguées.

p. j. 2 (*Cette mention est placée sous les initiales d'identification.*)

40. Objet : Changement d'adresse

Madame,
Monsieur,

Nous avons le plaisir de vous annoncer que nous avons emménagé dans un nouveau local situé au 439, rue Belfort, à Montréal.

En raison des travaux de rénovation, nous ne pourrons offrir les cours prévus pour la prochaine session. Cependant, nous vous invitons à suivre un cours intensif de trois leçons. Vous trouverez ci-joint le programme détaillé de ce cours.

Si ce cours vous intéresse, nous vous serions reconnaissants de bien vouloir vous y inscrire avant le 5 mai prochain.

Croyez, Madame, Monsieur, à l'assurance de nos sentiments dévoués.

p. j. Programme de cours (*Cette mention est placée sous les initiales d'identification.*)

6 La production de documents

Objectif général
Rédiger et mettre en forme divers documents.

Objectifs intermédiaires
- Connaître les différentes parties de divers documents.
- Rédiger divers documents d'affaires.
- Appliquer les règles de mise en pages propres à chaque document.

6.1 Généralités

Ce chapitre traite de plusieurs types de documents : l'appel d'offres, la soumission, le contrat, le communiqué, le document publicitaire, le compte rendu et le rapport.

Vous trouverez dans les pages suivantes des précisions sur les étapes de leur rédaction, leurs composantes respectives ainsi que leur mise en forme.

Veuillez noter que les logiciels de traitement de texte vous facilitent la tâche en ce qui concerne la disposition des différentes parties des documents. Des conseils généraux seront donnés à ce sujet.

6.2   *L'appel d'offres*

Définition

Document qui présente la description d'un projet et qui invite les entreprises ou les personnes intéressées à soumettre une proposition.

But

Recevoir des propositions de fournisseurs, de professionnels ou d'entreprises relativement à la réalisation d'un projet, de manière à pouvoir choisir la meilleure.

Caractéristiques

- L'appel d'offres renvoie à un cahier des charges ou à d'autres documents qui fixent les modalités de conclusion et d'exécution d'un contrat. Le cahier des charges indique les caractéristiques que devra présenter une réalisation technique et les différentes étapes à respecter pour sa mise en œuvre.
- Les principaux éléments inscrits dans un appel d'offres sont les suivants :

    - nom de l'entreprise, de la société, de l'organisme privé, public ou gouvernemental qui émet l'appel d'offres ;
    - description du projet et numéro de dossier ;
    - lieu d'exécution ;
    - date d'ouverture de la procédure d'appel ;
    - date et heure de clôture pour le dépôt des soumissions ;
    - adresse où le soumissionnaire peut se procurer le cahier des charges et les formulaires de soumission contre un dépôt non remboursable sous forme d'argent comptant, de chèque visé ou de mandat-poste ;
    - autres conditions spécifiques à la réalisation du projet ;
    - mention de non-engagement à accepter la soumission la moins élevée ou toute autre soumission reçue ;
    - nom et numéro de téléphone d'une personne à joindre pour obtenir des renseignements complémentaires.

Un modèle d'appel d'offres vous est proposé à la page suivante.

Modèle d'appel d'offres

APPEL D'OFFRES PUBLIC

**Galaxie-Ville
Service des parcs,
jardins et espaces verts**

Galaxie-Ville émet un appel d'offres pour le projet suivant :

Description : Plantation d'arbres, d'arbustes et de fleurs dans les parcs de la ville

Dossier n° : 357-7-7421

Lieu d'exécution : Jardins Rodin, Rimbaud et Monet

Date d'ouverture : Le 15 avril 20xx

**Date et heure de clôture
pour le dépôt des soumissions :** Le jeudi 19 mai 20xx, à 15 h

Les documents d'appel d'offres peuvent être obtenus à compter de 9 h, le mercredi 15 avril, sur remise d'un dépôt de 100 $ non remboursable, payable en argent comptant, par chèque visé ou mandat-poste établi à l'ordre de Galaxie-Ville, Service des parcs, jardins et espaces verts.

Les soumissions cachetées devront être déposées et adressées à : Galaxie-ville, Service des parcs, jardins et espaces verts, 217, avenue des Pins, Galaxie-Ville, H2H 2J2, et seront reçues jusqu'à la date et l'heure de clôture stipulées ci-dessus.

Pour être prise en considération, la soumission doit être présentée sur le formulaire fourni par Galaxie-Ville, accompagnée du dépôt dont le montant est précisé dans l'appel d'offres.

Galaxie-Ville ne s'engage à accepter ni l'offre la moins élevée ni toute autre soumission reçue.

Pour plus d'information, vous pouvez joindre Mme Rose Chênevert.

Téléphone : 514 555-6666
Télécopieur : 514 555-7777

6.3 *La soumission*

Définition Formulaire que remplit un soumissionnaire en réponse à un appel d'offres.

But Donner suite à un appel d'offres en faisant connaître ses propositions pour la réalisation d'un projet et s'engager à respecter les clauses du cahier des charges.

Caractéristiques • Une soumission peut contenir les éléments suivants :

- raison sociale et adresse du soumissionnaire;
- description du travail ou du service à fournir;
- délai d'exécution prévu;
- clauses ou conditions diverses (s'il y a lieu);
- montant de la soumission;
- signature du soumissionnaire.

• Selon les entreprises ou les organismes et selon le projet, les éléments contenus dans une soumission peuvent varier énormément. Ils dépendent en effet directement du type de travail ou de service à fournir et des propositions de réalisation.

• Toutes les soumissions doivent être ouvertes publiquement en présence d'au moins deux témoins aux date, heure et lieu mentionnés dans la demande de soumission. Toute soumission reçue tardivement n'est pas considérée et est retournée non ouverte.

Source : Article 5.7.2 du Cahier des charges générales de la Ville de Laval, 1996.

Un modèle de soumission vous est proposé à la page suivante.

Modèle de soumission

 Galaxie-Ville

SOUMISSION

Service des parcs, jardins et espaces verts
217, avenue des Pins, Galaxie-Ville (Québec) H2H 2J2

Le soumissionnaire doit remplir ce formulaire et joindre un dépôt de 100 $ non remboursable, payable en argent comptant, par chèque visé ou mandat-poste dans une enveloppe cachetée. La soumission doit être déposée au Service des parcs, jardins et espaces verts de Galaxie-Ville avant 15 h, le jeudi 19 mai 20xx.

Attendu que j'ai pris connaissance des documents suivants relatifs au projet de plantation d'arbres, d'arbustes et de fleurs dans les jardins Rodin, Rimbaud et Monet :

1) Appel d'offres n° 357-7-7421,
2) Plans et devis,
3) Cahier des charges,
4) Formule de soumission;

Attendu que je dépose dans le délai prescrit le présent formulaire dûment rempli;

Attendu que je m'engage à effectuer les travaux de plantation d'arbres, d'arbustes et de fleurs dans les jardins Rodin, Rimbaud et Monet selon les plans et devis fournis par le Service des parcs, jardins et espaces verts de Galaxie-Ville;

Attendu que je m'engage à commencer les travaux le 25 mai et à les terminer le 30 juillet;

Attendu que le montant total (incluant les taxes) s'élèvera à sept cent cinquante mille dollars (750 000 $);

Je propose mes services de paysagiste pour réaliser le projet conformément aux documents mentionnés ci-dessus.

La présente soumission est valide pendant quatre-vingt-dix (90) jours à compter de la date limite de réception des soumissions.

Le : *18 mai 20xx*   À : *Galaxie-Ville*

Nom de l'entreprise : *Les jardins enchantés inc.*   N° de permis : *M2-227-98*

Nom du soumissionnaire : *Jacques Prévert*

Adresse de l'entreprise : *2177, avenue des Pivoines*

Galaxie-Ville (Québec) H2H 3J2

Téléphone : *418 333-2211*   Télécopieur : *418 333-1122*

Signature du soumissionnaire : *Jacques Prévert*

6.4 *Le contrat*

Définition

« Le contrat est une convention par laquelle des parties s'engagent à donner, à faire ou à ne pas faire quelque chose. Le consentement intègre des parties constitue l'élément essentiel sur lequel doit reposer tout contrat. »

Source : J. P. Archambault et M. A. Roy, *Le droit des affaires*, Les Éditions HRW ltée, 1986, p. 323.

Types de contrats

Il existe deux types de contrats :
- Les contrats collectifs, qui engagent les membres d'un même groupe à remplir certaines obligations et à respecter les droits des membres d'un autre groupe. *Exemple :* une convention collective qui lie les patrons et les employés d'un secteur d'activité.
- Les contrats individuels, qui lient deux individus ou un particulier et une personne morale (commerce ou entreprise). Chacune des deux parties ayant signé le contrat est responsable de l'engagement pris. *Exemples :* bail, contrat d'achat, contrat de location, contrat d'assurance, contrat d'abonnement, etc.

Éléments

Lorsqu'une soumission est retenue, la signature d'un contrat entre les deux parties concernées est nécessaire. Les renseignements qui doivent généralement apparaître dans ce type de contrat sont les suivants :

- nom et adresse de chacune des parties ;
- date de signature du contrat ;
- description détaillée des travaux ou des services ;
- coût total des travaux ;
- modalités de paiement ;
- conditions particulières exigées par l'une ou l'autre des parties ;
- signature des deux parties.

Un modèle de contrat vous est présenté à la page suivante.

Modèle de contrat

 Les jardins enchantés inc.

2177, avenue des Pivoines   *Téléphone : 418 333-2211*
Galaxie-Ville (Québec) H2H 3J2   *Télécopieur : 418 333-1122*

CONTRAT D'AMÉNAGEMENT PAYSAGER

ENTRE :   Les jardins enchantés inc., Jacques Prévert, paysagiste
                2177, avenue des Pivoines, Galaxie-Ville (Québec) H2H 3J2

ET :   Galaxie-Ville, Service des parcs, jardins et espaces verts
                217, avenue des Pins, Galaxie-Ville (Québec) H2H 2J2

Le 22 mai 20xx

Les parties conviennent, selon leurs engagements respectifs, que :

1. Le Service des parcs, jardins et espaces verts de Galaxie-Ville confie à l'entreprise Les jardins enchantés l'exécution des travaux de plantation d'arbres, d'arbustes et de fleurs dans les jardins Rodin, Rimbaud et Monet de Galaxie-Ville. Ces travaux devront être réalisés d'après les plans et devis du projet n° 357-7-7421 préparés par la Ville.

2. Le coût (incluant les taxes) totalisera sept cent cinquante mille dollars (750 000 $).

3. Le paysagiste désigné ci-dessus commencera les travaux le 25 mai 20xx et devra les avoir terminés le 30 juillet 20xx.

4. L'entreprise Les jardins enchantés, représentée par M. Jacques Prévert, fournira une main-d'œuvre compétente, l'équipement, les arbres, les arbustes et les fleurs nécessaires à la réalisation du projet.

5. Galaxie-Ville s'engage à fournir au paysagiste tous les permis qui lui permettront d'exécuter les travaux sans entraves dans le respect des lois relatives à l'aménagement des espaces verts de la ville.

6. Le paysagiste désigné assumera la cueillette des rebuts afin que, à la fin des travaux, les jardins Rodin, Rimbaud et Monet soient propres et puissent accueillir en toute sécurité la population de Galaxie-Ville.

7. Galaxie-Ville s'engage à payer le coût total des travaux dans les trente (30) jours suivant la date de leur achèvement.

LES PARTIES ONT SIGNÉ à Galaxie-Ville, le 22 mai 20xx.

Les jardins enchantés inc.
Jacques Prévert, paysagiste

Service des parcs, jardins et espaces verts
Galaxie-Ville
Rose Chênevert, architecte

6.5   *Le communiqué*

Définition

Nouvelle d'intérêt général destinée aux médias d'information (communiqué externe) ou au personnel d'une entreprise (communiqué interne).

But

Transmettre de l'information à un plus ou moins grand nombre de personnes.

Caractéristiques

- Il existe deux types de communiqués. Le communiqué externe, souvent appelé communiqué de presse, est transmis, par l'intermédiaire d'une agence de presse, à la radio, à la télévision ou aux journaux et a pour but d'informer le grand public. Le communiqué interne est destiné au personnel d'une entreprise et peut avoir pour objet une nomination à l'intérieur de l'établissement, l'ouverture d'une nouvelle succursale, la convocation à une réunion, etc.
- Le communiqué externe doit porter sur un sujet d'intérêt public.
- Un titre percutant peut inciter les directeurs de l'information d'un journal ou d'une chaîne de télévision à conserver un communiqué externe. Il capte plus facilement l'attention des destinataires.
- Le premier paragraphe de tout communiqué contient l'essentiel du message.
- Le texte doit être bref et clair.
- Si le communiqué est long, il est préférable d'ajouter des intertitres.
- S'il y a lieu, une conclusion rappelle brièvement la nouvelle transmise.
- La présentation du communiqué doit être conforme aux normes établies pour ce type de communication écrite.

Le plan et la mise en forme des communiqués

Le communiqué externe contient habituellement les éléments suivants :

- La **provenance** : indication souvent préimprimée, car des formulaires types ou du papier à en-tête sont généralement utilisés.
- L'**avis de publication** : mention d'une date précise ou indication « Pour publication immédiate », « À publier dès réception », « À publier immédiatement » placée contre la marge de droite. Dans le cas d'un communiqué interne, on inscrit la mention « Pour affichage immédiat » ou « Pour affichage le 2 juin 20xx ».
- La mention « **COMMUNIQUÉ** » : placée contre la marge de droite, en lettres majuscules et en caractères gras. Elle peut également être centrée.
- Le **titre** : centré, en lettres majuscules.
- Le **lieu** et la **date d'envoi** : ces éléments sont placés contre la marge de gauche, au début du texte, avant la première phrase.
- Le **texte** : il est préférable qu'il soit mis en forme à interligne double afin de laisser de l'espace aux journalistes pour annoter ou corriger leur exemplaire.
- L'**indicatif** « – 30 – » : il marque la fin du message et est centré sous le texte.
- La **source** : nom et numéro de téléphone de la personne à joindre pour obtenir des renseignements complémentaires. La source est placée sous la mention « – 30 – », contre la marge de gauche.

Le communiqué externe n'est pas signé et ne comporte pas d'initiales d'identification, contrairement au communiqué interne dans lequel sont inscrites ces composantes.

En ce qui a trait au contenu du communiqué interne, il est préférable de vérifier auprès de chaque entreprise les normes se rattachant à la rédaction de ce document.

Ci-dessous et à la page suivante vous sont présentés un modèle de communiqué externe et un modèle de communiqué interne.

Modèle de communiqué externe

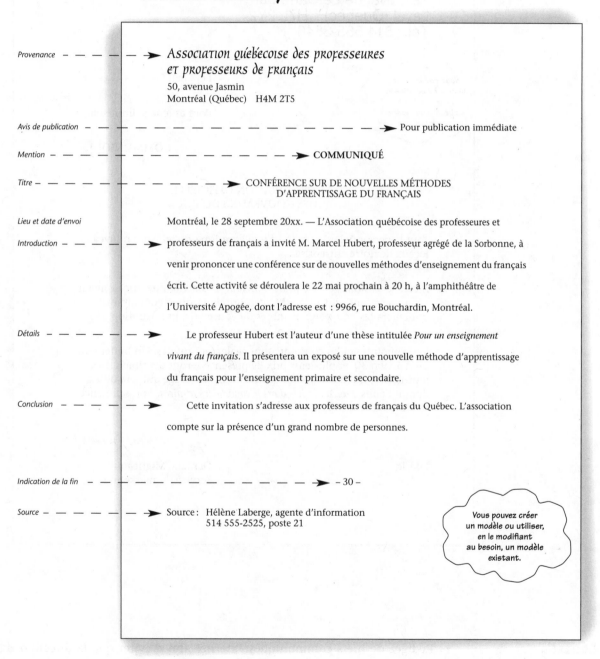

Provenance
→ Association québécoise des professeures et professeurs de français
50, avenue Jasmin
Montréal (Québec)   H4M 2T5

Avis de publication → Pour publication immédiate

Mention → **COMMUNIQUÉ**

Titre → CONFÉRENCE SUR DE NOUVELLES MÉTHODES D'APPRENTISSAGE DU FRANÇAIS

Lieu et date d'envoi
Montréal, le 28 septembre 20xx. — L'Association québécoise des professeures et

Introduction → professeurs de français a invité M. Marcel Hubert, professeur agrégé de la Sorbonne, à venir prononcer une conférence sur de nouvelles méthodes d'enseignement du français écrit. Cette activité se déroulera le 22 mai prochain à 20 h, à l'amphithéâtre de l'Université Apogée, dont l'adresse est : 9966, rue Bouchardin, Montréal.

Détails → Le professeur Hubert est l'auteur d'une thèse intitulée *Pour un enseignement vivant du français*. Il présentera un exposé sur une nouvelle méthode d'apprentissage du français pour l'enseignement primaire et secondaire.

Conclusion → Cette invitation s'adresse aux professeurs de français du Québec. L'association compte sur la présence d'un grand nombre de personnes.

Indication de la fin → – 30 –

Source → Source : Hélène Laberge, agente d'information
514 555-2525, poste 21

Vous pouvez créer un modèle ou utiliser, en le modifiant au besoin, un modèle existant.

Modèle de communiqué interne

SINCLAIR inc.
127, avenue Le Carrefour
Laval (Québec)   H7L 2Y2
Tél. : 514 555-3546

Vous pouvez créer un modèle ou utiliser, en le modifiant au besoin, un modèle existant.

Le 7 mai 20xx

Pour affichage immédiat

COMMUNIQUÉ

INAUGURATION OFFICIELLE
DES NOUVEAUX LOCAUX

Tout le personnel est convié à l'inauguration officielle des nouveaux locaux de notre entreprise.

À cette occasion, Mme Delphine Sinclair, présidente-directrice générale, prononcera une allocution. M. Jean Brisebois, directeur administratif, présentera les nouveaux membres du conseil d'administration.

Les conjointes et les conjoints sont également invités. Un buffet sera servi à 19 h 30, et plusieurs prix de présence seront distribués. Des journalistes du réseau TAE prépareront un reportage qui sera diffusé durant l'émission *Actualités dans le monde des affaires*. Votre présence serait grandement appréciée.

Danielle Migneault

DM/ld

Danielle Migneault
Service du marketing

Conseils pratiques

- Rédigez de brefs communiqués externes afin d'éviter que la direction des médias n'élimine des paragraphes que vous jugez importants.
- En vous mettant à la place de la personne qui reçoit le communiqué, vous pouvez vérifier si le texte est suffisamment clair et intéressant.

6.6   *Le document publicitaire*

Définition   Lettre, dépliant, brochure, feuillet ou encart dont l'objet est de promouvoir un produit ou un service.

But   Susciter l'intérêt des destinataires.

Caractéristiques   Le côté visuel est particulièrement important dans ce type de document. Le format, la couleur, les caractères et l'agencement des composantes doivent mettre en évidence les renseignements qui y apparaissent. C'est la raison pour laquelle plusieurs entreprises font appel à des graphistes pour la production de ce type de document.

Deux modèles de document publicitaire vous sont présentés.

Modèle de document publicitaire

UN **OUTIL** DE RÉFÉRENCE
SIMPLE, EFFICACE ET ACTUEL !

Avec nouvelle grammaire intégrée au guide grammatical

Introduction aux
communications d'affaires
3ᵉ édition
Hélène Dufour

400 pages	29,95 $*	ISBN 2-7651-0339-9

* Une remise de 10 % est comprise dans ce prix. Pour profiter du prix école, commandez au service à la clientèle de Chenelière Éducation.

**Soucieux de la qualité
des communications d affaires de vos élèves ?**

Cet ouvrage de référence est idéal pour les améliorer ! De consultation facile, il accompagne l élève tout le long de sa formation professionnelle ou technique en secrétariat ou en comptabilité. Il peut même servir dans son futur milieu de travail. Vous y trouverez des notions théoriques et des modèles se rapportant à la rédaction et à la mise en pages de diverses communications d affaires, ainsi qu à la correspondance, la production de documents, la préparation de réunions d affaires et la recherche d emploi. Il aborde également plusieurs types de communications internes et externes d entreprise.

Une 3ᵉ édition remplie de nouveautés !

◆ Des tableaux synthèses sur la mise en page de la lettre.
◆ De nouveaux modèles de lettres.
◆ Des notions sur la note explicative et le commentaire.
◆ Un protocole téléphonique efficace.
◆ Les éléments d une carte professionnelle.
◆ Des modèles de curriculum vitæ.
◆ Des normes de base de typographie.
◆ Des tableaux grammaticaux élaborés selon la nouvelle grammaire.

CHENELIÈRE
ÉDUCATION

Modèle de document publicitaire *(suite)*

> *Vous pouvez créer un modèle ou utiliser, en le modifiant au besoin, un modèle existant. Pour les puces, vous pouvez utiliser la fonction Puces et numéros.*

> *Pour créer ce genre de document, vous pouvez insérer ou créer un tableau, et ne conserver que les bordures ou les lignes nécessaires. Vous fusionnez ou joignez ensuite les cellules au besoin.*

VOUS ENSEIGNEZ EN SECRÉTARIAT OU EN COMPTABILITÉ ?

Visitez notre site Web, ça vous intéressera !
www.cheneliere-education.ca

Sous la section

Formation professionnelle

allez voir les sites qui accompagnent nos différents cahiers.

> *Pour insérer en format réduit un document, une illustration, etc., vous pouvez faire une capture d'écran de ce modèle.*

Vous découvrirez plusieurs outils complémentaires qui favorisent l'apprentissage de l'élève, concrétisent les notions acquises et facilitent votre vie.

▸▸ **Les entreprises fictives** présentées sur le site créent un cadre plus concret et plus proche de la réalité du travail. Allez voir *Question d'adresse*, *Écran sur le monde*, *Cliquer sur le monde*, *À l'ordre du jour* et *En priorité*.

▸▸ **Les documents à télécharger** simplifient votre tâche : guides d'utilisation Word, *Tapez dans le mille* et *Tap Touche* dans *Bien disposée*, formulaires à remplir dans *Droit au fait* et *Force de loi*, en-têtes des entreprises fictives, exercices supplémentaires, etc.

▸▸ **Les fichiers Excel et Access** sont accessibles et prêts à être utilisés. Allez voir *Question d'adresse*, *À l'ordre du jour*, *Le style en tête*, *En bonne et due forme* et *Bien disposée*.

▸▸ **Les simulations et les démonstrations logicielles** aident l'élève à visualiser rapidement comment procéder. Allez voir *Écran sur le monde*, *Cliquer sur le monde*, *Question d'adresse*, *En priorité* et *À l'ordre du jour*.

▸▸ **Les hyperliens** vers des sites d'intérêt permettent de poursuivre l'apprentissage et de découvrir de nouveaux outils sur le Web.

> **Vous avez des suggestions ? Vous éprouvez des difficultés ?**
> **Communiquez avec Annie Fortier au 514 273-1066, poste 2263**
> **ou afortier@cheneliere-education.ca**

CHENELIÈRE
ÉDUCATION

6.7 *Le compte rendu*

Définition

Document qui relate objectivement le contenu d'une réunion ou d'une activité particulière.

But

Informer les personnes intéressées par une activité à laquelle elles n'ont pas pu participer sur le déroulement et le contenu de la rencontre.

Caractéristiques

- Un compte rendu est un document clair, concis et simple. Le rédacteur ne doit pas y apporter de commentaires personnels ni tirer de conclusions. Cette personne se limite à constater tous les faits.
- Ce document peut se présenter sous la forme d'un bref rapport sur des sujets aussi différents que l'étude d'un document, l'évaluation d'une situation ou le résumé d'une activité spéciale.
- Le compte rendu d'une réunion s'apparente au procès-verbal quant aux éléments qu'il doit mentionner, mais il s'en différencie par une description des faits moins rigoureuse. Le procès-verbal et le compte rendu d'une réunion sont abordés plus en détail dans le chapitre 7.

Vous trouverez un modèle de compte rendu à la page suivante.

TABLEAU 6.1
Le plan d'un compte rendu

PLAN	TEXTE
Nature de l'activité	Conférence
Sujet traité	Les problèmes liés à l'enseignement du français
Personne invitée	Monsieur Florent Tassé
Date et lieu de l'activité	Le 13 mai 20xx, à l'auditorium de l'Université Apogée
Brève présentation de la personne invitée	Auteur d'un ouvrage sur les problèmes liés à l'enseignement du français
Résumé de l'activité	Inquiétude manifestée relativement à la qualité du français écrit
Solutions proposées (s'il y a lieu)	Coordination des programmes de français Pratique plus rigoureuse de l'écriture Mention des objectifs de formation
Conclusion	Importance de sensibiliser les jeunes au respect de la langue française
Signature et date de remise du compte rendu	Sophie Béland Le 17 mai 20xx

Modèle de compte rendu

CM   **Collège Montardin**

Compte rendu d'une conférence intitulée
L'enseignement du français

Une conférence sur les problèmes liés à l'enseignement du français
a été prononcée par M. Florent Tassé le jeudi 13 mai 20xx,
à l'amphithéâtre de l'Université Apogée de Montréal.

Un grand nombre de professeurs de français de toutes les régions
du Québec ont assisté à cette conférence.

M. Tassé est l'auteur de l'ouvrage *Objectif : un français écrit amélioré*.
Il a fait part de ses inquiétudes relativement à la qualité du français
écrit. Selon lui, les difficultés actuelles ne pourront être résolues
qu'à l'échelle de la francophonie. Pour remédier à cette situation,
une meilleure coordination des programmes d'apprentissage et
une pratique plus rigoureuse de l'écriture sont essentielles.

« Les attitudes fondamentales sont acquises au début des études »,
a fait observer M. Tassé. Il estime donc primordial de fixer des
objectifs en fonction des niveaux d'apprentissage.

L'auteur a terminé sa conférence en précisant qu'il ne cherchait
pas à critiquer les méthodes actuelles, mais qu'il souhaitait sensi-
biliser les enseignantes, les enseignants et les jeunes à l'importance
de respecter la langue écrite.

Le 17 mai 20xx   *Sophie Béland*

6.8   *Le rapport*

Dans une entreprise, plusieurs situations peuvent nécessiter des analyses ou des
études sur des points spécifiques. Les données relatives à un sujet précis sont
souvent présentées sous forme de rapport. Qu'il s'agisse de modifier l'organisation d'un service, de planifier une campagne publicitaire ou d'analyser une
situation financière, le rapport étudie d'abord les questions soulevées par le
sujet, puis fait des recommandations susceptibles de favoriser une prise de décision éclairée.

Vous trouverez dans les pages suivantes, après quelques définitions, des précisions sur les étapes de la rédaction du rapport ainsi que sur la présentation et
la mise en forme des diverses parties de ce document.

Veuillez noter que plusieurs logiciels de traitement de texte vous facilitent la tâche en ce qui concerne la disposition des différentes parties du rapport. Des conseils généraux vous seront donnés à ce sujet, sans que nous indiquions de fonction ou de logiciel précis.

6.8.1   *Quelques définitions*

Les gens ont parfois de la difficulté à établir la différence entre le mémoire, le compte rendu, le reportage et le rapport. Les définitions suivantes, qui précisent l'objet de chacun d'eux, vous permettront de vous en faire une idée claire.

Le **mémoire** est un exposé sur un sujet ou sur des faits précis. Il prend souvent la forme d'une requête adressée à une autorité (municipale, gouvernementale, etc.) ayant des pouvoirs décisionnels. Dans plusieurs cas, il relève de l'initiative d'une personne ou d'un groupe de personnes qui veulent convaincre une autorité du bien-fondé d'une idée nouvelle.

Le **compte rendu** est un document qui relate objectivement le contenu d'une réunion ou d'une activité particulière. Il ne doit en aucun cas formuler de recommandations.

Le **reportage** est un article rédigé par un journaliste à la suite d'une enquête. Cette personne observe une situation, interroge des gens et essaie d'obtenir le plus de renseignements possible sur tous les aspects du sujet traité. Un reportage peut être imprimé, radiodiffusé, filmé ou télévisé.

Le **rapport** est un document qui a pour objet l'étude approfondie d'une question ou l'analyse d'une situation donnée. Les renseignements contenus dans un rapport permettent à une autorité responsable d'évaluer plus clairement une situation, d'examiner les propositions suggérées et de prendre une décision. En règle générale, le rapport s'appuie sur des faits réels présentés avec objectivité.

6.8.2   *Les types de rapports*

Il existe plusieurs types de rapports commerciaux et administratifs. Certains proposent une ou des solutions à une situation problématique, tandis que d'autres établissent un relevé des activités professionnelles d'une entreprise. Enfin, des formulaires préimprimés servent à présenter de brefs rapports sur des situations particulières. Voici quelques types de rapports pouvant être produits dans une entreprise.

Le rapport d'accident

Ce rapport décrit la nature et les circonstances d'un accident.

Le rapport relatif à la réorganisation d'un service d'une entreprise

Ce document expose une situation problématique dans une organisation, indique les causes probables du ou des problèmes et propose des améliorations.

**Le rapport
d'enquête**

Cet écrit propose l'analyse des résultats d'un sondage afin d'orienter les décisions à prendre ultérieurement.

**Le rapport
d'un conseil
d'administration**

Rédigé une fois par an, ce rapport présente un résumé des activités d'une entreprise et sa situation financière.

**Le rapport ayant
pour objet une
étude critique**

Ce document propose une analyse du contenu d'autres études.

6.8.3 Les caractéristiques d'un rapport de qualité

La personne qui rédige un rapport doit faire preuve de loyauté et d'une objectivité rigoureuse. Cela sous-entend qu'elle ne passe pas sous silence certains faits susceptibles de déplaire à celui ou à ceux à qui sera remis le rapport. De plus, elle doit s'assurer de l'exactitude et du sérieux de la documentation retenue.

Certaines qualités telles la précision, la clarté et l'application des règles orthographiques et grammaticales sont inhérentes à la rédaction des diverses parties du rapport.

6.8.4 Les pronoms à utiliser dans le rapport

La première personne du pluriel peut convenir lorsque le rapport expose les résultats d'une étude collective. Le rédacteur s'exprime alors au nom d'un groupe qu'il représente. Un auteur unique peut également employer le « nous »; cela lui donne une certaine aisance pour relater les faits.

La première personne du singulier s'emploie lorsque le rédacteur intervient en son nom personnel.

La troisième personne du singulier est fréquemment utilisée, en particulier avec des phrases de forme impersonnelle. Cela donne au ton une certaine neutralité, comme dans l'expression « il semble que ».

6.8.5 Les étapes préparatoires à la rédaction du rapport

Quatre étapes doivent être suivies avant de procéder à la rédaction même du rapport. Voici en quoi elles consistent.

**Définir l'objet
du rapport**

Il importe d'abord de bien déterminer l'objet du rapport et de connaître le but poursuivi afin de ne retenir que les éléments les plus importants (faits, arguments, observations).

Dresser un plan de travail provisoire

Le plan est la structure de base du rapport. Il permet de dresser une liste des aspects à considérer et, de ce fait, oriente le rédacteur vers les personnes ou les services susceptibles de lui fournir les matériaux nécessaires.

Ce premier plan pourra être modifié lorsque la collecte des renseignements et des documents sera terminée.

Pour que le plan réponde aux exigences de la personne qui a demandé le rapport, le rédacteur doit réfléchir aux questions suivantes :

- Quel est le mandat confié?
- Quels sont les objectifs du rapport?
- Les idées et les faits recueillis peuvent-ils être regroupés autour d'une idée principale?
- Quels sont les faits ou les idées qui se rattachent à une idée secondaire?
- Les idées principales et secondaires qui sont retenues fournissent-elles suffisamment d'explications sur le sujet?

Recueillir l'information nécessaire

La recherche de renseignements et de documents divers constitue une étape lors de laquelle l'initiative du rédacteur est primordiale. Les sources d'information à consulter avant d'élaborer le plan de rédaction sont multiples :

- autres rapports écrits sur le sujet;
- études;
- sondages et enquêtes;
- avis de spécialistes;
- données recueillies par d'autres personnes du milieu;
- banques de données, etc.

Une fois les renseignements réunis, il importe d'évaluer la pertinence de chacun d'eux, par exemple en considérant la notoriété des personnes-ressources ou des auteurs, ou la date de publication des ouvrages examinés et leur lien avec le sujet traité.

Il ne faut pas oublier qu'un rapport s'appuie sur des faits; l'analyse que propose le rédacteur détermine les propositions ou les recommandations futures.

Pour effectuer un choix parmi les données recueillies, on peut rattacher chacune d'entre elles à l'un des titres du plan de travail. Les informations qui ne s'intègrent pas dans ce premier plan mais qui semblent pertinentes pourront être insérées ultérieurement dans le plan de rédaction.

Élaborer le plan de rédaction

Le plan de rédaction présente de façon précise et ordonnée les éléments retenus. Le rédacteur tient compte de la progression des arguments utilisés pour confirmer la crédibilité d'une information ou d'un fait. Selon le type de rapport, les arguments peuvent être présentés de façon chronologique (les événements se suivent dans le temps), ou thématique (les arguments sont groupés par ordre d'importance) ou du général au particulier.

6.8.6 *Remarques préliminaires sur la présentation du rapport*

Outre les indications précises données par la personne qui a commandé le rapport ou les normes propres à chaque entreprise, voici des règles générales concernant la façon de présenter un rapport.

Règles de disposition

- Le papier utilisé est blanc, de format 21,5 cm × 28 cm (8 1/2 po × 11 po).
- Le texte est présenté au recto des feuilles seulement.
- Le rapport est protégé par une couverture, une reliure et quelques feuilles de garde (feuilles blanches placées au début et à la fin du rapport).
- Le choix d'un caractère sobre et classique facilite la lecture du rapport.
- Les marges latérales mesurent environ 3 cm. Une marge de gauche plus large (3,5 cm) permet la lecture des débuts de ligne lorsque le rapport est agrafé ou relié.
- Une marge inférieure de 2,5 cm à 4 cm est convenable. Cette variante est justifiée par l'inscription de notes, de références en bas de page ou de toute autre mention choisie par l'auteur du rapport.
- L'interligne double est utilisé pour les principales parties du rapport (avant-propos, introduction, développement, etc.).
- L'interligne simple est employé dans les cas suivants :
  - citations présentées en retrait;
  - notes et références de bas de page;
  - texte des figures et des tableaux;
  - titres de plus d'une ligne dans les parties principales du rapport;
  - titres énumérés dans les listes et dans la table des matières;
  - notice bibliographique;
  - glossaire;
  - index.
- Le titre d'un chapitre ou d'une partie s'inscrit en majuscules, en caractères gras et peut être centré à 6 cm ou à 7 cm du haut de la feuille. Il est suivi de quatre interlignes. Une marge supérieure de 2,5 cm est fixée pour les pages suivantes.
- Deux ou quatre interlignes séparent le titre d'un intertitre ou du début du texte.
- Les intertitres sont alignés contre la marge de gauche. Ils prennent une majuscule initiale et doivent être en caractères gras. Ils sont suivis de deux ou de quatre interlignes et précédés de deux ou de quatre interlignes.
- Les titres d'ouvrages, dans la bibliographie, dans les notes de bas de page et dans le texte, doivent être en italique.
- La première ligne de chaque paragraphe peut comporter ou non un alinéa de cinq espaces.
- Deux ou quatre interlignes séparent les paragraphes.
- Aucun paragraphe ne peut débuter à la dernière ligne d'une page.
- Il faut éviter de couper un mot à la fin d'une page.
- On ne laisse pas la dernière ligne d'un chapitre ou d'une partie en haut d'une page.
- Un chiffre en début de phrase s'écrit en toutes lettres.
- Du début à la fin du rapport, il importe de respecter les règles d'espacement des signes de ponctuation. À ce sujet, voir le tableau 1.6, présenté à la page 23 du chapitre 1.
- Chaque chapitre ou partie principale du rapport commence sur une nouvelle page.

- *Note :* Dans un contexte réel de travail, il est possible que les normes de présentation du rapport soient différentes de celles indiquées dans ce chapitre. Entre autres, la marge supérieure de la première page de chacune des parties principales ou des chapitres peut être réduite à 4 cm ou à 5 cm et l'interligne et demi peut être choisi pour l'ensemble du texte. Rappelez-vous que l'uniformité dans la présentation des différentes parties du rapport demeure la règle la plus importante à respecter.

- Si la rédaction ou la présentation de rapports fait partie de vos tâches régulières, il peut s'avérer utile de créer, au traitement de texte, une feuille de style qui vous permettra de choisir une présentation identique en récupérant les codes sélectionnés.

6.8.7   *Quelques normes de typographie*

À ces remarques préliminaires concernant plus spécifiquement le rapport s'ajoutent quelques normes de typographie qui favorisent la mise en relief de la structure d'un texte pour en faciliter la lecture.

- Choisir une police avec empattement, ou sérif, de taille variant entre 9 et 12 points pour la majeure partie du texte.
- Être vigilant quant au choix d'une police dans un document qui sera envoyé par télécopieur. La transmission peut lui enlever de la qualité ; il est alors suggéré de choisir une police plus large composée de caractères distincts.
- Ne pas utiliser plus de trois polices par document. Une police pour le corps du texte, une pour les titres et les intertitres et une autre dans les cas de citations ou de légendes.
- Éviter le choix de polices de styles très différents. *Exemple :* une police sobre et classique avec une police moderne. Ce choix pourrait transmettre un message contradictoire. Cependant, pour marquer un changement, il est nécessaire de choisir des polices assez différentes.
- Vu le choix des styles de police, éviter le soulignement. Privilégier l'italique ou le caractère gras pour mettre en valeur un mot ou une partie du texte.
- La présentation des titres et des intertitres est faite dans l'ordre suivant :
  - les majuscules avant les minuscules ;
  - les caractères gras avant les maigres ;
  - les titres centrés avant les titres alignés à gauche ;
  - la taille des caractères selon l'importance des titres ou des intertitres.
- Varier la taille et l'apparence des caractères d'une même police pour hiérarchiser les titres et les intertitres.
- Il est conseillé de ne pas abuser des majuscules, de l'italique, du gras ou de tout autre caractère non standard. N'utilisez ces caractères que pour faire ressortir des mots ou des phrases qui demandent une mise en relief.
  Exemples :
  - les majuscules pour les titres de premier niveau et les noms d'auteurs dans une bibliographie ;
  - l'italique pour les mots non francisés, les termes scientifiques, les termes fautifs, les titres de volumes ou pour tout autre mot que l'on veut mettre en évidence ;
  - le caractère gras pour un titre, un mot ou une expression dans un texte où figure déjà l'italique.

- La justification (gauche et droite) est conseillée dans un texte où alternent les titres et les intertitres ou les graphiques. Ces derniers donnent des points de repères au lecteur. Par contre, elle est déconseillée dans les colonnes étroites. La justification à gauche est la plus actuelle.
- Utiliser les tabulateurs pour marquer les alinéas.
- Utiliser les chiffres 1 et 0, non les lettres l et O majuscule.
- Utiliser les guillemets français (« »).
- Employer les vrais tirets au lieu du trait d'union. De même, utiliser un tiret cadratin ou un tiret semi-cadratin pour marquer une pause.
- Saisir les fractions en petits chiffres, ½, ¾, ¼. Voir les caractères spéciaux pour les autres fractions.
- En général, les légendes qui suivent un encadré sont inscrites dans un caractère différent et en plus petits caractères que le reste du texte.

En conclusion, il convient d'observer vos documents et de noter les choix efficaces, ceux qui retiennent l'attention. Pour assurer l'uniformité dans un document, ayez recours aux fonctions de style. Elles vous permettront, par exemple, de faire des changements dans un style et de les étendre à tous les autres titres ou intertitres d'un document

6.8.8 Les parties du rapport et leur mise en forme

Le tableau 6.2 présente les diverses parties du rapport. Chacune d'elles sera par la suite reprise en détail.

TABLEAU 6.2
Les parties du rapport

1. Pages liminaires
  • Page de titre
  • Page de remerciements
  • Avant-propos
  • Sommaire
  • Table des matières
  • Liste des tableaux
  • Liste des figures et des illustrations
  • Liste des abréviations et des sigles

2. Introduction
3. Développement
4. Conclusion

5. Pages annexes
  • Tableaux, figures, extraits d'ouvrages, illustrations, plans, cartes géographiques (lorsqu'ils ne sont pas intégrés au texte du rapport)
  • Annexes et appendices
  • Glossaire
  • Bibliographie
  • Index

Les pages liminaires

Les pages liminaires sont celles qui précèdent l'introduction du rapport.

Caractéristiques

- La page de titre, une page de remerciements, un avant-propos, un sommaire, la table des matières, les listes des tableaux, des figures, des illustrations, des abréviations et des sigles peuvent faire partie des pages liminaires.
- Ces pages sont généralement numérotées en chiffres romains, en minuscules, centrés au bas de la page. Il n'y a aucune numérotation sur une page qui commence par un titre (sommaire, avant-propos, table des matières, etc.).

La page de titre

La page de titre est la page de présentation du rapport. Elle contient les éléments suivants :

- le nom de l'entreprise et du service (s'il y a lieu) d'où émane le rapport;
- le titre du rapport (inscrit en majuscules);
- le nom de l'entreprise, du service ou de la personne à qui est destiné le rapport;
- le nom de l'auteur du rapport et son titre;
- le lieu et la date.

Disposition

La présentation de ces éléments n'est pas soumise à des normes strictes. Le bon goût et la clarté prévalent. Centrer verticalement et horizontalement le groupe qu'ils constituent permet d'obtenir une présentation esthétique. Dans la plupart des cas, six ou huit interlignes sont laissés entre les différents éléments. Vous pouvez rehausser l'apparence d'une page de titre en ajoutant une bordure, un encadré ou une image selon les choix offerts par le logiciel avec lequel vous travaillez. Vous trouverez un modèle de page de titre à la page suivante.

Modèle de page de titre

> Pour créer la page de titre, vous pouvez utiliser l'espacement entre les paragraphes ou le centrage vertical ou justifié.

↓ 6 ou 7 cm

LES LIBRAIRIES COLIMER
Service de la publicité

↓ 2 interlignes

↓ 6 ou 8

PROJET DE CAMPAGNE PUBLICITAIRE

↓ 6 ou 8

Rapport présenté à

↓ 2

Madame Chloé Dupuis
Directrice du Service de la comptabilité

↓ 6 ou 8

par

↓ 2

Josée Brisoux
Mario Genest
Agents d'information

↓ 6 ou 8

Montréal, le 15 juin 20xx

La page de remerciements

S'il y a lieu, une page de remerciements suit immédiatement la page de titre. Le rédacteur remercie toutes les personnes qui l'ont aidé à produire le rapport, que ce soit par leurs conseils, leur aide financière ou la documentation fournie. La page de remerciements s'apparente au texte d'une lettre; l'interligne simple est utilisé. Un modèle de page de remerciements vous est proposé à la page suivante.

Modèle de page de remerciements

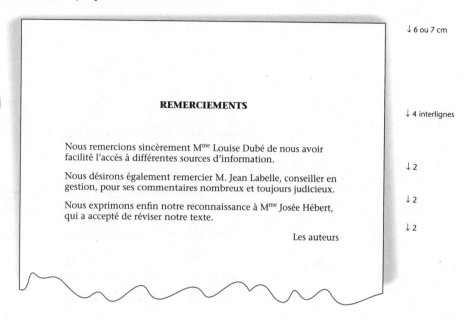

Pour cette page, vous pouvez changer la marge supérieure ou utiliser la fonction Avancer.

↓ 6 ou 7 cm

REMERCIEMENTS

↓ 4 interlignes

Nous remercions sincèrement Mme Louise Dubé de nous avoir facilité l'accès à différentes sources d'information.

↓ 2

Nous désirons également remercier M. Jean Labelle, conseiller en gestion, pour ses commentaires nombreux et toujours judicieux.

↓ 2

Nous exprimons enfin notre reconnaissance à Mme Josée Hébert, qui a accepté de réviser notre texte.

↓ 2

Les auteurs

L'avant-propos

L'avant-propos mentionne les raisons qui ont motivé la rédaction du rapport : demande d'une autorité, problèmes constatés, résultats d'une enquête, etc. Il peut se terminer par des remerciements adressés aux personnes-ressources consultées.

Dans la plupart des cas, l'avant-propos ne compte pas plus de deux pages; il est mis en forme à double interligne.

Le sommaire

Le sommaire est un résumé des principales parties du rapport. Il donne un aperçu du contenu du document et peut faire ressortir l'originalité ou l'intérêt de la recherche. Un modèle de sommaire vous est présenté à la page suivante.

Disposition

- Le titre « sommaire » est écrit, en majuscules, à 6 cm ou à 7 cm du haut de la feuille.
- Le texte commence quatre interlignes sous le titre.
- L'interligne double est utilisé pour le texte suivi.
- Selon la longueur et la clarté de présentation désirée, deux ou quatre interlignes peuvent séparer deux paragraphes.
- Le texte de la deuxième page du sommaire commence à 2,5 cm.
- Le sommaire peut être paginé à la suite des autres pages liminaires, en chiffres romains minuscules centrés au bas de la page à partir de la deuxième page.

Modèle de sommaire

SOMMAIRE

↓ 6 ou 7 cm

↓ 4 interlignes

Ce rapport présente un projet de campagne publicitaire pour les librairies Colimer du Québec.

↓ 2

↓ 2 ou 4

Après avoir constaté une baisse importante de la vente des livres au cours du dernier trimestre, nous avons recueilli des renseignements auprès des libraires et des lecteurs afin de déterminer les causes de cette diminution. L'analyse des résultats du sondage effectué nous a guidés dans le choix de moyens publicitaires susceptibles d'améliorer la situation.

Vous trouverez à la fin de ce rapport une proposition concernant l'augmentation du budget alloué à la publicité.

↓ 2 ou 4

Nous souhaitons que l'analyse présentée et les recommandations proposées répondent à vos attentes.

↓ 2 ou 4

La table des matières

La table des matières constitue le plan détaillé du rapport. On y présente les titres et les intertitres des parties du rapport en indiquant les numéros de pages correspondants. Ces derniers sont alignés contre la marge de droite. Même si le rapport compte des pages liminaires, on omet de les indiquer. La table des matières débute par l'introduction et se termine par les pages annexes. Tous les titres et intertitres doivent être identiques aux titres présentés dans le texte et sont inscrits selon leur ordre d'apparition dans le rapport. Vous trouverez un modèle de table des matières à la page 208.

Numérotation des titres et des intertitres

Pour créer automatiquement une table des matières, il faut marquer le texte. Plusieurs logiciels permettent de créer des tables des matières automatiquement.

Il existe deux façons de numéroter un rapport. On peut privilégier la numérotation alphanumérique (*exemple 1*) ou adopter la numérotation décimale (*exemple 2*).

Certains logiciels de traitement de texte offrent jusqu'à huit niveaux de titres, lesquels permettent de préciser les divisions du rapport (titres et intertitres).

Exemple 1 : I Titre du chapitre (*niveau 1*)
(*deux interlignes*)

   A. Titre de la partie (*niveau 2*)

      (*deux interlignes*)

      1° Intertitre (*niveau 3*)

         a) Subdivision (*niveau 4*)

         b)

         c)

Exemple 2 : 1 Titre de la partie (*niveau 1*)
(*deux interlignes*)

      1.1 Intertitre (*niveau 2*)

         (*deux interlignes*)

         1.1.1 Subdivision (*niveau 3*)

         1.1.2

Disposition

- La table des matières peut être centrée verticalement et horizontalement lorsqu'elle est courte. Dans le cas où elle est plus longue, elle débute à 6 cm ou à 7 cm; les pages suivantes commencent à 2,5 cm.
- L'expression « table des matières » s'inscrit en majuscules, en caractères gras et est centrée. Quatre interlignes la séparent du premier titre.
- La mention « pages » peut être indiquée contre la marge de droite; elle prend la majuscule initiale. Deux interlignes la séparent du premier numéro de page.
- L'introduction, la conclusion, les annexes, la bibliographie ainsi que les titres des parties ou des chapitres sont inscrits en majuscules, suivis de deux ou de quatre interlignes et précédés de deux ou de quatre interlignes.
- Les subdivisions prennent la majuscule initiale et sont suivies de l'interligne simple.
- Des points de conduite peuvent relier chaque titre à la page correspondante. Cette série de points doit être précédée et suivie d'une espace.

Modèle de table des matières

↓ 6 ou 7 cm

↓ 2 interlignes
↓ 2
↓ 2 ou 4
↓ 1

↓ 2 ou 4

↓ 2 ou 4
↓ 2 ou 4
↓ 2

↓ 2

> Les logiciels de traitement de texte permettent de créer automatiquement une table des matières.

La liste des tableaux

Si un rapport contient plusieurs tableaux (graphiques, statistiques, etc.) présentés dans le texte ou en annexe, il est souhaitable d'en établir la liste dans les pages liminaires. Cette liste mentionne le numéro de chaque tableau, son titre et la page où il figure. Les tableaux sont généralement numérotés en chiffres romains, indépendamment des figures. Cependant, si les parties du document sont numérotées selon le système décimal, on pourra numéroter les tableaux par chapitres. On utilisera alors la double numérotation arabe : tableau 1.2, tableau 7.1, etc. Si le rapport ne contient que quelques tableaux, on les inscrit simplement à la fin de la table des matières. Vous trouverez un modèle de liste des tableaux à la page suivante.

Modèle de liste des tableaux

> La fonction Table des illustrations de Liste permet de créer automatiquement une liste des tableaux.

↓ 6 ou 7 cm

LISTE DES TABLEAUX

Pages

↓ 2 interlignes

↓ 2

↓ 1

La liste des figures et des illustrations

Une liste des figures et des illustrations est placée après la table des matières sur une nouvelle page, si le rapport compte plus de trois éléments à mentionner. Sinon, le numéro de la figure ou de l'illustration, son titre et la page où elle apparaît sont inscrits à la fin de la table des matières. Toute figure ou illustration doit porter un titre, être numérotée en chiffres arabes (figure 1, figure 2, etc.) et peut être suivie d'une légende (court texte explicatif ou descriptif). Si les parties du document sont numérotées selon le système décimal, on pourra numéroter les figures par chapitres. On utilisera alors la double numérotation : figure 1.2, figure 4.4, etc. Un modèle de liste des figures et des illustrations est présenté à la page suivante.

La liste des abréviations et des sigles

L'emploi fréquent d'abréviations et de sigles peut nuire à la compréhension d'un rapport. Il est recommandé d'en réduire l'utilisation. Si l'on a employé plusieurs abréviations et sigles, surtout s'ils sont peu connus, il est préférable d'en dresser une liste présentée par ordre alphabétique. Vous trouverez un modèle de liste des abréviations et des sigles à la page suivante.

Modèle de liste des figures

↓ 6 ou 7 cm

La fonction Table des illustrations ou Liste permet de créer automatiquement une liste des figures.

LISTE DES FIGURES

↓ 2 interlignes

Pages

↓ 2

Modèle de liste des abréviations et des sigles

↓ 6 ou 7 cm

LISTE DES ABRÉVIATIONS ET DES SIGLES

↓ 4 interlignes

↓ 2

BNQ   Bureau de normalisation du Québec

bull.   bulletin

CCDP   Commission canadienne des droits de la personne

cf.   reportez-vous à

doc.   document

éd.   édition

OLF   Office de la langue française

réf.   référence

TPS   taxe sur les produits et services

TVQ   taxe de vente du Québec

L'introduction

L'introduction est un court texte explicatif qui présente les points importants du rapport.

Caractéristiques

- L'introduction mentionne l'objet du rapport et montre l'intérêt du sujet traité.
- Il est important de souligner que l'introduction se limite à exposer une situation. Elle mène au développement sans anticiper sur la conclusion.

Les principaux éléments que peut contenir l'introduction du rapport sont présentés dans le tableau 6.3.

Vous trouverez un modèle d'introduction à la page suivante.

TABLEAU 6.3
Le schéma type de l'introduction

1. Mention du mandat confié à l'auteur (référence à la demande d'une personne ou d'un groupe)
2. Bref rappel des circonstances qui motivent la rédaction du rapport
3. Présentation de l'objet du rapport
4. Précisions sur l'intérêt du sujet traité
5. Bref exposé de la démarche suivie (référence aux titres et aux intertitres de la table des matières)

Formules d'introduction

- Conformément aux directives données par…
- Le présent rapport a pour objet…
- Une enquête a été ouverte le… sur…
- Après avoir observé que (*brève explication du problème*), le Service de… (*ou nom d'une personne*) m'a demandé de…
- À la suite de (*explication d'une plainte ou d'une irrégularité*), une étude a été jugée nécessaire.

Modèle d'introduction

↓ 6 ou 7 cm

INTRODUCTION

↓ 4 interlignes

En réponse à la demande qui nous a été adressée, ce rapport
présente un projet de campagne publicitaire pour les librairies
Colimer de toutes les régions du Québec.

↓ 2

Nous avons d'abord procédé à une étude comparative du
pourcentage des ventes de livres pour la période de janvier à
juin 20xx. Cette étude a permis d'observer une importante
diminution des ventes. Une brève analyse tente d'expliquer les
causes de cette baisse.

↓ 4 ou 2

Des sondages ont été menés auprès de plusieurs libraires et de leur
clientèle. La compilation des résultats de ces enquêtes nous a
permis de trouver des moyens publicitaires susceptibles de
redresser la situation.

↓ 4 ou 2

Le développement Le développement expose les différents points annoncés dans la table des matières et en présente une analyse détaillée.

Caractéristiques

- Le développement est habituellement divisé en chapitres, qui peuvent parfois être groupés en deux ou trois parties.
- Le développement débute par l'exposé des faits ou des idées. Pour rédiger correctement cette partie importante du rapport, il faut d'abord que les renseignements, les observations ou les faits relevés aient été vérifiés. Il est préférable de présenter les faits par ordre chronologique. Quant aux observations et aux renseignements, ils constituent une meilleure argumentation s'ils sont traités selon un ordre logique.
- La description de la situation ne suffit pas à convaincre la ou les personnes à qui est destiné le rapport. Le rédacteur doit, dans un second temps, se livrer à une analyse des faits ou à une démonstration. Cette étape permettra de

tirer une ou des conclusions et, s'il y a lieu, de faire des propositions ou des recommandations.

- Toute démonstration peut être appuyée par des tableaux ou par des schémas. Ces compléments d'information pourront rendre la démonstration plus convaincante.

Le contenu type du développement vous est proposé dans le tableau 6.4, tandis qu'un modèle de page de développement vous est présenté à la page suivante.

TABLEAU 6.4
Le schéma type du développement

1. Exposé des faits (observations, renseignements)
2. Analyse des faits selon un ordre chronologique ou analyse des observations et des renseignements selon un ordre progressif
3. Explications et déductions
4. Conclusions partielles

Vocabulaire et style

Dans le développement, le rédacteur souligne les points essentiels par des verbes précis tels que :

- nous avons constaté..., nous avons observé..., nous avons remarqué...
- je signale..., je précise..., je souligne..., je confirme...
- je dois ajouter...
- il est nécessaire de préciser que...
- il nous a fallu constater que...
- je rappelle..., j'ajoute..., nous affirmons..., nous insistons..., nous pensons...

Selon que la personne parle ou non en son nom propre, la première personne du singulier ou du pluriel ou la forme impersonnelle peut être utilisée.

Il est nécessaire d'employer des marqueurs de relation pour établir des liens logiques entre les parties du texte. Vous trouverez au chapitre 3 (pages 89 à 92) un choix de marqueurs de relation à utiliser selon le type d'enchaînement requis.

Modèle de page de développement

↓ 6 ou 7 cm

4. MOYENS PUBLICITAIRES

↓ 4 interlignes

Les lecteurs ont mentionné dans le sondage qu'ils manquaient de
renseignements concernant les récentes parutions de livres. Il faut
donc s'interroger sur les moyens de faire connaître les nouveaux
titres de volumes.

↓ 2

↓ 4

4.1   Publicité dans les journaux

↓ 4 ou 2

Une chronique hebdomadaire dans un journal à grand tirage serait
une façon judicieuse de faire connaître les nouvelles parutions. De
plus, les librairies Colimer pourraient annoncer chaque semaine
quelques titres en solde. En effet, la publicité dans les journaux est
un excellent moyen de promouvoir la vente de livres.

↓ 4

4.2   Émissions culturelles à la télévision

↓ 4 ou 2

Une meilleure connaissance des auteurs et du contenu de leurs
volumes susciterait l'intérêt des lecteurs. Il est admis que la
diffusion d'une émission sur l'actualité du livre incite les lecteurs
à se procurer les nouvelles parutions.

La conclusion

La conclusion, qui est la dernière partie essentielle du rapport, constitue la synthèse des principaux thèmes traités.

Caractéristiques

- La conclusion propose très souvent des recommandations à propos des faits analysés dans le développement.
- Elle résume les propos du développement. Même s'il en résulte une certaine répétition, la conclusion générale du rapport doit contenir les conclusions partielles formulées à la suite de l'étude des différents faits.

Le tableau 6.5 énumère les éléments à inclure dans la conclusion du rapport. Par ailleurs, vous trouverez ci-dessous un modèle de conclusion.

TABLEAU 6.5
Le schéma type de la conclusion

1. Rappel de l'analyse des faits
2. Énumération des conclusions de chacune des parties du développement
3. Énoncé de propositions ou de recommandations

Vocabulaire et style

- Pour favoriser un ton poli et courtois, l'emploi du conditionnel est conseillé.
- Les expressions suivantes créent un lien entre le développement et la conclusion :
    - En conséquence, nous demandons...
    - Pour ces motifs, il paraît nécessaire...
    - Il y aurait lieu de...
    - En conclusion, nous estimons que...
    - Il serait opportun...
    - Pour faire suite à ces observations, nous vous proposons...
    - En résumé...

Modèle de conclusion

↓ 6 ou 7 cm

CONCLUSION

↓ 4 interlignes

Pour faire suite à ces observations, il conviendrait de planifier une campagne publicitaire dès le prochain trimestre. Une augmentation du budget annuel alloué à la publicité doit donc être prévue (voir Annexe I). En tenant compte des contraintes financières, un choix devra être fait parmi les moyens publicitaires proposés.

↓ 4 ou 2

Même si la rentabilité de tous les moyens suggérés dans ce rapport est prouvée, il s'avère essentiel de privilégier quelques-uns d'entre eux seulement afin d'augmenter de façon tangible et dans un délai relativement court le pourcentage des ventes de livres dans les librairies Colimer.

Les tableaux et les figures

Plusieurs rapports comportent des tableaux, des illustrations, des graphiques, des cartes, etc., qui permettent de simplifier la présentation de renseignements plus ou moins nombreux et complexes. Ces derniers sont intégrés au texte ou sont reportés dans les annexes ou dans les appendices. Leur disposition demande une attention particulière.

Les tableaux

- La mention « tableau » figure au-dessus du tableau. Elle est écrite en caractères gras avec une majuscule initiale.
- Dès qu'il y a au moins deux tableaux, chacun est numéroté en chiffres romains ou avec la double numérotation arabe. Le numéro est placé à la suite de la mention « tableau ». Il est également en caractères gras.
- Tout tableau contient un titre qui est indiqué sous la mention « tableau ». Il n'y a pas de point à la fin du titre.
- Le titre de chaque colonne de renseignements commence par une majuscule.
- Si le tableau prend plus d'une page, il faut répéter intégralement sur la deuxième page la mention « tableau » et le numéro du tableau qu'on fait suivre du mot « suite » inscrit entre parenthèses, généralement en italique. On répète également le titre du tableau et les en-têtes de colonnes.
- Si le tableau comprend des appels de notes, on utilise des lettres comme signe d'appel. Il faut écrire les notes sous le tableau. Chaque note est précédée de sa lettre d'appel.
- S'il y a lieu, les sources (la provenance des renseignements fournis) sont aussi indiquées sous le tableau, après les notes.
- Si le tableau est en annexe, il n'est pas numéroté puisque l'annexe est numérotée. Le titre du tableau est indiqué deux interlignes au-dessous de la mention « annexe ».

Un modèle de tableau est présenté à la page suivante.

Modèle de tableau

> Vous pouvez insérer ou créer un tableau.

Tableau I

Zones et délais de livraison

↓ 2 interlignes

↓ 2

Pays	Zone	Délai de livraison (jours)	Pays	Zone	Délai de livraison (jours)
Allemagne	Europe	2	Japon	Pacifique	2
Angleterre	Europe	1	Indonésie	Pacifique	3
Argentine	Internationale	2	Koweït	Internationale	2
Belgique	Europe	1	Maroc	Internationale	3
Chili	Internationale	3	Mexique	Internationale	3
Djibouti	Internationale	4	Pologne	Europe	3
Espagne	Europe	1	La Réunion	Europe	2
France	Europe	1	Suisse	Europe	1
Guadeloupe	Europe	2	Tunisie	Internationale	2
Hong-Kong	Pacifique	3	Venezuela	Internationale	2

Les figures

- La mention « figure » est placée au-dessous de la figure. Elle est inscrite en caractères gras.
- La numérotation des figures, indépendante de celle des tableaux, se fait en chiffres arabes et est continue du début à la fin du rapport. Le numéro de chaque figure apparaît en gras après la mention « figure ».
- Si on a adopté, pour l'ensemble du rapport, le système décimal de numérotation des divisions, on peut numéroter les figures par chapitres ou par parties, avec la double numérotation. Le numéro de la figure comporte alors le numéro du chapitre suivi d'un point et du numéro d'ordre de la figure dans le chapitre. Ainsi, la figure 3.5 est la cinquième figure du chapitre 3.
- Toute figure comporte un titre qui est indiqué à la suite de la mention « figure ». Il n'y a pas de point à la fin du titre.
- Des légendes (courts textes explicatifs ou descriptifs) peuvent être placées sous la figure, au-dessus du numéro et du titre de la figure.
- Si la figure contient des appels de notes, on utilise des lettres comme signe d'appel. Les notes sont inscrites sous la figure, après la légende, au-dessus du numéro et du titre de la figure. Chaque note est précédée de sa lettre d'appel.
- Les sources sont indiquées sous les notes.
- Lorsqu'une figure est en annexe, son titre est inscrit deux interlignes sous la mention « annexe ».

Vous trouverez à la page suivante un modèle de figure.

Modèle de figure

Vous pouvez créer ou insérer un graphique.

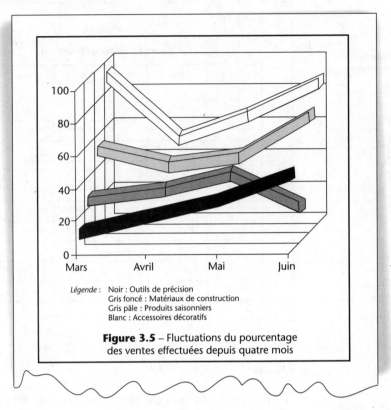

Légende : Noir : Outils de précision
Gris foncé : Matériaux de construction
Gris pâle : Produits saisonniers
Blanc : Accessoires décoratifs

Figure 3.5 – Fluctuations du pourcentage des ventes effectuées depuis quatre mois

Les pages annexes

Les pages annexes sont constituées des annexes, des appendices, de la bibliographie et de l'index. Ces pages sont placées à la suite de la conclusion.

Plusieurs d'entre elles servent à confirmer certains faits cités dans le rapport, à illustrer des données ou à appuyer une argumentation. D'autres indiquent au destinataire les ouvrages consultés et lui fournissent des éléments de repère concernant le rapport.

Les annexes et les appendices

Les annexes et les appendices doivent être mentionnés à deux reprises : en premier lieu, dans la table des matières, et en second lieu, dans le texte, aux endroits où leur consultation est jugée utile.

- L'**annexe** est un document qu'on n'a pas pu intégrer au rapport à cause de sa longueur. Jugé nécessaire à la compréhension du texte, ce document est alors placé à la fin du rapport. Les annexes sont identifiées par un chiffre romain et par un titre qui en mentionne le sujet. Elles sont paginées en chiffres arabes, à la suite du texte. Elles sont présentées selon leur ordre de mention dans le texte.

- L'**appendice**, placé après les annexes, est un document qui vient en supplément du texte. Il apporte des précisions non essentielles à la compréhension du rapport, mais jugées intéressantes par le rédacteur. Les appendices sont identifiés par une lettre majuscule et par un titre qui en mentionne le sujet. Comme les annexes, ils sont paginés en chiffres arabes, à la suite du texte, et sont présentés selon leur ordre de mention dans le rapport.

Un modèle d'annexe, qui peut aussi servir de modèle d'appendice (en remplaçant « ANNEXE II » par « APPENDICE B »), est présenté à la page suivante.

- Voici quelques exemples d'annexes et d'appendices :
    - des tableaux, des figures;
    - les documents transmis au rédacteur et qui ont étoffé le rapport, tels que les résultats d'un sondage;
    - des extraits de volumes ou d'articles;
    - des études;
    - des graphiques;
    - des schémas, des photographies, des croquis.

Disposition

- La mention de l'annexe ou de l'appendice est écrite, en caractères gras et centrée à 6 cm ou à 7 cm du haut de la feuille. Elle est suivie de quatre interlignes.
- Le titre s'écrit avec une majuscule initiale et est centré. Il peut être souligné ou en caractères gras. Quatre interlignes le suivent.
- L'interligne simple est utilisé dans la disposition du contenu de l'annexe ou de l'appendice, mais deux interlignes séparent deux paragraphes.
- Si une annexe ou un appendice compte plus d'une page, la mention « Annexe I (*suite*) » ou « Appendice I (*suite*) » est centrée à la septième ligne de la deuxième page.

Modèle d'annexe

ANNEXE II	↓ 6 ou 7 cm
	↓ 4 interlignes
Résultats du sondage auprès des lecteurs	↓ 4

	Catégories d'âge des lecteurs interrogés				
	7-15 ans	16-25 ans	26-40 ans	41-55 ans	56 ans et plus
Pourcentage	5 %	12 %	19 %	35 %	29 %

↓ 2

↓ 4

Raisons justifiant la diminution des ventes de livres

↓ 2

Parmi les personnes interrogées :

↓ 2

– 45 % considèrent que le prix des livres est trop élevé;

– 52 % disent qu'elles manquent d'information sur les nouvelles parutions;

↓ 2

– 38 % souhaitent une amélioration du service à la clientèle (prolongation des heures d'ouverture, offre de bons de réduction, etc.);

– 22 % mentionnent des problèmes d'acuité visuelle (surtout chez les personnes de 56 ans et plus).

Le glossaire

S'il y a lieu, un rapport peut contenir un glossaire. Un glossaire est une liste de termes que l'auteur du rapport juge bon de définir pour faciliter la compréhension du texte.

La bibliographie

La bibliographie est la liste détaillée des ouvrages consultés lors de la rédaction du rapport. Elle est placée à la suite des annexes et des appendices, mais elle doit précéder l'index. Cette liste est présentée par ordre alphabétique des noms d'auteurs. Chaque description bibliographique comprend les éléments suivants:

- nom de l'auteur suivi de son prénom;
- titre de l'ouvrage;
- numéro d'ordre de l'édition (s'il y a lieu);
- mention de traduction (le cas échéant);
- lieu de publication;
- nom de l'éditeur ou nom de la maison d'édition;
- année de publication;
- nombre de tomes ou de volumes (le cas échéant);
- nombre de pages.

Exemple : BENTLEY, Peter. *L'image de marque en publicité*, 2ᵉ éd. rev. et augm., trad. de l'américain par Anne-Sophie Saint-Pierre, Québec, Bernardin, 1991, 245 p.

Lorsque de nombreux ouvrages ont été consultés, il est recommandé de diviser la bibliographie en sections.

Exemple :
1. Ouvrages généraux
2. Ouvrages spécialisés
3. Articles de périodiques
4. Publications gouvernementales

Disposition

Voici quelques normes concernant la présentation des différents éléments d'une notice, ou description bibliographique.

Les différents renseignements sont séparés par une virgule, sauf le prénom de l'auteur et le titre, séparés par un point.

Nom et prénom de l'auteur

- Le nom et le prénom de l'auteur ne doivent pas être abrégés.
- Le nom s'écrit en majuscules et est suivi d'une virgule, du prénom en minuscules et d'un point.
- S'il y a deux auteurs, leurs noms et prénoms sont tous les deux indiqués. Dans le cas de la deuxième personne, le prénom précède le nom.

Exemple : BRISEBOIS, Alain, et Jacqueline TREMBLAY.

- S'il y a plus de trois auteurs, on écrit le nom et le prénom de la première personne et on ajoute « et autres ».
- Si l'on cite un ouvrage d'un organisme ou d'une société et qu'aucune personne n'est mentionnée, on inscrit le nom de cet organisme en majuscules, à la place du nom de l'auteur.

Exemple : OFFICE DE LA LANGUE FRANÇAISE.

Titre de l'ouvrage

- Le titre du volume est noté en italique et est suivi d'une virgule.
- Si l'ouvrage a un sous-titre, ce dernier est présenté à la suite du titre. Il est également inscrit en italique. Les deux mentions sont séparées par un deux-points.

Exemple : *Théories comptables : Guide de l'étudiant,*

Numéro d'ordre de l'édition

- S'il s'agit d'une réédition, on indique le numéro de cette édition et, s'il y a lieu, les mentions « rev. », « corr. », « augm. » (revue, corrigée, augmentée) ou « mise à jour ».

Exemple : 2ᵉ éd. rev. et augm.,

Mention de traduction

- Si l'ouvrage a été traduit, on fait suivre le titre ou le numéro de l'édition de la mention « trad. de *(langue d'origine)* par *(nom du traducteur)* ».

Lieu de publication

- On inscrit le nom de la ville dans laquelle l'ouvrage a été publié.
- Si le lieu ne figure pas, on le remplace par l'abréviation « s. l. » (sans lieu).

Nom de l'éditeur ou de la maison d'édition

- On écrit intégralement le nom de l'éditeur ou de la maison d'édition.
- Si l'ouvrage ne comporte pas cette mention, on indique « s. éd. » (sans éditeur).

Année de publication

- On inscrit la date qui figure sur la page de titre de l'ouvrage. Si elle n'y figure pas, on mentionne celle qui accompagne le copyright.
- On écrit « s. d. » (sans date) si aucune date n'apparaît ou « s. l. n. d. » (sans lieu ni date) si aucune date ni aucun lieu ne sont indiqués.

Numéro de tome ou de volume

- S'il y a lieu, on indique en chiffres romains le numéro du volume ou du tome consulté.

  Exemple :   ..., tome I,...

- Il est possible d'employer les abréviations « t. » (tome) et « vol. » (volume).

Nombre de pages

- On inscrit le nombre de pages suivi de l'abréviation « p. ».
- Si aucun nombre de pages n'est mentionné, on écrit « s. p. » (sans pagination).

Description d'un article de journal ou de revue

Lorsqu'on décrit un article de journal ou de revue, on inscrit les éléments dans l'ordre suivant :

- nom de l'auteur écrit en majuscules, suivi d'une virgule, du prénom en minuscules et d'un point ;
- titre de l'article placé entre guillemets ;
- nom du journal ou de la revue en italique ;
- lieu de publication entre parenthèses (s'il s'agit d'un article de journal) ;
- mention du volume ou du numéro du journal ou de la revue et de sa date de publication ; s'il s'agit d'une revue mensuelle, on fait suivre le volume et le numéro de la revue du mois et de l'année ;
- les numéros des première et dernière pages de l'article.

Exemples :   GIROUARD, Francine. « Qui écrit quoi », *L'Écho du Saguenay*, (Chicoutimi), vol. 14, 17 juin 20xx, p. 7.

LALLIER, Alfred. « Les nouvelles taxes et leurs conséquences », *Affaires d'aujourd'hui*, vol. 3, n° 4, avril 20xx, p. 18-23.

Description de documents électroniques

L'utilisation de documents électroniques est de plus en plus fréquente. Les renseignements trouvés dans Internet, sur cédérom ou sur tout autre genre de document électronique doivent être cités avec exactitude dans la bibliographie.

Voici quelques exemples de l'ordre approprié pour noter les éléments de ce type de référence.

- Site Web
  UNIVERSITÉ LAVAL. Bibliothèque. *Site de la bibliothèque de l'Université Laval*, [En ligne]. [http://www.bibl.ulaval.ca] (9 janvier 2004).

- Ressource Internet
  CARON, Rosaire. « Comment citer un document électronique ? », Université Laval. Bibliothèque. *Site de la Bibliothèque de l'Université Laval,* [En ligne]. [http://www.bibl.ulaval.ca/doelec/citedoce.html] (9 janvier 2004).

- Cédérom
  CLÉMENT, Gaétan. « Que la phrase se rhabille ! » *Maturation syntaxique*, [2 cédéroms], Montréal, Micro-intel, c2001.

- Logiciel
  Terminologie comptable, éd. augm., version Windows, [Logiciel], Québec, ministère de l'Éducation, 2002, 1 disquette format 3½.

- Article dans un périodique en ligne
  EL KOURI, Rima. « L'éducation, une priorité ? », *L'actualité,* [En ligne], n° 27, mai 2003. [http://www.lactualite.com] (7 juin 2003).

Disposition

- Le mot « bibliographie » est centré et inscrit en majuscules, en caractères gras et à 6 cm ou à 7 cm du haut de la feuille. Quatre interlignes le séparent de la première notice bibliographique.
- À l'aide du logiciel de traitement de texte que vous utilisez, vous pouvez classer par ordre alphabétique d'auteurs les ouvrages consultés.
- La disposition des références se fait à interligne simple, mais un interligne double sépare deux notices.
- Un retrait de cinq espaces est effectué à partir de la deuxième ligne d'une même description.
- Tous les éléments d'une notice sont séparés par une virgule, sauf dans le cas suivant : à la suite de la mention du ou des auteurs.
- Pour mémoriser plus facilement l'ordre des éléments d'une notice bibliographique, retenez que, après l'auteur :
  – figure, en italique, ce que l'on tient dans ses mains (livre, revue);
  – le reste peut se résumer par VEAP, soit Ville, Édition, Année, Pages.

Un modèle de bibliographie est présenté à la page suivante.

Modèle de bibliographie

La fonction Marge flottante ou Retrait négatif vous permet d'obtenir cette disposition : la première ligne est contre la marge et la deuxième est en retrait.

↓ 6 ou 7 cm

BIBLIOGRAPHIE

↓ 4 interlignes

↓ 2

BOULANGER, Bernard, et Nathalie LAPERLE. « Les messages publicitaires », *Pub-Info*, vol. 2, n° 9, 9 octobre 20xx, p. 69-71.

CLAS, André, et Paul A. HORGUELIN. *Le français, langue des affaires*, 3e éd., Montréal, McGraw-Hill, 1991, 422 p.

Corel Print House, version 1.1, [Cédérom], Dublin, Corel Corporation, c1995.

DUCLOS, Lise. « La publicité : tout un art ! », *La Nouvelle* (Montréal), vol. 5, 9 mars 20xx, p. 23.

GOLDSTEIN, Marc. *BOF - Bréviaire d'orthographe française*, [En ligne]. [http://mapage.cybercable.fr/marcpage/bof.htm] (11 janvier 2004).

GOUVERNEMENT DU QUÉBEC. *Les organigrammes*, Québec, Éditeur officiel du Québec, 20xx, 233 p.

L'index

L'index est la dernière page annexe présentée dans un rapport. On y trouve, placés par ordre alphabétique, tous les sujets traités ainsi que les noms de personnes ou de lieux cités dans le rapport, accompagnés de la page à laquelle chaque terme figure.

Dans la rédaction de courts rapports, la présence d'un index n'est pas nécessaire. Si le rapport est volumineux, l'index facilite le repérage rapide d'un sujet. À titre d'exemple, voyez l'index du présent volume.

Plusieurs logiciels peuvent créer automatiquement un index. Il convient alors de respecter les étapes décrites dans le guide d'apprentissage du logiciel utilisé.

6.8.9 Autres éléments à considérer

La citation

Une citation est un extrait d'un ouvrage, d'un article de revue ou de journal. Elle appuie une idée ou un fait présenté dans le texte du rapport. Elle est généralement transcrite intégralement.

Disposition

- Les citations de trois lignes ou moins sont placées entre guillemets et doivent être suivies d'un appel de note qui renvoie à leur référence bibliographique donnée en bas de page. Elles sont intégrées au texte.

- Une citation de plus de trois lignes est séparée du texte par un double inter-ligne avant et après et disposée à interligne simple. Elle commence et se ter-mine en retrait à environ cinq espaces des marges de gauche et de droite. Elle est également suivie d'un appel de note qui renvoie à sa référence bibliogra-phique donnée en bas de page.
- Une citation très longue devrait être reportée en annexe.
- Il est préférable de placer une citation sur une seule page.
- Si l'on désire abréger une citation, on remplace les mots à retrancher par des points de suspension entre crochets.
- Si l'on veut ajouter des mots dans une citation, on les écrit entre crochets.
- Si l'on désire signaler une erreur dans le passage cité, on ajoute après la faute le mot « sic » entre crochets.

Modèle de citation

> Pour ce genre de citation, vous pouvez utiliser la fonction Retraits à gauche et à droite ou Marge provisoire double.

Afin de favoriser une réflexion personnelle avant d'aborder le vif

du sujet, voici une citation qui résume assez bien la situation

actuelle :

> [...] les attitudes jouent un rôle de premier plan dans le processus d'achat et dans l'efficacité de la publicité parce qu'elles constituent les lien [sic] entre l'information reçue (en particulier par la publicité) et celle qui est perçue de façon sélective par un consommateur [ou une consommatrice][1].

↓2

↓2

↓1

L'appel de note

L'appel de note, souvent un chiffre, indique au lecteur de se reporter à une note ou à une référence en bas de page. À titre d'exemple, voyez le chiffre d'appel qui apparaît dans le modèle de citation présenté ci-dessus.

Disposition

- Le chiffre d'appel est surélevé d'un demi-interligne et peut être placé entre parenthèses s'il suit un chiffre inscrit dans le texte.
- Dans le texte, l'appel de note suit immédiatement le mot ou le passage qui fait l'objet du renvoi.
- En bas de page, on indique le même chiffre devant la note ou la référence.
- Les chiffres d'appel sont inscrits de façon continue dans un chapitre.

La note et la référence de bas de page

Les notes de bas de page peuvent préciser l'utilisation d'un mot ou d'une expres-sion, ajouter un commentaire ou un renseignement pertinent.

Les références de bas de page indiquent la source d'une citation ou d'un document que l'on a utilisé.

Un modèle de note de bas de page et un modèle de références de bas de page sont présentés à la page suivante.

Disposition

- Les notes et les références sont précédées de leur chiffre d'appel, lequel est suivi d'un point et de deux espaces. Elles sont numérotées à la suite dans un même chapitre, mais la numérotation recommence à chaque nouveau chapitre.
- Les notes et les références sont disposées à interligne simple et séparées du texte par un court filet (trait horizontal d'environ 3,5 cm) commençant à la marge de gauche. Ce filet est précédé et suivi d'un interligne double.
- Vous pouvez créer une note de bas de page, en réviser le contenu et en modifier l'apparence en suivant la procédure d'insertion de note de bas de page décrite dans les options offertes par le logiciel que vous utilisez.
- La note ne doit pas couvrir plus du dernier tiers d'une page. Une note plus longue sera reportée en annexe.

Modèle de note de bas de page

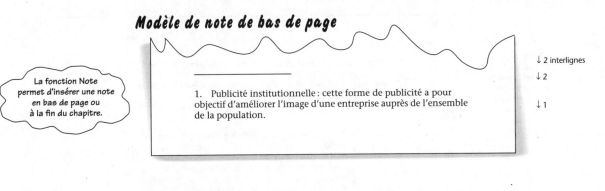

> La fonction Note permet d'insérer une note en bas de page ou à la fin du chapitre.

↓ 2 interlignes
↓ 2
↓ 1

1. Publicité institutionnelle : cette forme de publicité a pour objectif d'améliorer l'image d'une entreprise auprès de l'ensemble de la population.

Modèle de références de bas de page

↓ 2 interlignes
↓ 2
↓ 1
↓ 2
↓ 1

1. Prénom NOM, *Titre du volume*, lieu de publication, nom de l'éditeur ou de la maison d'édition, année de publication, p. … (numéro de la page consultée).

2. Prénom NOM, « Titre de l'article », *nom de la revue*, vol. …, n° …, (jour, mois, 20xx), p. …-… (numéros des première et dernière pages consultées).

- Dans les références de bas de page, il est possible d'abréger la description bibliographique lorsqu'un ouvrage est cité une deuxième fois. Voici les deux abréviations les plus fréquentes :
  - *Ibid.* est l'abréviation de *ibidem*, un mot latin qui signifie « au même endroit, dans le même ouvrage ». On l'emploie lorsqu'on cite le même volume dans deux références consécutives. Cette abréviation, qui remplace alors les nom et prénom de l'auteur, le titre, le lieu, l'éditeur et l'année, est inscrite en italique. Elle est suivie d'une virgule et du numéro de la page. Vous trouverez à la page suivante un modèle d'emploi de l'abréviation *ibid*.

– *Id.* est l'abréviation de *idem*, un mot latin qui signifie « la même chose ». On l'utilise lorsque l'auteur est la même personne qu'à la référence précédente, mais que l'ouvrage est différent. Cette abréviation, qui remplace alors les nom et prénom de l'auteur, est également écrite en italique. Elle est suivie d'une virgule, du titre du nouveau volume et des autres éléments de la référence. Ci-dessous vous est présenté un modèle d'emploi de l'abréviation *id.*

Modèle d'emploi de l'abréviation ibid.

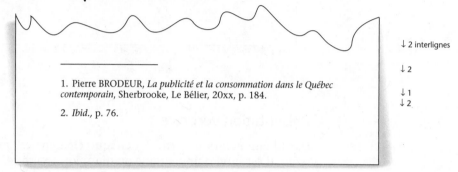

↓ 2 interlignes

↓ 2

1. Pierre BRODEUR, *La publicité et la consommation dans le Québec contemporain*, Sherbrooke, Le Bélier, 20xx, p. 184.   ↓ 1
↓ 2
2. *Ibid.*, p. 76.

Modèle d'emploi de l'abréviation id.

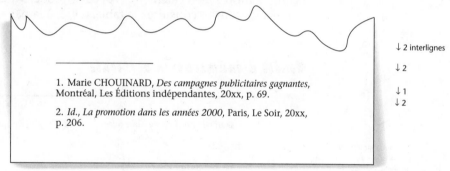

↓ 2 interlignes

↓ 2

1. Marie CHOUINARD, *Des campagnes publicitaires gagnantes*, Montréal, Les Éditions indépendantes, 20xx, p. 69.   ↓ 1
↓ 2
2. *Id.*, *La promotion dans les années 2000*, Paris, Le Soir, 20xx, p. 206.

L'énumération

Il existe deux façons de présenter une énumération : soit horizontalement, soit verticalement.

Présentation horizontale

L'énumération horizontale est écrite au fil du texte. Les éléments sont séparés par un point-virgule. Vous trouverez un modèle d'énumération horizontale à la page suivante.

Modèle d'énumération horizontale

Plusieurs techniques de promotion peuvent être utilisées par les

entreprises : 1. les timbres-primes; 2. les primes; 3. les bons de

réduction; 4. les concours et les loteries; 5. les expositions

commerciales.

↓ 2 interlignes

Présentation verticale

Dans l'énumération verticale, chaque élément est inscrit sur une ligne diffé-rente. Il est suivi d'une virgule ou d'un point-virgule, excepté celui qui termine la phrase, qui est suivi d'un point. Dans un rapport, l'énumération est mise en forme à interligne double, mais on peut utiliser l'interligne simple si elle est très longue. Dans une lettre ou tout autre document présenté à interligne simple, l'énumération l'est également. Voyez le modèle d'énumération verticale pré-senté ci-dessous et consultez le tableau 4.2, à la page 132.

Modèle d'énumération verticale

Pour une énumération verticale, vous pouvez utiliser la fonction Puces et numéros. Si le texte est déjà saisi, vous le sélectionnez et lui attribuez le format (puces et numéros) désiré.

Plusieurs techniques de promotion peuvent être utilisées par les

entreprises :

a)   les timbres-primes;

b)   les primes;

c)   les bons de réduction;

d)   les concours et les loteries;

e)   les expositions commerciales.

↓ 2 interlignes

↓ 2

Les logiciels de traitement de texte offrent plusieurs caractères spéciaux qui peuvent orner la présentation d'une énumération. Cependant, la même ponc-tuation est ajoutée à la suite de chaque élément.

La pagination

- Les pages liminaires du rapport peuvent être numérotées en chiffres romains minuscules, centrés au bas de la page, sans point ni tiret.

- La pagination en chiffres arabes commence à partir de l'introduction. Les numéros sont indiqués dans l'angle supérieur droit de la page, sans point ni tiret. Ils sont alignés sur la marge de droite et placés à environ 2,5 cm du haut de la page.
- Toutes les pages du rapport sont comptées dans la numérotation, de la première page de l'introduction jusqu'à la dernière des pages annexes. Cependant, toutes les pages qui commencent par un titre (introduction, chapitre, conclusion, annexe, bibliographie, etc.) ne doivent pas porter de numéro.

Il est important de bien connaître les fonctions et les options offertes par le logiciel que vous utilisez, afin de déterminer l'emplacement de la pagination et de choisir l'omission de la numérotation sur certaines pages du document.

La signature

- Le rapport peut être signé par la ou les personnes qui l'ont rédigé.
- La signature figure parfois à la fin de la dernière partie principale du rapport, c'est-à-dire à la fin de la conclusion ou des recommandations.
- Le nom est suivi du titre du rédacteur.

Vous trouverez ci-dessous une grille de relecture du rapport. La vérification de tous les points énumérés vous aidera à présenter un rapport de qualité quant à la disposition de ses parties.

TABLEAU 6.6
Grille de relecture du rapport

Points à vérifier	✓
La page de titre	
Une marge supérieure de 6 cm à 7 cm est fixée.	
Les éléments sont centrés horizontalement.	
Selon le nombre d'éléments à inscrire, des espaces équivalents sont réservés entre eux, dans la plupart des cas, 6 ou 8 interlignes.	
Le nom de l'entreprise d'où provient le rapport est indiqué.	
Le titre est en majuscules, en caractères gras.	
Le titre de civilité (M. ou Mme, Monsieur ou Madame), le prénom et le nom du destinataire ainsi que son titre ou son service (s'il y a lieu) sont précisés.	
L'indication « par » est en minuscules et n'est suivie d'aucun signe de ponctuation.	
Le prénom, le nom du rédacteur ainsi que son titre ou son service (s'il y a lieu) sont indiqués.	
Le lieu et la date y figurent.	
Les parties principales **Introduction, développement et conclusion**	
Chaque partie débute sur une nouvelle page. Une marge supérieure est fixée à 6 cm ou à 7 cm.	
Une marge supérieure de 2,5 cm est fixée pour les autres pages.	
Les marges latérales sont de 3 cm à 3,5 cm.	

TABLEAU 6.6 (SUITE)

Points à vérifier	✓
Les titres de premier niveau ont la même taille et sont de la même police. Ils sont inscrits en majuscules, en caractères gras et centrés. Ils sont suivis de 4 interlignes.	
Les titres de deuxième niveau ont tous la même taille et sont de la même police. Ils débutent contre la marge de gauche. Ils sont suivis de 2 ou de 4 interlignes.	
Les titres de troisième niveau ont tous la même taille et sont de la même police.	
Un ordre numérique ou alphanumérique est donné aux titres de premier, de deuxième et de troisième niveaux.	
Le texte est présenté à double interligne.	
Aucun paragraphe ne débute à la dernière ligne d'une page.	
Aucun mot n'est coupé à la fin d'une page.	
Aucune fin de partie ne se termine par une seule ligne sur une page.	
La présentation est uniformisée.	
La pagination	
La pagination en chiffres arabes débute avec l'introduction.	
La première page de chacune des parties n'est pas paginée.	
La pagination est indiquée, sans point ni tiret, à la marge supérieure droite ou centrée à la marge inférieure.	
La table des matières	
Si elle est courte, elle est centrée verticalement et horizontalement. Sinon, elle débute à 6 cm ou à 7 cm.	
Le titre « table des matières » est centré, en majuscules, en caractères gras et suivi de 4 interlignes.	
Tous les titres et tous les intertitres du rapport y figurent.	
Les titres de premier niveau sont précédés de 4 interlignes et suivis de 2 interlignes.	
L'interligne simple est choisi pour les subdivisions.	
La mention « Pages » est indiquée contre la marge de droite et est précédée de 2 interlignes et suivie de 2 interlignes.	
Des points de conduite relient chaque titre et chaque intertitre à la page correspondante.	
Les annexes sont indiquées et numérotées en chiffres romains.	

TABLEAU 6.6 (SUITE)

Points à vérifier	✓
Énumération, citation, référence de bas de page	
Les **énumérations** sont disposées horizontalement ou verticalement selon leurs normes respectives.	
Une **citation** de plus de 3 lignes est présentée à interligne simple et est séparée du texte par un double interligne avant et après; elle commence et se termine en retrait de 5 espaces des marges de gauche et de droite; elle est suivie d'un chiffre d'appel surélevé d'un demi-interligne.	
La **note** ou la **référence de bas de page** est précédée d'un filet de 3,5 cm. Elle est numérotée. L'interligne simple est utilisé. Elle est présentée selon les normes qui lui sont propres.	
Les annexes	
Une marge supérieure de 6 cm ou de 7 cm est fixée.	
Le mot « Annexe » est inscrit en caractères gras. Il est suivi de sa numérotation en chiffres romains. Quatre interlignes le séparent du titre du tableau ou du graphique.	
La bibliographie	
Le mot « bibliographie » est inscrit en majuscules, en caractères gras et centré. Une marge supérieure de 6 cm ou de 7 cm est fixée.	
L'inscription par ordre alphabétique des **noms d'auteurs** est respectée. Le nom de l'auteur est inscrit en majuscules, suivi d'une virgule, de son prénom avec la majuscule initiale et d'un point.	
Les autres éléments sont séparés par une virgule : titre de l'ouvrage en italique, lieu de publication, nom de l'éditeur, année de publication, nombre de pages.	
Un retrait de 5 espaces est effectué à la deuxième ligne de chaque notice bibliographique. Chaque description est présentée à interligne simple mais deux interlignes séparent deux notices.	
Les documents électroniques sont cités selon les normes qui leur sont propres.	
Remise du rapport	
Les différentes parties sont présentées dans l'ordre requis.	

7 Les réunions

Objectif général
Effectuer les tâches relatives à l'organisation et au suivi des réunions d'affaires.

Objectifs intermédiaires
- Effectuer les tâches qui touchent la préparation matérielle des réunions.
- Préparer, rédiger et mettre en forme les documents concernant les réunions.
- Connaître les règles des assemblées délibérantes.
- Employer une méthode de prise de notes.

7.1 Généralités

Les réunions d'affaires jouent un rôle important dans la planification et l'évolution des activités d'une entreprise. L'analyse d'un problème ou l'étude d'un projet relève de plus en plus d'une concertation entre plusieurs gestionnaires plutôt que d'une décision unilatérale exprimée par une autorité.

Pour être productive, une réunion doit être préparée avec soin. D'une planification adéquate pourront découler des discussions fructueuses.

Le succès d'une réunion dépend en grande partie de la participation active de chaque personne présente. Des spécialistes invités à donner des renseignements précis sur un sujet à l'ordre du jour peuvent également favoriser une prise de décision éclairée. Une réunion peut avoir pour objet les sujets suivants :

- le lancement d'un nouveau produit;
- l'organisation d'un nouvel horaire de travail;
- le choix d'une campagne publicitaire;
- l'approbation d'un budget;
- l'amélioration des conditions matérielles;
- la planification des activités d'une année;
- un problème particulier (*ex. :* absentéisme, règlements internes), etc.

Dans ce chapitre, vous apprendrez dans un premier temps à organiser une réunion et étudierez quelques règles des assemblées délibérantes. Par la suite, vous verrez la façon de rédiger et de mettre en forme des documents relatifs à la préparation et au déroulement d'une réunion. En dernier lieu, vous prendrez connaissance de quelques notions sur l'organisation de congrès et de colloques.

7.2   *Les types de réunions ou d'assemblées*

Une **réunion** rassemble plusieurs personnes qui étudient un ou des sujets particuliers, en discutent et prennent les décisions nécessaires. Elle est convoquée à une date, à une heure et dans un lieu précis. Les personnes intéressées doivent être informées de la tenue de la réunion dans des délais qui respectent les statuts et règlements de l'entreprise. Une **assemblée** est un rassemblement auquel est convoqué un nombre de personnes plus élevé que dans le cas de la réunion. Toutes les personnes invitées peuvent appartenir à une même organisation. Il existe des réunions et des assemblées :

- **ordinaires.** Ces réunions et ces assemblées sont planifiées de façon régulière, c'est-à-dire une fois par semaine, une fois par mois ou selon les besoins. On y traite de sujets courants et on y prend des décisions qui sont liées au fonctionnement normal de l'entreprise. Un avis de convocation, un ordre du jour ainsi que le procès-verbal de la rencontre précédente sont remis aux personnes convoquées. La rencontre ne peut avoir lieu sans la présence d'un nombre suffisant de personnes. Elle débute par l'adoption de l'ordre du jour ;
- **générales.** Ces réunions et ces assemblées se tiennent habituellement une fois par an. Un avis de convocation, un ordre du jour, le procès-verbal de la dernière rencontre générale et les états financiers de l'entreprise sont remis ou expédiés aux membres dans les délais prévus par les règlements de l'entreprise. Il est nécessaire de vérifier le quorum (nombre minimum de personnes présentes exigé) pour que la rencontre soit valide. Les membres doivent adopter l'ordre du jour ;
- **extraordinaires.** Ces réunions et ces assemblées sont convoquées quand une question urgente exige une prise de décision importante qui ne peut attendre la tenue d'une rencontre régulière.

Un **comité** regroupe des personnes habituellement nommées par une assemblée. Il a pour rôle d'étudier des questions ou des projets précis pour ensuite présenter des recommandations. Il existe deux genres de comités : le **comité spécial** et le **comité permanent.**

Le comité spécial est élu pour étudier et analyser un sujet ou un projet précis. Après avoir recueilli tous les renseignements nécessaires et proposé des recommandations, ce comité est dissous.

Le comité permanent est nommé pour une période déterminée. Il étudie les divers dossiers qui lui sont confiés. Ses membres se réunissent selon les besoins ou suivant les échéances que le comité a lui-même fixées.

D'autres types de rencontres qui se déroulent généralement à l'extérieur des entreprises peuvent également regrouper un grand nombre de personnes. Ainsi en est-il des colloques, congrès, journées d'étude, séminaires et symposiums. Leur planification est le plus souvent confiée à un comité organisateur.

Les grandes entreprises peuvent tenir des réunions à distance au moyen de lignes téléphoniques (ce que l'on appelle couramment des conférences téléphoniques) pour préciser un point de l'ordre du jour de la dernière réunion, désigner les documents nécessaires pour la prochaine rencontre, etc. Pour ces entreprises, il s'agit d'un moyen privilégié pour éviter des déplacements parfois coûteux lorsque l'ensemble du personnel est réparti dans diverses régions.

7.3 La préparation d'une réunion

Vous trouverez dans la présente section de l'information sur la façon d'organiser une réunion. Veuillez noter que les différentes tâches dont il y est question peuvent également s'appliquer à la préparation d'une assemblée délibérante.

7.3.1 Le rôle du personnel de secrétariat

Plusieurs tâches relatives à la préparation et au suivi d'une réunion peuvent faire partie de vos responsabilités. Elles sont plus ou moins nombreuses selon que la réunion est convoquée par votre supérieur ou que votre supérieur est convoqué à une réunion.

Dans le premier cas, les tâches énumérées ci-dessous peuvent vous être confiées.

- Consulter l'agenda de votre supérieur.
- Consulter les agendas des personnes à convoquer (*ex. :* agenda électronique de groupe).
- Suivant la disponibilité des personnes intéressées, fixer la date de la réunion (après avoir consulté votre supérieur).
- Ouvrir un dossier en prévision de la réunion.
- Établir le calendrier de préparation de la réunion.
- Selon les besoins :
  - réserver une salle, du matériel et des services;
  - réserver des chambres d'hôtel et des moyens de transport;
  - recueillir des dépliants publicitaires sur l'hébergement et les points touristiques de la région.
- Rédiger et expédier l'avis de convocation et l'ordre du jour, après avoir vérifié les coordonnées des personnes à convoquer.
- Choisir le moyen d'acheminement des documents.
- Vérifier le procès-verbal de la dernière réunion afin de le transmettre aux participants.
- Déterminer quels documents d'accompagnement sont nécessaires et préparer le dossier des participants.
- Effectuer les dernières vérifications.

Toutes ces tâches exigent une bonne méthode de travail, un souci de la précision et de la facilité à communiquer verbalement et par écrit. De plus, si vous assistez à la rencontre, vous pourriez devoir prendre des notes et rédiger par la suite le procès-verbal de la réunion.

Dans le cas d'une réunion à laquelle a été convoqué votre supérieur, votre rôle se limite à vérifier son agenda, à lui rappeler le lieu, la date et l'heure de la rencontre ainsi qu'à préparer les documents requis.

7.3.2 La description des tâches d'organisation

Toute réunion se doit d'être bien préparée. Selon la situation, une autorité peut vous confier une partie ou la totalité des tâches qui sont décrites dans la présente section.

Consulter l'agenda de votre supérieur immédiat

Si vous avez à fixer vous-même la date et l'heure d'une réunion, il est important de consulter l'agenda de votre supérieur immédiat pour vérifier les activités et les rendez-vous déjà prévus. D'autres facteurs peuvent également influencer le choix d'une date : des activités similaires organisées dans la région, les vacances annuelles, le temps des fêtes, le jour de la semaine et le taux d'occupation des hôtels (dans le cas où des personnes convoquées viennent de l'extérieur). Il faut également prévoir le délai nécessaire pour la préparation de la réunion.

Consulter l'agenda des personnes à convoquer

Voici quelques précisions sur les différents moyens de vérifier la disponibilité des personnes à convoquer.

Consultation de l'agenda électronique

Plusieurs entreprises dans lesquelles les communications sont traitées à l'aide de micro-ordinateurs utilisent les fonctions de calendrier et d'agenda électroniques. Les membres du personnel cadre tiennent leur agenda et le mettent à jour, et peuvent avoir accès à l'agenda des autres cadres. Dans le cas d'une réunion à planifier, la personne qui convoque peut afficher à l'écran, l'un à la suite de l'autre, l'emploi du temps des personnes intéressées. Le jour et l'heure de la réunion sont fixés après une vérification de la disponibilité de ces gens. À la suite de cette consultation, la date, l'heure et le sujet de la réunion peuvent être inscrits dans l'agenda de chacun.

Consultation par télécopie

Le télécopieur permet de transmettre en fac-similé un document graphique de format standard, en quelques minutes, quelle que soit la distance. Il est évidemment nécessaire que les deux correspondants possèdent un télécopieur. Il suffit alors d'insérer le document à l'endroit prévu, de composer le numéro d'appel du destinataire et d'appuyer sur une touche de fonctionnement. Par ce moyen, la personne qui convoque peut demander aux intéressés de confirmer leur disponibilité avant de fixer le jour et l'heure d'une réunion.

Utilisation du téléphone

Dans le cas où il n'y a que quelques personnes à convoquer, on peut les joindre par téléphone.

Utilisation du courrier électronique

De plus en plus d'entreprises communiquent entre elles par courrier électronique. Vous récupérez l'adresse électronique du destinataire, tapez son nom et le texte à transmettre, puis appuyez sur la touche d'envoi. Le message sera aussitôt placé dans la « boîte aux lettres » électronique du destinataire. Quand celui-ci consultera sa boîte aux lettres, le texte envoyé sera récupéré dans sa forme originale.

Le courrier électronique constitue un moyen très efficace de vérifier la disponibilité des personnes à convoquer à une réunion et de leur transmettre l'ordre du jour.

Ouvrir un dossier en prévision de la réunion

Vous ouvrez un dossier que vous intitulez « Réunion du comité (*nom du comité*) – (*date de la réunion*) ». Vous y déposez la liste des personnes à convoquer et, s'il y a lieu, d'autres documents relatifs à la réunion.

Établir le calendrier de préparation de la réunion

L'établissement d'un calendrier permet de fixer les dates d'exécution des diverses tâches relatives à l'organisation d'une rencontre. Cette méthode de travail offre l'avantage de présenter sous forme de tableau toutes les étapes à suivre. Vous trouverez ci-dessous un modèle de calendrier de préparation de réunion.

Modèle de calendrier de préparation de réunion

CALENDRIER DE PRÉPARATION DE LA RÉUNION
(Nom du comité)

Le _____ 20____

Vous pouvez insérer ou créer un tableau en définissant les largeurs de colonnes appropriées.

Tâches relatives à la préparation de la réunion	Date d'exécution
Consulter l'agenda de (*indiquer le nom de votre supérieur immédiat*)	
Consulter l'agenda des personnes à convoquer	
Fixer le lieu et la date de la réunion	
Ouvrir un dossier	
Réserver une salle ainsi que le matériel et les services nécessaires	
Recueillir des dépliants publicitaires sur l'hébergement, les moyens de transport et les points touristiques de la région	
Vérifier la liste des personnes à convoquer	
Rédiger l'avis de convocation et l'ordre du jour, puis choisir le mode d'acheminement approprié	
Vérifier le procès-verbal de la dernière réunion (s'il y a lieu) afin de le mettre à la disposition des participants	
Préparer le dossier des participants	
Confirmer la présence des personnes invitées (s'il y a lieu)	
Effectuer les dernières vérifications	

Réserver une salle et le matériel et les services nécessaires

Une fois la date fixée et le nombre de participants prévu, il faut réserver une salle, le matériel et les services requis. Selon le type de réunion, il peut être préférable d'attendre la réponse des gens avant de procéder aux réservations.

Pour bien choisir une salle, vous devez tenir compte :

- du nombre de personnes attendues;
- du lieu de provenance des participants (s'il s'agit d'une réunion qui aura lieu à l'extérieur de l'entreprise);
- de la facilité à obtenir le matériel et les services nécessaires;
- du rapport qualité-prix.

Dans la demande de réservation du matériel et des services, il est important d'énumérer avec précision les appareils et les services désirés.

L'utilisation de certains appareils peut contribuer à la réussite d'une réunion d'affaires. À titre d'exemples, regardons de plus près le rôle de quelques supports techniques pouvant être utiles lors d'une réunion d'affaires.

1. Le **logiciel** de présentation graphique permet d'organiser et d'illustrer les données de la réunion. Pendant que l'animateur livre son message, une image comprenant du texte, des graphiques ou des objets animés sont projetés. Selon le nombre de participants, la présentation peut être affichée sur un écran d'ordinateur, un téléviseur ou un écran de projection.
2. Le **rétroprojecteur** sert à projeter un document sur un écran. Il permet d'appuyer des explications verbales par une présentation visuelle. Cette manière de procéder favorise la compréhension du sujet traité.
3. L'utilisation de **transparents électroniques** permet, à partir d'un ordinateur, de visualiser sur un écran les données affichées. Un **projecteur multimédia** branché à un ordinateur permet également de communiquer de l'information par du texte, des images, des sons. *Ex. :* cédérom, site Internet.
4. Le **magnétoscope** s'avère particulièrement utile pour présenter un document sonore et visuel connexe au sujet discuté.
5. La **vidéoconférence** est une téléconférence permettant non seulement la transmission de la parole et de documents graphiques, mais aussi de l'image animée des participants sur un écran de téléviseur.

À ces quelques supports techniques peuvent s'ajouter une chaîne stéréophonique, un service de traduction simultanée et du matériel complémentaire, comme des rallonges électriques, des microphones, une tribune, un tableau, des crayons-feutres, etc.

Lorsque vous évaluez la durée d'une réunion, il peut être judicieux d'ajouter de 15 à 30 minutes à la durée initialement prévue. Ce temps supplémentaire évitera une fin de réunion hâtive, dans le cas où la salle serait réservée pour une tranche horaire suivant immédiatement celle de la réunion. Demandez une confirmation écrite de la réservation de la salle : elle vous permettra de vérifier si l'on a bien noté les heures pour lesquelles vous louez la salle ainsi que les services nécessaires.

La réservation d'une salle et de matériel comprend les éléments suivants :

- nom de l'entreprise, de l'association ou du comité qui convoque;
- date et heure de la réunion;
- durée de la rencontre;
- nombre de participants;
- énumération du matériel et des services requis;
- demande de confirmation. Cette réservation est généralement acheminée par télécopieur ou par courrier électronique (voir un modèle à la page suivante).

À l'intérieur d'une entreprise, pour réserver une salle et le matériel requis, on peut utiliser un cahier de réservation des salles et un cahier de réservation du matériel. Vous trouverez un modèle de chacun d'eux à la page suivante. Le courrier électronique peut également être utilisé.

Modèle de réservation par lettre acheminée par télécopieur[1]

↓ 6 ou 7 cm

LE GROUPE VANOLET LTÉE
627, rue Bougie, Montréal (Québec)   H2L 3X7

Téléphone : 514 555-4000
Télécopieur : 514 555-4111
Courriel : gvanolet@via.com

Le 6 février 20xx

↓ 5 interlignes

Madame Esther Larrimée
Hôtel de Morphée
5198, rue du Dortoir
Montréal (Québec)   H4M 1X9

↓ 3

Objet : Réservation d'une salle et de matériel

↓ 3

Madame,

↓ 2

Le Groupe Vanolet ltée organise une réunion de ses représentantes et représentants le 12 mars prochain, de 9 h à 16 h. Cinquante-sept personnes doivent assister à cette rencontre.

↓ 1

↓ 2

Nous désirons réserver une salle de conférences et aurions besoin du matériel suivant : une tribune, un microphone, un magnétoscope et un tableau magnétique. Nous souhaitons également obtenir un service permanent de café et de brioches.

↓ 2

Une confirmation de cette réservation par télécopieur ou par courriel dans les plus brefs délais serait très appréciée.

↓ 2

Nous vous remercions de votre aimable collaboration et vous offrons, Madame, nos salutations distinguées.

↓ 4 à 7

Johanne Bouclair

JB/ar

Johanne Bouclair
Service des ressources humaines

---

1. Cette lettre est accompagnée d'un bordereau de télécopie.

Modèle de cahier de réservation de salle

Salle Corot

Septembre 20xx

Dimanche	Lundi	Mardi	Mercredi	Jeudi	Vendredi	Samedi
1	2 *Cours*	3	4 *Réunion M. Doré de 9 h à 13 h*	5	6 *Entrevue 15 h*	7
8	9	10 *Rencontre A. Paquin*	11	12 *Réunion personnel de bureau*	13	14
15	16	17	18 *Réunion chargés de projets*	19	20	21
22	23 *Réunion de planification*	24 *Entrevue 13 h*	25	26	27 *Dîner pour le personnel*	28
29	30					

> Plusieurs logiciels permettent d'obtenir un calendrier que vous pouvez utiliser et imprimer. Vous pouvez aussi insérer ou créer un tableau.

Modèle de cahier de réservation de matériel

Septembre 20xx

Dimanche	Lundi	Mardi	Mercredi	Jeudi	Vendredi	Samedi
1	2 *Rétroprojecteur A. Leblanc*	3	4 *Magnétoscope L. Caron*	5	6	7
8	9	10	11	12	13	14
15	16	17 *Ordinateur portatif H. Blais*	18	19	20 *Téléviseur P. Giroux*	21
22	23 *Rétroprojecteur A. Leblanc*	24	25	26 *Ordinateur portatif L. Caron*	27	28
29	30					

Recueillir de la documentation sur l'hébergement et les moyens de transport	Dans le cas où des participants viennent de l'extérieur, il faut songer à leur faire parvenir des dépliants ou des brochures sur les hôtels et les moyens de transport. À la page 267 du chapitre 8, vous trouverez de l'information sur la façon d'organiser l'hébergement des personnes venues de l'extérieur.
Vérifier la liste des personnes à convoquer	La liste des personnes à convoquer a été dressée et vérifiée avant d'inviter ces gens de façon informelle. Il importe de la vérifier régulièrement, afin d'ajouter les coordonnées de nouvelles personnes ou d'indiquer le nom des gens qui ne pourront assister à la réunion. Vous mentionnez dans votre liste le nom de chaque personne, son titre, son adresse, son adresse électronique et les numéros de téléphone où il est possible de la joindre.
Rédiger et expédier l'avis de convocation et l'ordre du jour	L'avis de convocation et l'ordre du jour sont deux types de documents indispensables à la tenue d'une réunion et bien différents l'un de l'autre. Nous abordons ici ces deux types de communications d'affaires.

L'avis de convocation

Définition

Lettre d'invitation à une réunion qui en précise le type (ordinaire, annuelle, etc.) de même que l'objet (le cas échéant), la date, l'heure et le lieu.

But

Obtenir la participation des personnes à la réunion ou à l'assemblée.

Caractéristiques

- L'avis de convocation doit être bref et précis. Il se termine par une incitation à assister à la réunion ou à l'assemblée.
- Selon les cas, cet avis prendra l'une ou l'autre des formes suivantes :
  - lettre incluant l'ordre du jour;
  - lettre et ordre du jour inscrits sur des feuilles distinctes;
  - note comprenant l'ordre du jour;
  - note et ordre du jour écrits séparément.
- Il peut être expédié environ une semaine avant la tenue de la réunion, ce qui permet aux personnes convoquées de se préparer et, s'il y a lieu, de se documenter sur les sujets qui seront abordés. Il peut également être transmis par courrier électronique avec l'ordre du jour en pièce jointe (*voir le modèle à la page suivante*).

Dans le cas d'une réunion d'un conseil d'administration ou d'actionnaires, il est recommandé d'allonger ce délai, plus particulièrement lorsque des personnes viennent de plusieurs villes de la province ou d'ailleurs.

Modèle de convocation à une réunion faite par courrier électronique

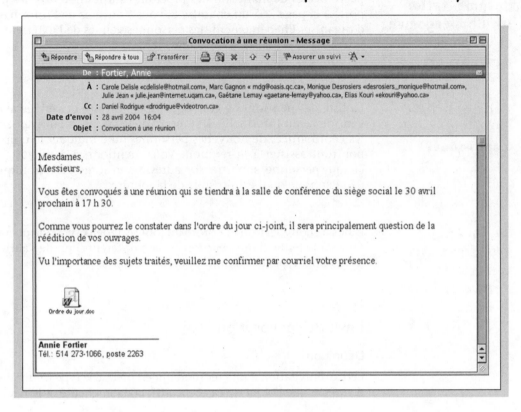

Un modèle d'avis de convocation est présenté à la page suivante, tout comme le plan d'un avis de convocation, dans le tableau 7.1.

TABLEAU 7.1
Le plan d'un avis de convocation

PLAN	TEXTE
Appel	Madame,
Nom de l'entreprise qui convoque, mention du type de réunion ou d'assemblée, date, heure et lieu de la rencontre	Le conseil d'administration du Groupe Vanolet ltée vous convoque à une réunion ordinaire mensuelle qui aura lieu le 7 mai prochain à 19 h 30, à la salle Preyel, située au 2288, rue Mandarine, à Montréal.
Principal sujet traité	Lors de cette rencontre, le principal sujet traité sera le choix de stratégies publicitaires.
Indication d'une pièce jointe	Vous trouverez ci-joint l'ordre du jour de cette réunion.
Incitation à être présent	Vu l'importance des sujets traités, votre présence serait très appréciée.
Salutation	Acceptez, Madame, nos salutations distinguées.

Disposition

Dans le cas où un avis de convocation n'inclut pas l'ordre du jour, sa mise en pages est effectuée selon les normes de présentation de la lettre à un, à deux ou à trois alignements. Il peut être utile de choisir le caractère gras pour mettre en évidence quelques éléments importants, tels que le lieu, la date et l'heure de la réunion ou de l'assemblée.

Dans le cas où l'avis de convocation inclut l'ordre du jour, ce dernier est inscrit en retrait, et les différents points sont précédés d'une numérotation et présentés à simple interligne.

Modèle d'avis de convocation

↓ 6 ou 7 cm

LE GROUPE VANOLET LTÉE   Téléphone : 514 555-4000
627, rue Bougie, Montréal (Québec)   H2L 3X7   Télécopieur : 514 555-4111
Courriel : gvanolet@via.com

Le 30 avril 20xx   ↓ 5 interlignes

Madame Claudia Catalan
2237, avenue du Chêne
Boisbriand (Québec)   H3B 1V7   ↓ 3

Objet : Avis de convocation   ↓ 3

Madame,   ↓ 2

Le conseil d'administration du Groupe Vanolet ltée vous convoque à une réunion ordinaire mensuelle qui aura lieu le 7 mai prochain à 19 h 30, à la salle Preyel, située au 2288, rue Mandarine, à Montréal.   ↓ 2

Le principal sujet abordé sera le choix de stratégies publicitaires. Vous trouverez ci-joint l'ordre du jour de cette réunion.

Vu l'importance des sujets traités, votre présence serait grandement appréciée.

Agréez, Madame, l'expression de nos sentiments les meilleurs.   ↓ 4 à 7

Georgette Mirabeau

GM/gm   Georgette Mirabeau,   ↓ 1
secrétaire

p. j.   Ordre du jour

L'ordre du jour

Définition

Énumération des points qui seront discutés lors d'une réunion.

But

Préciser le programme de la réunion.

Caractéristiques

- Comme nous l'avons mentionné auparavant, l'ordre du jour peut être inclus dans l'avis de convocation ou être présenté sur une feuille distincte.
- Les points à discuter sont inscrits brièvement et dans l'ordre où l'on prévoit les aborder.
- On emploie des substantifs pour énumérer les différents points. Aucun déterminant ne précède ces substantifs.
- Il est recommandé d'expédier l'ordre du jour au moins une semaine avant la réunion, afin que les personnes convoquées puissent préparer leurs interventions. Certaines entreprises préfèrent expédier l'ordre du jour deux ou trois semaines avant la rencontre prévue, ce qui laisse le temps d'y apporter les modifications suggérées par les membres et permet au président de proposer en début de réunion un ordre du jour définitif.
- L'ordre du jour d'une réunion ordinaire ou générale doit être adopté par les personnes présentes dès le début de la rencontre. Il est possible de le modifier avant de l'adopter. Dans le cas d'une réunion extraordinaire, l'ordre du jour n'a pas à être adopté par les participants et ne peut subir aucun changement. Seuls le ou les points inscrits à l'ordre du jour sont abordés.

Plan de rédaction

L'ordre du jour contient les points qui suivent.

1. Ouverture de la séance
2. Nomination du président et du secrétaire d'assemblée (s'il y a lieu)
3. Lecture et adoption de l'ordre du jour
4. Lecture et approbation du procès-verbal de la dernière réunion
5. Inscription des sujets à traiter
6. Questions diverses ou affaires nouvelles (sujets variés qui, lors de la lecture et de l'adoption de l'ordre du jour, peuvent être ajoutés à ceux qui sont déjà prévus)
7. Date, heure et lieu de la prochaine rencontre (le cas échéant)
8. Clôture de la séance

Note : On peut choisir le terme « réunion » à la place de « séance ».

Disposition

Le modèle d'ordre du jour que nous proposons à la page suivante respecte les normes de disposition appliquées par plusieurs entreprises ou comités. Nous indiquons la façon de disposer les éléments de l'ordre du jour.

- La disposition horizontale
  - Les lignes de texte sont de la même longueur que celles de l'avis de convocation.
  - Le titre « ordre du jour » est en majuscules, en caractères gras et centré; il est suivi de deux interlignes.
  - Le nom du comité ou de l'entreprise est en minuscules et centré.
  - Le type de réunion est en minuscules et centré.
  - Le lieu, la date et l'heure de la réunion sont en minuscules et centrés.

- La disposition verticale
  - Les éléments de l'ordre du jour sont disposés de façon que les marges supérieure et inférieure soient égales. Pour ce faire, il faut prévoir un double interligne entre le titre du document et les intertitres de l'en-tête, un quadruple interligne entre l'en-tête et le début du texte et un double interligne entre les différents points de l'ordre du jour. Finalement, les lignes restantes sont réparties également avant et après le texte.
  - Les différents points de l'ordre du jour peuvent être inscrits selon une numérotation décimale ou suivant un ordre chronologique.

Numérotation décimale	Ordre chronologique
1.	17 h ....
(*deux interlignes*)	(*deux interlignes*)
2.	17 h 30 ....
2.1	a) ......
2.2	b) ......

Modèle d'ordre du jour

Vous pouvez créer un modèle ou utiliser, en le modifiant au besoin, un modèle existant.

ORDRE DU JOUR

↓ 2 interlignes

Réunion mensuelle du conseil d'administration
du Groupe Vanolet ltée
tenue le 7 mai 20xx à 19 h 30,
à la salle Preyel,
située au 2288, rue Mandarine, à Montréal

↓ 4

1. Ouverture de la séance;

↓ 2

2. Lecture et adoption de l'ordre du jour;

3. Lecture et approbation du procès-verbal de la réunion du...;

4. Projet de publication d'un annuaire des représentantes et des représentants du Québec;

5. Projet de publication et de distribution d'une brochure publicitaire;

6. Questions diverses;

7. Clôture de la séance.

La fonction Puces et numéros permet de présenter une énumération verticale. Vous choisissez le format désiré.

L'envoi de l'avis de convocation et de l'ordre du jour

Une fois l'avis de convocation et l'ordre du jour rédigés et mis en forme, vous les faites parvenir aux personnes convoquées à la réunion. Vous pouvez joindre les documents d'accompagnement et les dossiers qui seront étudiés durant la réunion. Le procès-verbal de la rencontre précédente peut accompagner cet envoi ou être remis au début de la réunion. Pour les personnes venant de l'extérieur, il peut être judicieux d'annexer un itinéraire.

Préparer le dossier des participants

Des documents annexes peuvent représenter des sources de renseignements fort utiles sur les sujets abordés lors d'une réunion. Des tableaux statistiques, des études réalisées par d'autres organismes, des résultats d'enquête, des comptes rendus, des rapports ou des articles de journaux peuvent donc être joints au dossier des participants, s'ils n'ont pas déjà été envoyés.

Dans le cas d'une réunion ordinaire, le procès-verbal de la réunion précédente fait partie du dossier de chaque personne présente. Pour une réunion générale annuelle, on y ajoute les états financiers.

Si l'on prévoit qu'un vote secret sera demandé sur un point inscrit à l'ordre du jour, la préparation de bulletins de vote est nécessaire. Ces bulletins seront remis aux membres au moment opportun.

Effectuer les dernières vérifications

À la suite des étapes préparatoires à une réunion, voici quelques points à vérifier le jour même :

- la mise en ordre des documents à remettre aux membres (ordre du jour, pour le cas où certaines personnes l'auraient oublié, procès-verbal de la réunion précédente, documents annexes);
- la mise en place de cartons d'identification (si nécessaire);
- la vérification du matériel et des services demandés.

7.3.3 Quelques conseils pour favoriser la réussite d'une réunion

Si vous répondez affirmativement aux questions suivantes, vous augmentez vos chances de faire de votre réunion un franc succès.

- Avez-vous choisi une date qui convient à la majorité des membres?
- Avez-vous bien déterminé le but de la réunion?
- Vous êtes-vous accordé suffisamment de temps pour l'organisation de la rencontre?
- Avez-vous préparé un ordre du jour précis?
- Avez-vous fait appel aux services de personnes-ressources compétentes?
- Avez-vous bien déterminé vos besoins en matériel et en services divers?
- Y a-t-il une procédure de réunion clairement établie dans votre entreprise?

7.3.4   Comment prendre des notes de façon efficace

Pour prendre des notes de façon efficace, suivez les conseils ci-dessous.

- Tout d'abord, le choix du matériel utilisé a son importance. Même si vous avez des préférences quant au format (feuilles volantes, fiches, etc.) ou à la couleur, il est préférable d'utiliser un bloc-notes avec des feuilles lignées. Il est également conseillé de consigner vos notes en laissant un double interligne. Cela vous permettra d'insérer une expression ou un mot non inscrit à l'écoute ou que vous avez abrégé. N'écrivez qu'au recto de la feuille et numérotez-la. Prévoyez un nombre de feuilles suffisant. Utilisez un crayon. Ainsi, vous pourrez effacer et noter les changements apportés au texte.
- En ce qui concerne le compte rendu d'une réunion, il est important de connaître le nom des personnes qui assistent à la réunion. Dans le cas où vous ne les connaissez pas toutes, ayez en main la liste des personnes convoquées. Sur une feuille, tracez la forme de la table de la réunion et inscrivez les initiales de chaque personne à l'endroit où elle est placée. Si le nombre est important, vous pouvez faire circuler une feuille pour que chaque personne présente y inscrive son nom.
- Suivez les points inscrits à l'ordre du jour et profitez d'une digression pour résumer les propos d'un participant. Enfin, distinguez les propos essentiels des propos secondaires. Toutes les paroles n'ont pas la même importance. L'essentiel concerne directement le sujet traité, tandis que l'accessoire porte sur l'expérience personnelle d'un participant qui peut aider à la compréhension du sujet et à la prise de décision, mais qui ne doit pas nécessairement apparaître dans un compte rendu.
- Vous devez accorder une attention soutenue aux propos à noter. Essayez de noter les mots clés.
- Rédigez le texte au présent de l'indicatif.
- Il est essentiel de noter mot à mot une proposition en bonne et due forme. En cas de doute, il ne faut pas hésiter à interrompre un membre pour lui demander de clarifier ou de répéter le texte d'une proposition. De plus, vous pouvez relire ce texte à haute voix pour vous assurer que la proposition écrite correspond en tous points à celle qui a été formulée. Une proposition doit être accompagnée du nom de la personne qui la fait et du nom de celle qui l'appuie.
- Le nom des personnes qui présentent un rapport est également inscrit.
- Les résultats d'un vote sur une proposition sont notés avec précision.

> *Exemple :*   Résultat du vote : Pour 36
> Contre 14
> Abstention 3

- Il importe de mentionner si les propositions sont adoptées à l'unanimité ou à la majorité, ou encore rejetées.

> *Exemples :*   La proposition est acceptée à l'unanimité.
> Le rapport est adopté à la majorité.
> La proposition est rejetée.

- L'heure de la levée de la réunion est inscrite avec le nom de la personne qui la propose et le nom de celle qui l'appuie.

- Relisez attentivement votre texte final afin qu'il soit exempt de fautes d'orthographe ou de grammaire, ou encore d'anglicismes.

Méthodes de prises de notes

Plusieurs méthodes de prise de notes peuvent être utilisées lorsque vous assistez à une réunion ou à une conférence. À défaut de maîtriser une méthode d'écriture rapide ou de sténographie, vous pouvez adopter une méthode qui regroupe plusieurs manières de consigner des notes. Dans ce cas, il s'agit d'utiliser les moyens suivants : des abréviations usuelles et d'autres abréviations, des symboles usuels et des signes sténographiques. Voyons de manière plus précise en quoi consiste chacun de ces moyens.

Abréviations usuelles

Cette première façon de consigner des notes tient compte des règles d'abréviation des mots courants. Vous trouverez au chapitre 4 les principes d'abréviation des mots (pages 120 à 123) et un tableau des principales abréviations usuelles (tableau 4.1, pages 123 et suivantes).

Autres abréviations

D'autres abréviations peuvent être créées pour faciliter la prise de notes. Dans ce cas, vous pouvez choisir d'abréger certains mots selon votre propre système. Une fois ces abréviations déterminées, il est important que vous les utilisiez de façon constante afin de préserver la clarté de vos notes. À titre indicatif, le tableau 7.2 donne une liste d'exemples d'abréviations.

TABLEAU 7.2
Exemples d'abréviations

MOT COMPLET	ABRÉVIATION	MOT COMPLET	ABRÉVIATION
absent	abs⁻	définition	déf^n
administration	adm^n	exemple	ex.
adopté	ad^{té}	figure	fig.
appuyé	app^é	général	g^{al}
après	ap.	grand	gd
aujourd'hui	auj.	identique	idem
avis de convocation	AC	introduction	intro
beaucoup	bcp	jamais	js
bienvenue	bv^{ue}	mais	ms
cependant	cpdt	même	m
chaque, chacun	chq *ou* ch1	nombre	nb
comme	c	nombreux	nbx
conclusion	c^n	nous	ns
dans	ds	observation	obs^n

TABLEAU 7.2 (SUITE)

MOT COMPLET	ABRÉVIATION
ordre du jour	OJ
pendant	pdt
peut-être	pê
point	p^t
pour	pr
pourtant	prtt
prix	px
problème	pb
procès-verbal	PV
proposé	pp^{sé}
proposition	pps^n
qualité	qlté
quand	qd

MOT COMPLET	ABRÉVIATION
quantité	qté
que	q.
quelque chose	qqch.
quelquefois	qqf.
quelques-uns	qqu.
recommande	rcm
rendez-vous	rv
résultat	rst^a
souvent	svt
toujours	tj
unanimité	una^{té}
voir	cf ou V
vous	vs

Note: ‾ correspond au son « an »; ⁿ correspond au son « ion ».

Symboles usuels

Le tableau 7.3 présente quelques symboles usuels qui peuvent faciliter la prise de notes.

TABLEAU 7.3
Liste de symboles usuels

MOT COMPLET	SYMBOLE
conclusion	⇒
implique	→
n'implique pas	↛
égal à	=
différent de	≠
s'élève – augmente	↗
baisse – diminue	↘
début	⌐↑
plus grand	>

MOT COMPLET	SYMBOLE
plus petit	<
plus – s'ajoute	+
plus ou moins	+ −
il existe	∃
il n'existe pas	∄
inclut, fait partie de	⊂
n'inclut pas, ne fait pas partie de	⊄
opposé	⇔

Signes sténographiques

Plusieurs méthodes de sténographie et d'écriture rapide incluent des signes qui correspondent à des mots, à des expressions ou à des formules d'introduction ou de conclusion de lettres. À défaut d'apprendre une de ces méthodes de façon systématique, vous pouvez mémoriser et employer les signes jugés utiles pour le type de document que vous aurez à prendre en note.

7.4   *Les règles des assemblées délibérantes*

Pour faciliter le déroulement d'une réunion ou d'une assemblée délibérante, il convient de suivre un ensemble de règles qui assurent la bonne tenue de la rencontre et qui favorisent la richesse des discussions. Une distinction doit être faite entre une réunion à laquelle assistent quelques personnes et une assemblée délibérante qui réunit un grand nombre de participants. Dans le cas d'une réunion, le président propose quelques règles simples. Lorsqu'il s'agit d'une assemblée délibérante, des règles plus complexes et plus strictes s'imposent. Dans ce dernier cas, elles sont appliquées afin d'assurer le respect des droits de toutes les personnes durant les débats. Elles sont définies dans le Code Morin.

Dans la présente section, vous verrez le rôle dévolu au président d'une assemblée, de même que celui de la personne qui agit comme secrétaire. Vous aurez l'occasion de vous familiariser avec les étapes du déroulement d'une assemblée et avec des termes et des types de propositions souvent utilisés durant ce genre de rencontre.

Le rôle du président d'assemblée

Il est essentiel que le président d'assemblée rappelle les règles qui vont régir les débats et les fasse respecter par les participants. Voici en quoi consiste le rôle de cette personne :

- énoncer les règles de procédure de l'assemblée;
- s'assurer que le quorum est atteint;
- suivre l'ordre du jour;
- déterminer l'ordre et la durée des interventions;
- diriger les débats;
- faire preuve de calme, d'impartialité, de fermeté et de courtoisie;
- recevoir les propositions et demander qu'elles soient appuyées;
- accorder un droit de parole égal aux tenants et aux adversaires d'une proposition;
- prendre immédiatement en considération les points de règlement;
- rappeler à l'ordre les personnes qui enfreignent les règles acceptées par l'assemblée;
- faire cesser tout propos hors contexte;
- procéder au vote.

La personne qui assume la présidence ne peut participer aux débats; si elle veut le faire, elle doit céder son poste à quelqu'un d'autre. De plus, elle ne peut voter qu'en cas de partage égal des voix.

**Le rôle
du secrétaire
d'assemblée**

Si vous étiez secrétaire d'assemblée, votre rôle consisterait à assister le président et à prendre en note les interventions des membres.

**La vérification
du quorum**

Pour qu'une assemblée soit validement constituée, il faut que le quorum soit atteint. Ce nombre minimum de participants est établi selon les statuts ou règlements de l'entreprise. Dans le cas où il n'est pas fixé, il correspond à la moitié plus une des personnes convoquées. Au début de l'assemblée, le secrétaire peut noter soit le nom des personnes présentes, soit celui des personnes absentes. Il peut aussi écrire le nom des gens qui ont motivé leur absence ou vérifier la signature des personnes présentes. Une fois le quorum vérifié ou établi, l'assemblée peut officiellement commencer.

**Les étapes du
déroulement
d'une assemblée**

Le déroulement d'une assemblée comporte généralement les étapes qui suivent.

1. Élection d'un président d'assemblée (si cette personne n'a pas été nommée lors de l'assemblée précédente). Le président propose les règles qui vont régir les débats et les soumet à l'assemblée.
2. Élection d'un secrétaire d'assemblée (s'il n'a pas été nommé au cours de la dernière assemblée). Après la vérification du quorum par le secrétaire, le président peut déclarer l'assemblée ouverte.
3. Lecture et adoption de l'ordre du jour. Le président soumet à l'assemblée l'ordre du jour proposé. Il est alors possible pour les participants d'intervertir l'ordre des sujets à traiter et d'en ajouter de nouveaux. Pour que l'ordre du jour soit adopté, il faut que son acceptation soit proposée, appuyée et obtienne le consentement des deux tiers de l'assemblée. Dès ce moment, il doit être suivi rigoureusement.
4. Lecture et approbation du procès-verbal de l'assemblée précédente. Le secrétaire lit le procès-verbal de la dernière assemblée. Si les membres ont eu le temps d'en prendre connaissance et considèrent sa lecture superflue, le secrétaire demande à l'assistance si des corrections doivent y être apportées. L'approbation du procès-verbal doit être proposée et appuyée.
5. Débat sur chaque sujet mentionné dans l'ordre du jour adopté (incluant les sujets qui ont été ajoutés). Les propositions soumises à l'assemblée font l'objet de discussions, puis d'un vote.
6. Clôture de l'assemblée. La clôture de l'assemblée doit être proposée et appuyée au même titre qu'une proposition.

**Termes et types
de propositions
couramment
utilisés au cours
d'une assemblée**

Adoption

Approbation par un vote.

Ajournement

Proposition qui reporte la poursuite de l'assemblée à une date ultérieure. La demande d'ajournement doit être proposée, appuyée et adoptée à la majorité. Le vote concernant une autre proposition, appelée « fixation d'ajournement », permet de déterminer la date de la reprise des débats.

Amendement et sous-amendement

L'amendement se définit comme une proposition de modification d'une proposition principale, tandis que le sous-amendement est une proposition de modification légère d'un amendement. Ces deux types de propositions doivent apporter des précisions à la proposition principale sans en changer le sens. Chaque modification proposée doit être appuyée. Après discussion, on procède à la mise aux voix. Pour qu'un amendement et un sous-amendement soient adoptés, il faut que le nombre de voix en sa faveur représente la majorité simple. On procède d'abord au vote du sous-amendement, puis de l'amendement et enfin de la proposition principale. Voici un exemple de proposition qui contient un amendement et un sous-amendement.

Exemple : Nous autorisons le conseil d'administration à **Proposition**
rénover le hall d'entrée de l'édifice principal **principale**

à la condition que le contrat n'excède pas **Amendement**
20 000 $

et que les rénovations soient faites avant l'hiver. **Sous-amendement**

Appuyer

Action d'un membre qui consiste à soutenir la proposition d'une autre personne.

Majorité ou majorité simple

Le plus grand nombre de suffrages pour l'adoption d'une proposition.

Majorité absolue

La moitié des suffrages plus un pour l'adoption d'une proposition.

Majorité des deux tiers

Les deux tiers des suffrages pour l'adoption d'une proposition.

Mise aux voix

Action de procéder au vote. Lorsque les débats sont terminés, le président demande à l'assemblée si elle est prête à voter. Si aucune objection n'est soulevée, les membres se prononcent sur l'adoption ou le rejet de la proposition. Il existe différentes façons de voter, les plus utilisées étant les suivantes :

- à main levée (les membres qui sont en faveur de la proposition et ceux qui s'y opposent lèvent alternativement la main);
- par « assis et levés » (le président et le secrétaire comptent alternativement les personnes qui souhaitent adopter la proposition et celles qui la rejettent).

Il est aussi possible de voter par scrutin secret si une proposition en ce sens est reçue et décidée par l'assemblée. Cette proposition requiert une majorité simple.

Point de règlement

Soulever un point de règlement consiste à faire remarquer au président des débats un manquement aux règles des assemblées délibérantes ou à l'ordre. Chaque membre peut soulever un point de règlement s'il croit qu'un règlement de l'assemblée n'est pas observé ou que le bon ordre n'est pas assuré. Le président de l'assemblée juge du point soulevé et, s'il y a lieu, rappelle au règlement la personne qui a commis une infraction.

Proposition principale

Suggestion énoncée par un membre et appuyée par une autre personne avant d'être soumise à l'assemblée pour étude. L'assemblée est par la suite appelée à se prononcer au moyen d'un vote : la proposition peut être adoptée telle quelle, modifiée par un amendement, et éventuellement par un sous-amendement, ou rejetée.

Explication sur un fait personnel

Question posée par un membre de l'assemblée qui estime que ses droits et privilèges sont atteints à cause d'une erreur de procédure, d'un désordre ou de conditions matérielles inadéquates. Il appartient au président d'assemblée de décider si la personne est réellement lésée.

Question préalable

Proposition qui interrompt momentanément le débat en cours et appelle le vote immédiat sur la proposition qui fait l'objet de la discussion. Pour être adoptée, cette proposition requiert une majorité des deux tiers. Si elle est rejetée, la discussion reprend comme si personne n'était intervenu. Étant donné que cette procédure limite le droit de parole des membres de l'assemblée, il est suggéré d'y avoir recours le moins possible. Cette proposition est également connue sous le nom de « proposition de vote immédiat ».

Renvoi à un comité

Proposition qui vise à confier à un comité l'étude d'un sujet sur lequel les membres ne sont pas en mesure de se prononcer dans l'immédiat. Ce renvoi doit être proposé, appuyé et adopté à la majorité.

Unanimité

Consentement de toutes les personnes présentes.

7.5 Le procès-verbal d'une réunion ou d'une assemblée délibérante

À la suite des discussions ou des délibérations d'une réunion ou d'une assemblée délibérante, il faut rédiger un procès-verbal de la rencontre. Quelles sont ses caractéristiques? Que doit-il contenir? Comment le mettre en forme? Vous trouverez dans la présente section les réponses à ces questions, de même que plusieurs autres renseignements utiles.

Définition

Document officiel qui résume les discussions d'une réunion ou d'une assemblée et les décisions qui y ont été prises.

But

Consigner les débats d'une réunion ou d'une assemblée.

Caractéristiques

- Le contenu d'un procès-verbal est obligatoirement approuvé par les participants. Ainsi, lors d'une réunion ou d'une assemblée, le texte du procès-verbal de la séance précédente doit recevoir l'approbation officielle des membres présents.
- Le secrétaire qui rédige le procès-verbal rapporte objectivement et fidèlement les diverses interventions sans exprimer son opinion ni tirer de conclusions. Cette personne résume les propos échangés pour chaque point qui figure à l'ordre du jour.
- Il convient d'adopter un style impersonnel (emploi de pronoms de la troisième personne, tournures neutres, verbes à l'indicatif présent, etc.) pour éviter toute subjectivité.
- Lors d'un vote, on mentionne le nombre de personnes qui se sont prononcées pour ou contre l'énoncé et on indique si la proposition a été adoptée à l'unanimité, à la majorité ou rejetée. Il faut aussi noter le nombre de personnes qui se sont abstenues.
- Toute proposition clairement formulée doit être écrite intégralement et accompagnée du nom de la personne qui l'a proposée et du nom de celle qui l'a appuyée.
- Dans un procès-verbal légal, une proposition contient des prémisses (ATTENDU QUE, CONSIDÉRANT QUE) et une recommandation (IL EST PROPOSÉ QUE). Ces expressions sont inscrites en lettres majuscules.
- Le procès-verbal, qui constitue un document officiel, peut être consulté ultérieurement.
- Pour attester de son authenticité, ce document doit être signé par le secrétaire. Le président peut également y apposer sa signature.

Un plan de procès-verbal est présenté dans le tableau 7.4.

TABLEAU 7.4
Le plan d'un procès-verbal

PLAN	TEXTE
En-tête	
En-tête de l'entreprise, de l'organisme ou de l'association	Groupe Vanolet ltée
Nom du comité	Conseil d'administration

TABLEAU 7.4 (SUITE)

PLAN	TEXTE
En-tête (suite)	
Titre du document, suivi du type de réunion, du lieu et de la date	Procès-verbal de la réunion mensuelle du conseil d'administration du Groupe Vanolet ltée tenue le 7 mai 20xx à 19 h 30, à la salle Preyel
Nom des personnes présentes (*inscription par ordre alphabétique* OU *inscription des noms des dames en premier et des noms des hommes ensuite*)	Sont présents : M. Louis Arcand *ou* Mmes Manon Chevrier Mme Manon Chevrier Sylvie Fournier M. Luc Daigneault Lise Galarneau Mme Sylvie Fournier Nouria Montblanc Mme Lise Galarneau MM. Louis Arcand M. Loïc Mayan Luc Daigneault Mme Nouria Montblanc Loïc Mayan
OU Mention de la liste des présences annexée (*lors d'une assemblée*)	Sont présentes les personnes dont le nom figure en annexe.
Nom des personnes absentes	Sont absents : M. Piero Alvarez Mme Louise Demers
Nom des personnes invitées (*s'il y a lieu*)	Assiste également à la réunion : Mme Hélène Dumas, conseillère municipale
Corps du texte	
Ouverture de la séance, mention des noms du président et du secrétaire, vérification du quorum	Le quorum étant atteint, la réunion débute à 19 h 30 sous la présidence de Mme … M. … fait fonction de secrétaire.
Proposition et adoption de l'ordre du jour (*avec modifications ou ajouts, s'il y a lieu*)	M. …, secrétaire, fait lecture de l'ordre du jour. M. … demande d'ajouter le point « … » après le point « … ». L'ordre du jour ainsi modifié est proposé par Mme … et appuyé par M. … La proposition est adoptée à l'unanimité.
Lecture et approbation du procès-verbal de la réunion précédente (*avec demande de correction, le cas échéant*)	M. … propose l'approbation du procès-verbal de la réunion du 7 avril 20xx. L'approbation du procès-verbal est appuyée par Mme … et adoptée à l'unanimité.

Projet de publication d'un annuaire	Mme … fait part d'un projet de publication d'un annuaire des représentantes et des représentants du Québec. Après discussion, Mme … propose de reporter d'un an la publication de cet annuaire. M. … appuie la proposition.
	Mise aux voix : Pour 5
	          Contre 1
	          Abstention 1
	La proposition est adoptée.

Allocation prévue pour les frais de voyage	M. … propose d'augmenter de 10 % l'allocation journalière lors des voyages d'affaires. La proposition est appuyée par Mme… et adoptée à l'unanimité.
Projet de publication et de distribution d'une brochure publicitaire	M. … mentionne qu'il serait possible d'atteindre un grand nombre de personnes par la distribution d'une brochure dans un hebdomadaire régional. Il propose qu'un comité spécial formé de trois membres étudie cette proposition. Mme … appuie la proposition, qui est acceptée à la majorité.

Tableau 7.4 (SUITE)

PLAN	TEXTE
Corps du texte (suite)	
Date, heure et lieu de la prochaine réunion (*point facultatif*)	La prochaine réunion aura lieu le 4 juin 20xx à 19 h, à la salle Preyel.
Clôture de la séance	L'ordre du jour étant épuisé, Mme ... propose à 21 h 15 la clôture de la séance. Sa proposition est appuyée par M. ...
Signatures de la présidente et du secrétaire	Le secrétaire, *(quatre à sept interlignes)* *Louis Arcand* Louis Arcand La présidente, *(quatre à sept interlignes)* *Lise Galarneau* Lise Galarneau

Disposition

La mise en forme d'un procès-verbal varie d'une entreprise à l'autre. Lors d'une assemblée délibérante, le procès-verbal doit être disposé sur des feuilles standardisées, tandis que, dans le cadre d'une réunion informelle, ce document peut être présenté de façon plus personnelle. Vous trouverez ci-dessous des règles de disposition qui correspondent aux normes usuelles appliquées dans divers milieux de travail.

- Le papier à en-tête est utilisé pour la première page du document.
- Le nom du comité est écrit en minuscules avec une majuscule initiale et est centré.
- Deux ou quatre interlignes le séparent des mentions indiquant le titre du document, le type de réunion, le lieu et la date.
- Les noms des personnes présentes, absentes ou invitées sont inscrits en colonne par ordre alphabétique. Ils sont suivis de deux interlignes.
- L'interligne simple est utilisé dans l'inscription du texte du procès-verbal.
- Chaque point de l'ordre du jour est numéroté et présenté en minuscules, en caractères gras, avec la majuscule initiale. Chacun est précédé et suivi de deux interlignes.
- Un retrait de quelques espaces est observé à la première ligne de chacun des points mentionnés.
- Le procès-verbal est paginé dans le coin supérieur droit. Si un procès-verbal compte plusieurs pages, on écrit dans le coin inférieur droit le numéro de la page qui suit. *Ex. :* « ...2 ».
- Le texte de la deuxième page et des pages subséquentes commence à 2,5 cm du haut de chaque page.
- Si le document doit être relié ou agrafé, il est conseillé de laisser une marge gauche d'au moins 4 cm.

Un modèle de procès-verbal est présenté aux pages suivantes.

Modèle de procès-verbal

LE GROUPE VANOLET LTÉE
627, rue Bougie, Montréal (Québec)   H2L 3X7

Téléphone : 514 555-4000
Télécopieur : 514 555-4111
Courriel : gvanolet@via.com

↓ 5 à 7 cm

Conseil d'administration

Procès-verbal de la réunion mensuelle du conseil d'administration du
Groupe Vanolet ltée tenue à Montréal le jeudi 7 mai 20xx,
à la salle Preyel, située au 2288, rue Mandarine,
de 19 h 30 à 21 h 15

↓ 2 ou 4 interlignes

↓ 4

Sont présents : M.   Louis Arcand
Mme Manon Chevrier
M.   Luc Daigneault
Mme Sylvie Fournier
Mme Lise Galarneau
M.   Loïc Mayan
Mme Nouria Montblanc

Sont absents : M.   Piero Alvarez
Mme Louise Demers

↓ 2

1. Ouverture de la séance
Le quorum étant dépassé, la séance est ouverte à 19 h 30. Mme Lise Galarneau, présidente du conseil d'administration, rappelle que le but principal de cette réunion est de discuter de projets spéciaux relatifs à une campagne publicitaire pour la prochaine année. M. Louis Arcand fait fonction de secrétaire.

↓ 4
↓ 1

↓ 2

2. Lecture et adoption de l'ordre du jour
La présidente fait la lecture de l'ordre du jour remis aux membres. M. Luc Daigneault demande qu'on ajoute après le point « Publication d'un annuaire… » le point « Modification de l'allocation journalière lors de voyages d'affaires ». L'ordre du jour ainsi modifié est proposé par Mme Manon Chevrier et appuyé par M. Loïc Mayan. La proposition est adoptée à l'unanimité.

↓ 2

3. Lecture et approbation du procès-verbal de la dernière réunion
Après lecture du procès-verbal de la séance précédente, M. Louis Arcand en propose l'approbation. Mme Nouria Montblanc appuie la proposition, qui est adoptée à l'unanimité.

… 2

Vous pouvez créer un modèle ou utiliser, en le modifiant au besoin, un modèle existant.

La fonction Puces et numéros permet d'insérer la numérotation.

Vous pouvez créer un pied de page pour insérer la pagination en bas de page ou un en-tête pour la pagination en haut de la page.

Modèle de procès-verbal (suite)

↓ 2,5 cm

2

↓ 4

4. Projet de publication d'un annuaire des représentantes et des représentants du Québec

Mme Sylvie Fournier présente un projet de publication d'un annuaire des représentantes et des représentants du Québec. Cet annuaire devrait être mis à jour chaque année. Mme Fournier remet également aux membres deux soumissions d'imprimeries. Après discussion, Mme Nouria Montblanc propose de reporter d'un an la publication de cet annuaire. M. Loïc Mayan appuie cette proposition. La proposition est mise aux voix et adoptée par cinq voix contre une, avec une abstention.

↓ 2

5. Questions diverses
5.1 Modification de l'allocation journalière lors de voyages d'affaires

M. Luc Daigneault mentionne que l'allocation journalière de 150 $ versée au personnel lors de voyages d'affaires devrait être majorée de 10 %. Aucune objection n'étant soulevée, Mme Sylvie Fournier appuie la proposition, qui est adoptée à l'unanimité.

↓ 2

6. Projet de publication et de distribution d'une brochure publicitaire

M. Loïc Mayan fait remarquer que l'insertion d'une brochure publicitaire dans un hebdomadaire régional serait un excellent moyen d'atteindre un grand nombre de lecteurs. Il propose qu'un comité spécial formé de trois membres étudie cette possibilité. Mme Manon Chevrier appuie la proposition, qui est acceptée à la majorité.

↓ 2

7. Date, heure et lieu de la prochaine réunion

La prochaine réunion du conseil d'administration aura lieu le 4 juin 20xx à 19 h, à la salle Preyel.

↓ 2 interlignes

8. Clôture de la séance

L'ordre du jour étant épuisé, M. Luc Daigneault propose, à 21 h 15, que la séance soit levée. La proposition est appuyée par Mme Nouria Montblanc et adoptée à l'unanimité.

↓ 2

Le secrétaire,   La présidente,

↓ 4 à 7

Louis Arcand   *Lise Galarneau*

Louis Arcand   Lise Galarneau

Des termes à employer dans un procès-verbal

Dans le tableau 7.5, nous proposons une liste d'expressions et de termes qui sont souvent utilisés dans la rédaction de procès-verbaux. Nous donnons pour chacun d'eux la forme fautive qui est parfois employée et qu'il faut rejeter.

TABLEAU 7.5
Expressions relatives au procès-verbal

FORME FAUTIVE	FORME CORRECTE
Siéger sur un comité	**Siéger à, faire partie de, être membre d'**un comité
Invoquer un article	**Se prévaloir** d'un article
Débattre une *résolution*	Débattre une **proposition**
Seconder une proposition	**Appuyer** une proposition
Mise en *nomination*	Mise en **candidature**
Participer à une *convention*	Participer à un **congrès**
Une assemblée *spéciale*	Une assemblée **extraordinaire**
Une *cédule*	Un **horaire**, un **programme**
S'enregistrer à un congrès	**S'inscrire** à un congrès
Mettre un item sur l'agenda	**Inscrire une question, un point à l'ordre du jour**
Ajourner	**Lever la séance**
Prendre le vote	**Mettre une question aux voix, procéder au** vote, **voter**
S'objecter à	**S'opposer** à
Une assemblée *régulière*	Une assemblée **ordinaire**
Prendre les minutes	**Rédiger, dresser le procès-verbal**
Référer à un comité	**Renvoyer** à un comité
Un *vote* secret	Un **scrutin** secret
L'*assemblée* est levée.	La **séance** est levée.
Rappel *à l'ordre*	Rappel **au règlement**
Question d'ordre	**Motion** d'ordre
Question *hors d'ordre*	Question **irrecevable**
Être hors d'ordre	**Enfreindre un règlement**
Livre des minutes	**Registre des procès-verbaux**
Membre *substitut*	Membre **suppléant**
Procédures des assemblées	**Règles** des assemblées **délibérantes**
Technicalités	**Subtilités, points de détail**

Le procès-verbal d'une assemblée générale annuelle

Le procès-verbal d'une assemblée générale annuelle réunissant un grand nombre d'actionnaires ou de membres est un document qui possède une valeur juridique. Les sociétés ont l'obligation de soumettre annuellement aux actionnaires les états financiers, les prévisions budgétaires, la répartition des bénéfices (s'il y a lieu) et un compte rendu de la gestion de la direction.

Même si le contenu de ce procès-verbal est semblable à celui des autres assemblées ou réunions, on ajoute au document une page de titre sur laquelle sont mentionnés les éléments suivants :

- titre du document;
- type d'assemblée;
- nom de l'entreprise;
- date, heure et lieu de l'assemblée;
- nom des personnes qui assument la présidence et la vice-présidence, et nom du secrétaire;
- nom des membres du conseil d'administration;
- mention de la liste des signatures des membres ou des actionnaires présents jointe en annexe;
- nom des comptables agréés;
- nom du conseiller juridique.

7.6   *Le compte rendu d'une réunion*

Le compte rendu contient le résumé des discussions d'une réunion et des décisions qui y ont été prises. Il tient compte des points mentionnés dans l'ordre du jour, mais n'est pas présenté selon des règles aussi strictes que le procès-verbal, qui a une valeur juridique. Lorsque le personnel cadre et les membres du personnel sont appelés à se consulter, à discuter et à prendre des décisions sur des sujets variés, ce type de résumé est consigné par le secrétaire de la réunion. La décision de rédiger un procès-verbal plutôt qu'un compte rendu, ou vice-versa, dépend de l'importance des sujets traités et des conséquences des décisions ou des recommandations qui ont été adoptées. De plus, le procès-verbal doit être approuvé par les personnes présentes pour être authentifié.

Vous trouverez à la page suivante un modèle de compte rendu de réunion.

Modèle de compte rendu de réunion

ASSURANCES TOUS RISQUES   ☎ 514 555-3057
247, boulevard le Carrefour, bureau 209
Laval (Québec)   H7L 3Y2

Compte rendu de la réunion du personnel de secrétariat
tenue le 25 septembre 20xx à 14 h 30

> *Vous pouvez créer un modèle ou utiliser, en le modifiant au besoin, un modèle existant.*

Sont présents :   Mmes Danielle Bérard   MM. Bernard Lefebvre
                         Louise Brodeur   Julien Lemaître
                         Maria Cholet   Jean-Marie Paquin
                         Nouria Kouri

Est absente :   Mme Katleen Stevens

Est invitée :   Mme Isabelle Larocque

1. Ouverture de la séance
La réunion débute à 14 h 30. M. Jean-Marie Paquin souhaite la bienvenue au personnel de secrétariat présent. Mme Nouria Kouri agira comme secrétaire de la réunion.

2. Lecture et adoption de l'ordre du jour
La secrétaire fait lecture de l'ordre du jour. Il est adopté tel quel.

> *La fonction Puces et numéros permet d'insérer la numérotation.*

3. Cours de perfectionnement
M. Paquin avise le personnel de secrétariat qu'un cours de perfectionnement d'une durée de dix heures sera offert aux personnes qui désirent se familiariser avec un nouveau logiciel de présentations graphiques. Tous les membres du personnel de secrétariat manifestent le désir de suivre ce cours, qui commencera le 4 octobre prochain.

4. Horaire variable
Afin de vérifier la disponibilité du personnel de secrétariat le vendredi après-midi, il est important que la liste des employés en congé soit affichée à la réception. Après consultation, les personnes mentionnées seront absentes aux dates suivantes :
le vendredi 5 octobre : Julien Lemaître
le vendredi 12 octobre : Louise Brodeur
le vendredi 19 octobre : Maria Cholet
le vendredi 26 octobre : Danielle Bérard

5. Protocole de présentation des documents
M. Jean-Marie Paquin présente Mme Isabelle Larocque. Elle est invitée dans le but de donner quelques indications sur les normes de présentation de lettres et de formulaires. Les explications et les documents fournis par Mme Larocque sont grandement appréciés.

6. Date de la prochaine rencontre
La prochaine rencontre aura lieu le 18 octobre à 9 h 30.

Nouria Kouri

Nouria Kouri,
secrétaire de la réunion

> *Vous pouvez créer un pied de page pour insérer la pagination en bas de la page et un en-tête pour la pagination en haut de la page.*

7.7   *L'organisation de congrès et de colloques*

Les entreprises sont de plus en plus nombreuses à constater l'importance des congrès et des colloques. Les discussions entre les participants, la présentation d'ateliers et de conférences, la promotion de nouveaux produits ou de nouveaux services en font des événements enrichissants.

L'organisation de congrès et de colloques exige une planification à long terme en raison du grand nombre de personnes convoquées et des différentes activités proposées.

En raison de son importance et de son ampleur, un rassemblement peut nécessiter jusqu'à huit mois de préparation. L'organisation d'un congrès provincial ou international s'appuie sur la participation de nombreuses personnes réparties en divers comités. Le comité organisateur forme souvent des sous-comités chargés de différents dossiers :

- accueil et inscription;
- secrétariat;
- publicité;
- ressources matérielles;
- finances;
- ateliers et conférences;
- restauration et hébergement;
- activités sociales, etc.

Le succès d'un congrès ou d'un colloque repose sur le dynamisme de ces comités. Du début à la fin de l'organisation de l'activité, les membres des comités doivent conserver en tête les éléments propres à la réussite d'une telle rencontre : un thème intéressant, des invités de renom, un accueil chaleureux, un lieu agréable et un programme varié.

Tâches de secrétariat

Si vous participez à l'organisation d'un congrès ou d'un colloque en tant que secrétaire, les tâches qui vous seront attribuées devraient concerner la correspondance et la mise en forme de documents tels que lettres d'invitation, communiqués de presse, réservations, préparation de formulaires, ordre du jour, compte rendu, etc. Il est souhaitable que vous teniez compte des quelques remarques qui suivent.

- La correspondance a avantage à être personnalisée.
- Elle doit fournir suffisamment de renseignements sur les activités présentées pour inciter les personnes convoquées à y participer.
- Elle doit faire valoir l'originalité et la pertinence du thème choisi.

De plus, si vous avez à rédiger et à expédier des invitations à des personnes qui exposent ou à des médias d'information, il est bon d'insister sur l'importance du congrès ou du colloque et sur la notoriété des conférenciers invités.

8 L'organisation des déplacements

Objectif général

Effectuer les tâches relatives à l'organisation et au suivi des voyages d'affaires.

Objectifs intermédiaires

- Déterminer les services utiles et les différents documents nécessaires pour un voyage d'affaires.
- Effectuer les tâches de préparation, de rédaction et de mise en forme des documents relatifs aux voyages d'affaires.
- Connaître les tâches à accomplir pendant l'absence d'un supérieur.

8.1 Généralités

La rapidité des moyens de transport alliée à la multiplicité des services offerts aux usagers permet au personnel cadre des entreprises de se déplacer de plus en plus souvent. De nombreuses activités professionnelles justifient ces déplacements : conférences, congrès, visites de succursales, tournées de promotion, rencontres de gestionnaires, etc. Les voyages d'affaires améliorent la coordination des activités d'une entreprise et contribuent à créer ou à maintenir des relations d'affaires fructueuses.

Les entreprises recourent de plus en plus aux services qu'offrent les agences de voyages. Ces dernières peuvent répondre adéquatement à toutes les questions qui concernent l'organisation d'un voyage d'affaires. La plupart du temps, on prend contact avec une même agence pour tous les déplacements du personnel.

Dans ce chapitre, il sera principalement question des tâches relatives à l'organisation et au suivi des voyages d'affaires, des façons de régler les dépenses de voyages ainsi que des renseignements utiles sur divers moyens de transport.

8.2

La planification : clé du succès des voyages d'affaires

Il va de soi qu'une préparation adéquate est essentielle à la réussite d'un voyage d'affaires. En ce sens, les tâches suivantes font partie de toute bonne planification.

- Déterminer le but du voyage d'affaires.
- Se procurer toutes les informations concernant l'activité ou les rencontres prévues : lieu, date et heure, participants, etc.
- Préparer les documents nécessaires (pièces d'identité, dossiers, cartes de crédit, etc.).
- Prévoir des conditions matérielles favorables (moyen de transport, hébergement, etc.).
- Prendre connaissance des responsabilités à assumer pendant l'absence de la personne en voyage.

8.3

Les facteurs qui peuvent modifier l'organisation d'un voyage d'affaires

Plusieurs facteurs sont susceptibles de faire varier les tâches qui peuvent vous être confiées en ce qui concerne la préparation d'un voyage d'affaires. Regardons maintenant ces facteurs et leurs conséquences.

La présence d'un bureau de voyages dans l'entreprise

Certaines entreprises possèdent leur propre bureau de voyages, ce qui facilite d'autant plus la préparation des voyages d'affaires. Dans ce cas, vous n'avez qu'à indiquer au responsable de ce service le but du voyage de la personne qui s'absente, l'itinéraire suivi, le moyen de transport utilisé ainsi que les dates de départ et de retour. Des formulaires sont prévus à cette fin. Après étude et approbation, le ou les billets vous seront remis, accompagnés d'un bordereau de transmission.

La présence d'un bureau de voyages permet à la direction d'une entreprise de coordonner les déplacements de son personnel et d'attribuer temporairement les fonctions de la personne qui doit s'absenter à quelqu'un d'autre.

Les règles de l'entreprise relativement aux voyages d'affaires

Avant de procéder à l'organisation d'un voyage d'affaires, vous devez connaître les règles de l'entreprise concernant les déplacements du personnel. Certaines entreprises établissent des normes spécifiques sur les points suivants :

- allocation de base;
- modes de paiement des dépenses;
- moyens de transport (avion, train, autobus, automobile, taxi) et choix d'une classe s'il y a lieu (classe affaires, classe économique, etc.);
- location d'une automobile;
- remboursement des taxis;
- assurance-voyage;
- choix des hôtels;

- montant de l'allocation journalière;
- allocation pour les repas;
- frais de représentation;
- utilisation d'une carte de crédit de l'entreprise;
- formulaires à remplir;
- délai pour fournir le relevé des dépenses;
- approbation du relevé des dépenses par une autorité.

Les principes adoptés sur ces différents points ont pour but de fixer une limite raisonnable aux dépenses occasionnées par les voyages d'affaires. Dans certains cas, une allocation journalière est fixée et, au retour, des pièces justificatives doivent être fournies pour le remboursement des dépenses approuvées.

Une fois que vous possédez tous les renseignements nécessaires sur un voyage précis (réservations à faire, activités prévues, etc.) et qu'en plus, vous connaissez les normes de l'entreprise à propos des voyages d'affaires, vous êtes en mesure de procéder rapidement à l'organisation du voyage prévu.

Les services offerts par les agences de voyages

Les agences de voyages possèdent bien souvent un système informatisé de réservations, grâce auquel il est possible de réserver rapidement des moyens de transport et des chambres. Ces entreprises s'occupent également de la location d'automobiles. Par ailleurs, elles peuvent vous renseigner sur les règlements qui se rapportent aux politiques douanières (importation et exportation), vous indiquer les pièces d'identité nécessaires ou vous communiquer tout autre renseignement utile au déroulement d'un voyage.

Le rôle attribué par votre supérieur

Certaines personnes choisissent de confier à un secrétaire l'organisation complète de leur voyage d'affaires, tandis que d'autres préfèrent s'occuper de tout, mis à part l'achat des billets.

Selon les cas, les tâches suivantes peuvent faire partie de vos responsabilités.

- Effectuer des réservations (moyen de transport, hébergement, etc.).
- Établir la liste des pièces d'identité nécessaires.
- Préparer un dossier « Voyage d'affaires ».
- Prendre note des consignes à observer durant l'absence de votre supérieur.
- Au retour de cette personne, remplir le formulaire de remboursement de frais.

8.4 *Les tâches qui concernent l'organisation d'un voyage d'affaires*

Pour le cas où votre supérieur vous donnerait de nombreuses responsabilités lors de la préparation d'un voyage, vous trouverez dans la présente section des précisions sur chacune des tâches qui pourraient vous être confiées.

Recueillir les renseignements nécessaires

Avant d'effectuer toute démarche d'organisation d'un voyage d'affaires, vous devez connaître les éléments suivants :

- les dates de départ et de retour;
- la destination;
- les motifs du voyage;
- le moyen de transport choisi;
- le lieu et la date de l'activité prévue et les coordonnées des personnes que votre supérieur rencontrera.

Vous pouvez également consulter Internet ou des brochures et des dépliants récents ainsi que les normes de l'entreprise afin d'obtenir de l'information sur les points qui suivent :

- l'indicateur horaire des compagnies de transport;
- les pièces d'identité requises (passeport, visa);
- le ou les certificats de vaccination (s'il y a lieu);
- les services de transport d'une ville à une autre;
- les hôtels disponibles;
- les choix de restaurants;
- les politiques douanières;
- le délai pour fournir le relevé des dépenses;
- le nom de la personne qui doit approuver le relevé des dépenses.

Réserver un moyen de transport

L'avion

Que vous réserviez un billet d'avion par l'entremise d'Internet ou par téléphone au bureau de la compagnie aérienne choisie ou auprès d'une agence de voyages, vous devez avoir en main les renseignements suivants :

- le nom, l'adresse et le numéro de téléphone de l'entreprise;
- le nom du passager et son numéro de téléphone personnel;
- la destination;
- la date et l'heure du départ;
- la date et l'heure du retour (s'il ne s'agit pas d'un billet ouvert);
- la classe désirée (première classe, classe affaires ou classe économique);
- les modalités de paiement (carte de crédit, facturation au nom de l'entreprise, etc.).

À la fin de votre appel, vous devez connaître :

- le prix du billet;
- le numéro du vol et le nom du transporteur aérien;

- la façon dont vous allez obtenir le ou les billets (au comptoir de l'aéroport, par la poste ou au bureau d'une agence de voyages);
- l'heure à laquelle le passager devra se présenter à l'aéroport;
- le délai de confirmation de l'aller et du retour (*ex. :* 48 heures).

Il est conseillé de noter le nom de la personne qui procède à la réservation. Ainsi, en cas de retard, de changement ou d'annulation de vol, vous pourrez vous adresser à elle, et la communication sera plus facile et plus rapide.

Le train

Vous pouvez réserver un billet de train par Internet ou par téléphone en appelant vous-même le transporteur national VIA ou en passant par une agence de voyages accréditée. Pour effectuer une réservation, vous mentionnez les mêmes renseignements que lors de la réservation d'un billet d'avion. Selon la destination prévue, il est possible de choisir un siège en première classe VIA 1 ou en classe voitures-lits.

L'autobus

Les compagnies d'autobus ne font pas de réservations. Il est fortement recommandé de se procurer un billet et d'arriver suffisamment à l'avance afin de s'assurer une place au moment choisi.

L'automobile

Lorsque vous voulez louer une voiture, vous pouvez effectuer votre réservation par téléphone au bureau d'un service de location d'automobiles ou à l'aéroport. Les renseignements à fournir sont les suivants :

- le nom, l'adresse et le numéro de téléphone de l'entreprise;
- le nom, l'adresse et le numéro de téléphone de la personne qui désire louer une automobile;
- la marque et le modèle de véhicule désiré;
- la date, l'heure et le lieu du départ;
- la date et l'heure probables du retour;
- le lieu où la voiture sera rendue;
- le mode de paiement souhaité.

Effectuer les réservations pour l'hébergement

Avant de réserver une chambre, vous devez connaître les goûts de la personne pour qui vous planifiez le séjour ainsi que l'allocation prévue pour l'hébergement. Plusieurs éléments entrent en ligne de compte dans le choix d'un lieu et d'un type d'hébergement : proximité du centre-ville et des endroits de rendez-vous, préférence de grands hôtels ou d'auberges, services offerts, etc. Par ailleurs, certaines entreprises privilégient le choix d'une chaîne d'hôtels afin d'obtenir des tarifs avantageux. Pour tous les voyages d'affaires de leur personnel, elles s'en tiennent le plus possible à ce choix. Si vous avez la responsabilité de vous occuper de l'hébergement, vous pouvez consulter les dépliants ou les guides hôteliers que publie l'industrie touristique de chaque région. Selon l'établissement choisi, vous pourrez réserver une chambre par téléphone, par télécopieur, par courriel ou par l'intermédiaire d'une agence de voyages.

L'utilisation du télécopieur ou du courriel facilite la réservation, car elle permet d'effectuer une réservation en peu de temps et surtout d'en obtenir une confirmation rapidement. Il suffit d'expédier par écrit les renseignements suivants à l'établissement choisi : le nom de la personne qui voyage, la durée du séjour, l'heure approximative de l'arrivée, les services désirés et le mode de paiement souhaité. Puis vous indiquez que vous souhaitez recevoir une confirmation.

Préparer un dossier « Voyage d'affaires »

Voici une liste de documents et d'objets susceptibles de faire partie d'un dossier « Voyage d'affaires » :

- un itinéraire de voyage;
- une liste des rendez-vous;
- un « agenda de voyage »;
- un billet de train, d'avion ou la confirmation de réservation d'un billet;
- un passeport et un visa;
- un ou des certificats de vaccination;
- un permis de conduire;
- une confirmation de réservation d'hôtel;
- des cartes professionnelles;
- des chèques de voyage, une ou des cartes de crédit ou de débit, une lettre de crédit ou des devises étrangères;
- le dossier des clients à rencontrer;
- de la documentation sur les activités prévues;
- une enveloppe pour y déposer les reçus.

Des renseignements vous ont été donnés précédemment sur plusieurs de ces éléments. L'itinéraire de voyage, la liste des rendez-vous et l'« agenda de voyage » vous sont présentés aux pages suivantes. Lors de la préparation du dossier « Voyage d'affaires », il serait pertinent de vérifier auprès de votre supérieur la nécessité de joindre certains documents à ce dossier.

L'itinéraire de voyage

Une fois les confirmations obtenues pour le moyen de transport et l'hébergement, vous pouvez noter ces informations sous forme de tableau ou de texte suivi. Toutes les précisions concernant les heures d'arrivée et de départ, le moyen de transport, la destination, l'hébergement et des remarques complémentaires importantes sont indiquées. Une présentation sous forme de tableau permet de visualiser l'itinéraire du voyage et les renseignements s'y rattachant. L'en-tête du tableau précise :

- le nom du document;
- le nom des villes de séjour;
- les dates de début et de fin du voyage;
- le nom de l'entreprise et de la personne qui voyage.

Ce tableau n'a pas à être présenté selon des règles strictes. La clarté, la précision et l'esthétique sont les seuls critères à respecter. Vous conservez au bureau une copie de l'itinéraire de voyage. Un modèle d'itinéraire de voyage vous est proposé à la page suivante.

Modèle d'itinéraire de voyage

Université Apogée
Service des communications

MONTRÉAL – PARIS – FLORENCE – PARIS – MONTRÉAL
Du 5 au 12 mai 20xx
Carmelle Lambert, directrice des communications

ITINÉRAIRE DE VOYAGE

DÉPART			ARRIVÉE		HÉBERGEMENT	REMARQUES
LIEU	DATE HEURE	TRANSPORT	DESTINATION	DATE HEURE		
Montréal-Trudeau	5 mai 19:20	Air France vol n° 032	Ch.-de-Gaulle	6 mai 08:05	Novotel Tél. : 55 55 00 54	Réservation confirmée
Ch.-de-Gaulle	7 mai 14:15	Méridiana vol n° 3382	Florence	7 mai 16:40	Hôtel Cavour, Via Proconaolo, 3 Tél. : 55/555.097	Réservation à confirmer
Florence	11 mai 11:45	Méridiana vol n° 3381	Ch.-de-Gaulle	11 mai 13:35	Novotel Tél. : 55 55 00 54	Vol Air France à confirmer
Ch.-de-Gaulle	12 mai 14:00	Air France vol n° 031	Montréal-Trudeau	12 mai 15:25		Présence de Mme Roy à l'arrivée

La liste des rendez-vous

Si votre supérieur vous a remis le nom, l'adresse et le numéro de téléphone des personnes à rencontrer de même que la date, l'heure et le lieu des rendez-vous prévus, vous êtes en mesure de préparer une liste dans laquelle seront mention-nés les éléments suivants :

- la date et l'heure de chaque rendez-vous;
- le nom de chaque personne à rencontrer, son titre, son numéro de téléphone et le nom de son entreprise;
- le lieu du rendez-vous;
- des remarques complémentaires (s'il y a lieu).

Cette liste peut être présentée sous forme de tableau ou de texte suivi. Sous forme de tableau, elle s'apparente à une page d'agenda très facile à consulter (*voir le modèle à la page suivante*). Pour le cas où se produirait un événement imprévu, il est préférable de conserver une copie de cette liste au bureau.

L'en-tête contient le nom de la personne qui voyage et sa fonction, les dates de début et de fin du voyage, le nom des villes de séjour ainsi que le nom du document.

Modèle de liste des rendez-vous

Université Apogée
Service des communications

MONTRÉAL – PARIS – FLORENCE – PARIS – MONTRÉAL
Du 5 au 12 mai 20xx
Carmelle Lambert, directrice des communications

LISTE DES RENDEZ-VOUS

DATE HEURE	PERSONNE À RENCONTRER	ENTREPRISE (NOM ET ADRESSE)	LIEU DU RENDEZ-VOUS	REMARQUES
7 mai 09:45	M. Pierre Bougie, directeur des communications	Université de la Sorbonne, 3, rue des Écoles, Paris Tél. : 55 55 63 22	Pavillon de Flore	Remise des annuaires de l'Université Apogée
8 mai 10:30	Mme Angela Nouria, journaliste	Lettra-Firenze, Via Donatello, 27 Tél. : 55/555.905	Salle Giotto	Dossier des annuaires
9 mai 13:45	Mme Léa Rémo, chargée de projets	Schola Artistica, Via Del Campo, 53 Tél. : 55/555.804	Restaurant *La Joconda*, Via Piero, 7	Projet d'échanges étudiants
10 mai 13:30	M. Carlo Gioni, directeur de la publicité	Publications Artes, Via Francesco, 32 Tél. : 55/555.107	Même adresse	Rendez-vous à confirmer

L'« agenda de voyage »

Nous appelons « agenda de voyage » un document d'une ou de quelques feuilles qui regroupe les éléments inscrits dans l'itinéraire de voyage et dans la liste des rendez-vous. Pour chacune des journées du voyage, vous précisez tous les renseignements utiles concernant le départ, l'arrivée, l'hébergement, les rendez-vous et les activités. Ce document offre l'avantage de présenter par ordre chronologique toutes les étapes du voyage. Vous trouverez un modèle d'« agenda de voyage » à la page suivante.

Modèle d' « agenda de voyage »

Pour obtenir ce genre
de disposition, vous pouvez
insérer ou créer
un tableau, puis enlever
les bordures ou lignes.

AGENDA

Carmelle Lambert,
directrice des communications
Université Apogée

MONTRÉAL – PARIS – FLORENCE – PARIS – MONTRÉAL

Du 5 au 12 mai 20xx

5 mai 19:20	Départ	Aéroport de Montréal-Trudeau, vol Air France n° 032 à destination de Paris
6 mai 08:05	Arrivée	Aéroport Ch.-de-Gaulle Chambre réservée à l'hôtel Novotel Tél. : 55 55 00 54
7 mai 09:45	Rendez-vous	M. Pierre Bougie, Université de la Sorbonne, 3, rue des Écoles, Paris Pavillon de Flore Tél. : 55 55 63 22 Remettre les annuaires de l'Université Apogée
14:15	Départ	Aéroport Ch.-de-Gaulle, vol Méridiana n° 3382 à destination de Florence Chambre à l'hôtel Cavour, Via Proconaolo, 3. Tél. : 55/555.097
16:40	Arrivée	Aéroport de Florence
8 mai 10:30	Rendez-vous	Mme Angela Nouria, Lettra-Firenze, Via Donatello, 27, salle Giotto Tél. : 55/555.905 Apporter le dossier des annuaires
9 mai 13:45	Rendez-vous	Mme Léa Rémo, Schola Artistica, Via Del Campo, 53. Tél. : 55/555.804 Restaurant *La Joconda*, Via Piero, 7 Projet d'échanges étudiants
10 mai 13:30	Rendez-vous	M. Carlo Gioni, Publications Artes, Via Francesco, 32. Tél. : 55/555.107 À confirmer
11 mai 11:45	Départ	Aéroport de Florence, vol n° 3381 Méridiana à destination de Paris
13:35	Arrivée	Aéroport Ch.-de-Gaulle Retour à l'hôtel Novotel Vol Air France à confirmer
12 mai 14:00	Départ	Aéroport Ch.-de-Gaulle, vol n° 031 Air France à destination de Montréal
15:25	Arrivée	Aéroport de Montréal-Trudeau Présence de Mme Roy à l'arrivée

Conserver au bureau une copie de certains documents

Il est prudent de conserver une copie du dossier « Voyage d'affaires » de votre supérieur afin de pouvoir remédier rapidement à des situations embarrassantes telles que la perte d'un document, un oubli ou un vol.

Voici une liste des documents importants desquels il peut être judicieux de garder une copie au bureau :

- le relevé des numéros de cartes de crédit et les reçus sur lesquels sont inscrits les numéros de série des chèques de voyage;
- les confirmations des réservations;
- les dossiers ou les documents nécessaires aux rencontres prévues;
- l'itinéraire de voyage, la liste des rendez-vous et l'agenda de voyage;
- le texte des conférences ou des discours (s'il y a lieu);
- tout autre document que vous jugez pertinent.

8.5 *Les modes de paiement des dépenses de voyage*

Plusieurs modes de paiement peuvent servir lors d'un voyage. Vous trouverez dans la présente section de l'information sur les modes de paiement les plus utilisés.

Les chèques de voyage

Vous pouvez obtenir des chèques de voyage d'un montant déterminé en dollars canadiens ou en devises étrangères. Les banques, les caisses populaires et certaines agences de voyages offrent ce service. Les chèques de voyage ont l'avantage d'être encaissables presque partout dans le monde et sont assurés en cas de perte ou de vol. Signés à l'achat par leur détenteur et contresignés lors de l'échange, ils ont un numéro de série enregistré au nom du propriétaire. Il est important de conserver au bureau une copie du reçu des chèques de voyage indiquant leur numéro de série et leur montant.

Les cartes de crédit

Les cartes de crédit constituent un mode de paiement avantageux pour acquitter les frais d'hôtel, de repas, de location de voiture, etc. Elles peuvent être émises au nom de l'entreprise ou à celui de la personne amenée à voyager. Elles permettent de transporter une plus petite quantité d'argent liquide, ce qui représente une certaine sécurité. Le relevé détaillé des dépenses est expédié un mois plus tard.

Il est important de noter dans un dossier le numéro complet et la date d'expiration de chacune des cartes de crédit pour en obtenir rapidement le remplacement en cas de perte ou de vol.

La lettre de crédit

Émise par une banque canadienne, la lettre de crédit autorise une banque étrangère à mettre une certaine somme d'argent à la disposition d'une personne désignée. Lors de la remise de la lettre dans un pays étranger, une preuve d'identité doit être fournie pour obtenir l'argent.

La lettre de crédit permet au voyageur de transporter très peu d'argent liquide ou de chèques de voyage. De plus, elle est honorée dans toutes les institutions bancaires dont le nom est mentionné dans la lettre.

Les devises étrangères

Les devises étrangères correspondent à la monnaie d'un pays étranger. Il est très pratique d'en avoir lors de l'arrivée dans un autre pays. Un pourboire à laisser, un appel téléphonique à faire ou un service de navette à emprunter sont autant de situations dans lesquelles elles seront nécessaires. On peut se procurer des devises étrangères au bureau de change des aéroports ou dans certaines succursales bancaires.

Les cartes de débit

À l'aide d'une carte de débit et d'un numéro d'identification personnel (NIP), le détenteur a accès à ses comptes bancaires 24 heures sur 24, partout dans le monde, et ce, par l'entremise des guichets automatiques des banques.

8.6 *Informations complémentaires sur les moyens de transport*

Vous trouverez dans la présente section d'autres renseignements utiles sur les moyens de transport qu'il est possible d'utiliser lors d'un voyage d'affaires.

L'avion

Les gens d'affaires utilisent de plus en plus le transport aérien afin de gagner du temps. Selon la destination prévue, certains facteurs peuvent influencer le choix de ce moyen de transport par rapport à un autre :

- proximité de l'aérogare;
- décalage horaire (s'il y a lieu);
- durée du vol;
- annulation ou retard dû au mauvais temps;
- distance entre l'aérogare et le lieu de rendez-vous.

Si le déplacement par avion convient davantage à une situation donnée, il sera complété par un service de voiture, d'autobus ou de navette de l'aérogare au centre-ville.

Voici quelques renseignements sur l'indicateur horaire des vols, les fuseaux horaires et le transport des bagages.

La lecture d'un indicateur horaire

Les compagnies aériennes publient un indicateur horaire deux fois par an. Cette brochure présente sous forme de tableaux l'horaire des vols d'un transporteur aérien d'un endroit précis vers plusieurs destinations. L'indicateur horaire est une source de renseignements très utile pour la planification d'un voyage d'affaires.

De l'information sur les fuseaux horaires

Dans les tableaux d'un indicateur horaire, vous pouvez remarquer des abréviations telles que HNA, HNP, TU+3 ou TU−5. Ces abréviations signifient respectivement : heure normale de l'Atlantique, heure normale du Pacifique, temps universel plus trois heures, temps universel moins cinq heures. Pour en comprendre le sens, il faut se rappeler que la Terre, qui tourne sur elle-même, compte 360 degrés et que chaque heure correspond à 15 degrés de longitude. Un fuseau horaire correspond à une zone de 15 degrés de longitude délimitée par deux méridiens; la planète est donc divisée en 24 fuseaux horaires. L'heure est identique dans un même fuseau horaire.

Étant donné que le soleil se lève à l'est, il se montre plus tôt à l'est et plus tard à l'ouest, ce qui explique le temps universel (TU), établi à partir de l'heure du méridien de Greenwich. Selon que l'on se dirige vers l'est ou vers l'ouest, il faut ajouter ou retrancher des heures au temps universel.

Le Canada compte six fuseaux horaires :

- HNT : heure normale de Terre-Neuve (TU−3 1/2);
- HNA : heure normale de l'Atlantique (TU−4);
- HNE : heure normale de l'Est (TU−5);
- HNC : heure normale du Centre (TU−6);
- HNR : heure normale des Rocheuses (TU−7);
- HNP : heure normale du Pacifique (TU−8).

Il importe de tenir compte du décalage horaire et des imprévus dans la planification de l'itinéraire de voyage et des rendez-vous. Par exemple, il est préférable d'éviter de fixer une rencontre importante quelques heures après l'arrivée. La fatigue, un vol retardé, des conditions climatiques non propices, etc., peuvent entraîner des situations désagréables ou des annulations coûteuses.

Vous trouverez aux pages suivantes la disposition des 24 fuseaux horaires de la planète et des 6 fuseaux horaires du Canada.

Les fuseaux horaires internationaux

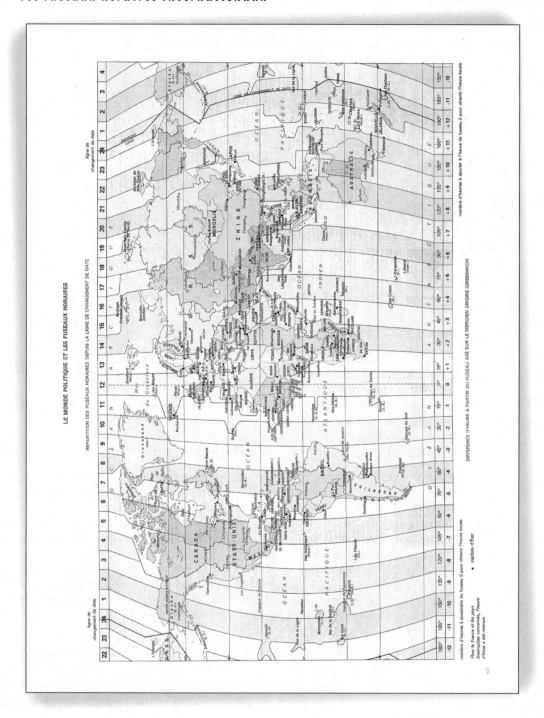

LE MONDE POLITIQUE ET LES FUSEAUX HORAIRES

RÉPARTITION DES FUSEAUX HORAIRES DEPUIS LA LIGNE DE CHANGEMENT DE DATE

Les fuseaux horaires canadiens

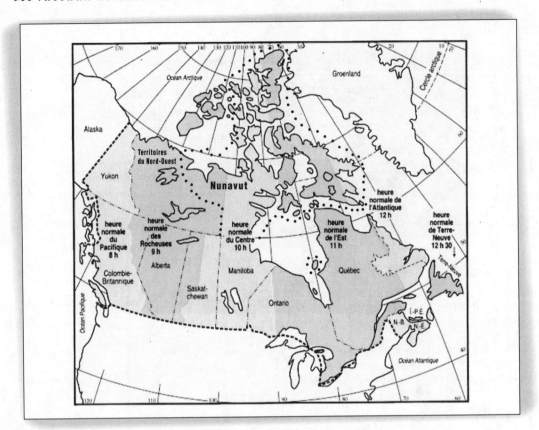

Des consignes pour le transport des bagages

Chaque bagage doit porter le nom de la personne qui voyage et le nom de son entreprise. Des normes sont établies quant au poids et à la dimension des bagages acceptés. Ils sont enregistrés et numérotés à l'aérogare et une étiquette est jointe à chacun d'eux. Sur le billet du passager, on agrafe les numéros correspondant au nombre de bagages. Les risques de perte ou d'échange sont alors minimisés. Dans le cas d'une réclamation, ces numéros s'avèrent très utiles.

La personne qui voyage a droit au transport d'un bagage à main. Pour plus de renseignements sur le transport d'un type de bagage particulier ou sur les dimensions acceptées, il est préférable de se renseigner auprès du transporteur aérien ou d'une agence de voyages.

Le train

Bien que les gens d'affaires voyagent de plus en plus par avion, il n'en demeure pas moins que certaines personnes préfèrent les déplacements en train. Des facteurs tels que le confort, l'espace et l'économie d'argent (pour certains endroits) justifient le choix d'un voyage en train, principalement pour les destinations à l'intérieur du Canada.

Le transporteur national VIA offre des services de trains entre plusieurs grandes villes. En ayant en main un indicateur récent de l'entreprise, vous serez en mesure de vérifier les horaires, le numéro des trains ainsi que les types de voiture offerts.

L'autobus

L'autobus est également un moyen de transport utilisé par les gens d'affaires pour franchir de courtes ou de longues distances. Pour certains trajets, un choix d'horaires pratiques, de nombreuses correspondances et des services de liaison express sont offerts. Quelques compagnies ont même prévu à bord de leurs véhicules une section avec des tables de travail.

Il est possible de se procurer dans les terminus d'autobus les indicateurs des destinations desservies par les entreprises de transport.

L'automobile

L'automobile est un moyen de transport privilégié par les gens d'affaires pour des déplacements qui nécessitent la rencontre de plusieurs personnes dans un périmètre plus ou moins grand. Il offre l'avantage d'une grande liberté.

Selon l'entreprise pour laquelle une personne effectue un voyage, quatre possibilités peuvent lui être offertes :

- l'utilisation de sa voiture personnelle;
- l'utilisation d'une voiture fournie par l'entreprise;
- l'utilisation d'une voiture de service de l'entreprise servant aux déplacements occasionnels des employés;
- la location d'une voiture auprès d'un service de location d'automobiles.

Dans les premier et deuxième cas, vous vous reportez au règlement de l'entreprise qui précise le montant accordé pour le remboursement des frais d'utilisation.

Dans le troisième cas, vous devez vérifier si la voiture de service est disponible aux dates prévues pour le voyage de votre supérieur, réserver à l'avance et obtenir une autorisation du responsable de ce service.

Dans le dernier cas, la réservation peut être effectuée par téléphone, par télécopieur ou par courrier électronique au bureau d'un service de location d'automobiles ou à l'aéroport.

8.7   *Les responsabilités à assumer pendant l'absence d'une personne*

Les responsabilités qui vous seront confiées durant l'absence de votre supérieur dépendent de la durée du voyage et de l'importance des dossiers en cours. Cependant, tout ce qui relève du travail routinier, la prise des rendez-vous et la correspondance courante, par exemple, n'est guère modifié. Dans le cas où vous auriez à accomplir d'autres tâches, comme faire suivre le courrier, il est important que vous obteniez des consignes précises. Il faut également que vous puissiez consulter une autorité responsable en cas de besoin.

8.8 *Les tâches à effectuer au retour d'un supérieur*

Au retour de votre supérieur, votre première tâche consiste à l'informer de la correspondance et des appels téléphoniques reçus, des rendez-vous fixés et des dossiers importants.

Lorsque vous lui remettez le courrier reçu durant son absence, il est bon que vous lui mentionniez les dossiers urgents.

À la suite de ce voyage, des tâches spécifiques peuvent également vous être confiées : expédier des lettres de remerciements, mettre en forme les notes prises durant le voyage, classer la documentation du voyage (selon le système de classement adopté par l'entreprise), remplir des dossiers, etc.

Il est possible que votre supérieur vous demande de remplir le formulaire de remboursement des frais de voyage. Pour ce faire, dressez d'abord l'inventaire de toutes les pièces justificatives et classez-les par ordre chronologique, puis effectuez le calcul des dépenses de transport, d'hébergement, de repas, etc. Si une avance a été donnée au départ, tenez-en compte dans vos calculs.

En ce qui concerne les frais de représentation, plusieurs entreprises exigent un bref rapport mentionnant le but de chaque rencontre, les personnes vues ainsi que le lieu et le nom de l'établissement où s'est déroulé le rendez-vous.

Dûment rempli et signé par votre supérieur, le formulaire de remboursement des frais de voyage est ensuite acheminé vers le service de la comptabilité ou vers une personne désignée pour être approuvé.

La présentation de ce formulaire varie d'un endroit à l'autre, car il est préparé dans le but de répondre aux normes et aux besoins de chaque entreprise. Si vous avez à remplir ce formulaire, il importe que vous procédiez avec précision et exactitude au relevé et au calcul des dépenses et que vous respectiez les règles de l'alignement des chiffres et du signe du dollar. Un modèle de formulaire de remboursement des frais de voyage est présenté à la page suivante.

Modèle de formulaire de remboursement des frais de voyage

Dépenses

Société
Adresse
Ville, Province
Code postal
Téléphone
Télécopieur

Vous pouvez créer un modèle ou utiliser, en le modifiant au besoin, un modèle existant.

Nom de l'employé :
Date :
NOTE DE FRAIS HEBDOMADAIRE :

DÉPENSES	DIM	LUN	MAR	MER	JEU	VEN	SAM	TOTAL
Déjeuner								
Dîner								
Souper								
Hôtel								
Téléphone								
Location de voiture, taxi, autobus								
Stationnement								
Pourboires								
Transport aérien								
Total								

Vous pouvez insérer ou créer un tableau, puis enlever les bordures ou les lignes inutiles. Vous modifiez ensuite le style de trait ou de ligne des autres bordures.

TOTAL $

DIVERTISSEMENTS

DATE	NOM	LIEU	SOCIÉTÉ	MONTANT

TOTAL $

AUTRES DÉPENSES

DATE	DESCRIPTION	MONTANT

TOTAL $

TOTAUX

	TOTAL DES DÉPENSES	$
	SOMME AVANCÉE	
	MONTANT À REMBOURSER	$

_____   _____
Signature de l'employé   Approuvé par

9 La recherche d'un emploi

Objectif général

Rédiger et mettre en forme les documents nécessaires à la recherche d'un emploi.

Objectifs intermédiaires

- Dresser la liste des documents nécessaires à la recherche d'un emploi.
- Recueillir les informations nécessaires à la rédaction du curriculum vitæ et de la lettre de présentation qui l'accompagne.
- Mettre en forme les divers documents relatifs à la recherche d'un emploi.

9.1 Généralités

La recherche d'un emploi est une étape importante de la réalisation de vos objectifs professionnels. En tenant compte du marché de l'emploi au moment d'amorcer cette démarche et du fait que 80 % des offres d'emploi ne sont pas annoncées, comment pouvez-vous planifier votre recherche afin d'obtenir des résultats concrets ?

Les renseignements que vous trouverez dans ce chapitre vous aideront à orienter vos recherches et à présenter des documents qui mettront en valeur votre candidature à un poste.

9.2 *Les étapes de la recherche d'un emploi*

9.2.1 *Évaluer vos compétences et vos intérêts*

Avant même de planifier votre recherche d'emploi, il est important de dresser un bilan de vos réalisations, de vos compétences, de votre formation scolaire et professionnelle, de vos aptitudes et de vos intérêts personnels. Cet exercice vous permettra d'évaluer vos capacités, de discerner vos possibilités et de mieux orienter votre recherche d'emploi.

9.2.2 *Adopter une attitude positive*

Si, dès le départ, vous êtes convaincu de n'avoir aucune chance de trouver un emploi, vous n'en trouverez sans doute pas. Vous devez au contraire adopter une attitude positive, nécessaire pour effectuer une recherche dynamique. Il faut organiser votre recherche de façon systématique et y consacrer plusieurs heures par jour. Des études ont démontré que 4 % de tous les emplois du marché du travail sont vacants, quel que soit le moment de l'année. Même si vos premières démarches sont infructueuses, ayez en mémoire que la réussite est d'abord une question de confiance.

9.2.3 *Établir une liste des sources d'emploi*

Il est souhaitable de dresser une liste des différentes sources d'emploi auxquelles vous pouvez recourir. Il peut s'agir :

- de relations personnelles (amis, parents et connaissances);
- d'anciens employeurs et collègues;
- des guichets et des tableaux d'affichage des centres d'emploi du Canada et des centres de main-d'œuvre du Québec;
- des journaux et des revues professionnelles;
- des chambres de commerce et des associations professionnelles;
- des agences de placement privées;
- des entreprises de votre municipalité ou de votre région;
- des sites Internet.

Pour noter et tenir à jour les démarches effectuées, il est conseillé d'utiliser une « fiche de contrôle » du type de celle-ci :

DÉMARCHE	INFORMATION OBTENUE
DATE	
NOM DE L'ENTREPRISE ET COORDONNÉES	
PERSONNE JOINTE	
EMPLOI POSTULÉ	
DOCUMENTS DEMANDÉS	

9.2.4 Être conscient des critères de sélection des employeurs

Bien que les critères de sélection varient en fonction des postes et des employeurs, ils peuvent être groupés en deux catégories : ceux qui concernent les qualités personnelles du candidat et ceux qui se rapportent à ses compétences.

Dans le premier cas, les qualités suivantes peuvent être retenues : la maturité, la motivation, l'esprit d'équipe, l'entregent, la débrouillardise, l'honnêteté, la facilité d'adaptation, la facilité de communication, le désir de stabilité professionnelle, l'efficacité au travail, etc.

Quant aux critères de compétences, ils sont étroitement liés aux exigences de l'emploi. Ils se rapportent principalement aux points suivants : la formation, les connaissances générales ou techniques, l'expérience de travail, la capacité de prendre des initiatives, la capacité de résoudre des problèmes, la polyvalence, l'aptitude à accepter des responsabilités et à s'adapter à diverses situations, etc.

Le candidat qui correspond le mieux aux exigences de l'employeur se voit habituellement offrir le poste.

Connaître les qualités et les compétences requises pour le type d'emploi que vous postulez vous permet donc de savoir quels aspects de votre personnalité, de votre formation et de votre expérience mettre en avant pour trouver un emploi.

9.3 Le curriculum vitæ

Le document essentiel pour poser votre candidature à un poste est le curriculum vitæ. Ci-dessous et dans les prochaines pages sont présentées ses principales caractéristiques et les diverses parties qui le composent. Puis, après quelques informations sur la façon de le mettre en forme, plusieurs modèles vous sont présentés.

Définition

Document qui résume les informations relatives à la formation, à l'expérience professionnelle et aux aptitudes d'un candidat à un poste.

Buts

- Informer les personnes responsables du recrutement du personnel de l'intérêt pour un emploi offert ou désiré.
- Obtenir une entrevue avec un employeur.

Caractéristiques

Afin qu'un curriculum vitæ puisse être retenu, il importe que ce document :

- permette au destinataire de joindre facilement le candidat;
- fasse connaître les emplois occupés et les responsabilités assumées antérieurement;
- contienne uniquement des renseignements exacts;
- soit clair, bref, précis et convaincant;
- respecte un ordre logique dans la présentation des divers éléments;
- présente l'original d'un texte préparé au traitement de texte (une photocopie d'excellente qualité peut cependant convenir);
- ne comporte aucune faute d'orthographe, de grammaire ou de syntaxe;
- ne compte que deux pages[1];
- offre une présentation soignée.

---

1. On trouve également des curriculum vitæ à une page et, exceptionnellement, à trois pages.

Types

Selon votre expérience de travail, l'emploi postulé et les compétences recherchées, vous pouvez choisir entre quatre types de curriculum vitæ pour mettre en valeur votre candidature.

- Le **curriculum vitæ modèle classique** indique d'abord les études les plus récentes. Il met en évidence la formation scolaire et professionnelle suivie des postes occupés, ainsi que d'autres éléments jugés complémentaires au cheminement vers un métier ou une carrière. Ce type de curriculum vitæ convient à un candidat qui termine des études. Vous trouverez aux pages 288 et 289 un modèle de ce type de curriculum vitæ.
- Le **curriculum vitæ modèle américain** est plus détaillé que le précédent. L'ordre chronologique inversé est également respecté, mais de courts paragraphes précisent le contexte de travail, les tâches exécutées et les responsabilités assumées. Les candidats qui désirent mettre en évidence leur expérience de travail rédigeront ce type de curriculum vitæ. Un modèle est présenté aux pages 290 et 291.
- Le **curriculum vitæ modèle mixte ou combiné** convient aux personnes qui ont une expérience professionnelle variée et interrompue, et qui désirent mettre en relief leurs compétences. Des études, des dates d'emploi et des intérêts personnels n'ayant aucun rapport avec le travail peuvent y être inclus ou non. Un modèle est présenté aux pages 292 et 293.
- Le **curriculum vitæ par compétences** présente une énumération d'énoncés de compétences qui se rapportent au domaine d'activité, à la profession ou au métier exercé. Il met en valeur l'ensemble des connaissances et des habiletés nécessaires à l'accomplissement des tâches inhérentes à l'emploi postulé. Un modèle de curriculum vitæ par compétences est donné aux pages 294 et 295.

Pour obtenir davantage d'information sur les types de curriculum vitæ, vous pouvez consulter la brochure *Tu cherches un emploi?*, publiée par Ressources humaines et Développement des compétences Canada, ainsi que des ouvrages publiés sur ce sujet.

Parties

Quatre modèles de curriculum vitæ vous sont proposés à partir de la page 288. En en prenant connaissance, vous pourrez constater que les principales parties du curriculum vitæ sont les suivantes.

- Renseignements personnels
- Formation
- Formation complémentaire (s'il y a lieu)
- Expérience de travail
- Compétences professionnelles
- Intérêts, loisirs, activités culturelles et sportives
- Références

L'ordre de présentation de ces différentes parties peut varier selon les exigences décrites dans l'offre d'emploi ou selon le type de curriculum vitæ choisi. Par exemple, si votre expérience de travail est davantage liée au poste offert que les diplômes obtenus, il est préférable d'inscrire la partie « Expérience de travail » en premier.

Avant de rédiger votre curriculum vitæ, vous devez d'abord procéder à la collecte des éléments nécessaires à la description des différentes parties. Par la suite, vous éliminez les renseignements qui ne sont pas compatibles avec le poste désiré. Finalement, vous faites un brouillon à partir des éléments conservés. Vous les disposez selon le modèle de curriculum vitæ qui mettra en valeur votre candidature.

Les renseignements personnels

Les renseignements personnels à fournir obligatoirement sont votre nom, votre adresse complète ainsi que votre numéro de téléphone au domicile. Si vous avez un numéro de télécopieur, une adresse Internet ou une adresse de courrier électronique, il est utile de le mentionner.

Certains renseignements, tels que la date de naissance, l'état civil, le numéro d'assurance sociale, la citoyenneté, la race, la langue et le poids, sont facultatifs. Ils peuvent être considérés comme discriminatoires et ne devraient pas être exigés. La Loi canadienne sur les droits de la personne et la Charte québécoise des droits et libertés de la personne protègent d'ailleurs les gens contre toute discrimination; ces lois stipulent qu'une personne n'est pas tenue de donner ces renseignements. Vous pouvez cependant décider d'inscrire librement certaines de ces indications dans votre curriculum vitæ si vous considérez qu'elles peuvent constituer un atout.

Si l'offre d'emploi mentionne un permis de conduire, vous signalez que vous en possédez un sans en donner le numéro. Quant au numéro d'assurance sociale, il est préférable de l'inscrire uniquement dans le formulaire de demande d'emploi remis par l'employeur. Les langues parlées et écrites sont mentionnées si elles répondent aux exigences du poste offert.

La formation

La description des diplômes, des attestations et des certificats obtenus, de même que les bourses d'études et les prix gagnés, est présentée par ordre chronologique inversé, c'est-à-dire en commençant par l'élément le plus récent. Pour chacun d'eux, vous indiquez l'année d'obtention, le titre du diplôme, la spécialité (s'il y a lieu), le nom et le lieu de l'institution fréquentée.

Il va de soi qu'une personne qui possède un diplôme universitaire n'a pas à inscrire ses études secondaires.

La formation complémentaire

Il est possible de mentionner dans cette partie la formation additionnelle qui est liée à l'emploi postulé. Le titre des cours, le nombre de crédits obtenus, les logiciels maîtrisés, les stages de formation et les projets de recherche révèlent votre démarche intellectuelle et peuvent constituer des avantages importants au moment de la sélection des candidats.

L'expérience de travail

L'énumération des différents postes occupés, qu'ils aient été rémunérés ou non, à temps partiel ou à temps plein, est également inscrite par ordre chronologique inversé. Pour chaque emploi, vous mentionnez la durée du travail, la fonction exercée, les tâches effectuées et les responsabilités assumées, puis le nom et le lieu de l'entreprise.

Chaque description est brève et précise. Lors de l'indication des tâches et des responsabilités, vous pouvez privilégier l'emploi de verbes d'action selon le type de curriculum vitæ choisi. Voici des exemples de verbes d'action.

accomplir	dépouiller	mettre en œuvre
adapter	déterminer	organiser
améliorer	développer	participer
analyser	diriger	planifier
appliquer	écrire	présenter
assister	effectuer	promouvoir
collaborer	élaborer	réaliser
communiquer	établir	rédiger
compiler	exécuter	répertorier
coopérer	former	résoudre
coordonner	formuler	structurer
créer	identifier	traiter
définir	informer	transmettre
démontrer	instaurer	utiliser

Les emplois antérieurs sans rapport important avec l'emploi recherché ou postulé sont présentés de façon succincte. Si, au contraire, ils vous ont permis de réaliser des projets d'envergure, vous les inscrivez dans une autre partie intitulée « Réalisations » et vous les développez. Ils peuvent être d'un intérêt majeur s'ils sont liés à l'offre d'emploi à laquelle vous répondez. Ils sont généralement formulés par des noms.

Exemples :   développement, création, conception, coordination, organisation.

Les loisirs, les intérêts et les activités culturelles et sportives

Vos goûts et votre participation à différentes activités révèlent des traits spécifiques de votre personnalité et votre degré d'engagement dans votre milieu. Ces éléments doivent être mentionnés brièvement dans votre curriculum vitæ. Dans cette section, vous pouvez inscrire les associations dont vous êtes membre, l'abonnement à des revues spécialisées, votre engagement comme bénévole, vos loisirs préférés, etc.

Les qualités et les caractéristiques professionnelles

Vous pouvez énumérer quelques-unes de vos qualités professionnelles. L'une ou l'autre pourra retenir l'attention d'un employeur en fonction du profil de candidat qu'il recherche. Par exemple, si vous aimez travailler en équipe, si vous possédez des aptitudes à communiquer ou si vous avez le sens des responsabilités, il pourra vous demander, lors d'une entrevue, de décrire quelques situations dans lesquelles vous avez fait preuve de ces qualités. Il est important que celles-ci se rapportent à votre comportement au travail.

Les références

Il est d'usage d'inscrire la formule « Références sur demande » ou « Des références seront fournies sur demande ». Vous retenez le nom de deux personnes qui pourraient fournir des renseignements sur votre travail antérieur. Il importe d'avoir obtenu au préalable l'autorisation de ces personnes. Vous inscrivez sur une fiche personnelle le nom de chaque personne, sa fonction, son adresse et son numéro de téléphone. Vous serez alors en mesure de donner leurs coordonnées lors d'une entrevue.

Disposition

Voici des conseils relatifs à la mise en forme d'un curriculum vitæ. Ils ne sont donnés qu'à titre indicatif, car il existe plusieurs façons de présenter ce document.

- Un papier de couleur neutre (blanc, blanc nuancé, ivoire ou beige) est utilisé.
- Le choix de caractères, de polices et d'options qu'offre le logiciel utilisé permet de personnaliser la présentation du curriculum vitæ. Celui-ci doit cependant demeurer classique, sobre et respecter une certaine uniformité dans l'inscription des titres et des intertitres.
- L'interligne simple est utilisé dans la description des divers éléments.
- Les marges latérales sont fixées à 2,5 cm.
- L'indication ...2 dans le coin inférieur droit signifie que le texte se poursuit sur la page suivante.
- La deuxième page est numérotée à 2,5 cm du haut de la feuille, contre la marge de droite. Le nom du candidat est récrit contre la marge de gauche.
- La mention « curriculum vitæ » peut être inscrite en majuscules et centré à 4 cm ou à 5 cm du haut de la première page[2].
- Les titres des parties sont inscrits en majuscules et disposés contre la marge de gauche ou centrés.
- Les intertitres sont écrits en minuscules, en caractères gras.
- Les dates sont placées contre la marge de gauche ou de droite selon le type de curriculum vitæ choisi.
- La description des renseignements personnels, de la formation, de l'expérience de travail, des qualités professionnelles, ainsi que des intérêts et activités culturelles et sportives est disposée en retrait et alignée.

Remarques complémentaires

D'autres parties peuvent également être ajoutées à votre curriculum vitæ. Elles doivent répondre au critère premier d'intéresser l'employeur éventuel et d'ajouter des éléments positifs à votre candidature. Si tel est le cas, vous pourriez inscrire les parties suivantes.

- Projet ou objectifs de carrière (Cette partie qui suit vos coordonnées peut être un élément clé de votre curriculum vitæ, car elle indique brièvement à un employeur ce que vous souhaitez comme avenir professionnel.)
- Sommaire (résumé des éléments importants de votre expérience)
- Connaissances techniques
- Associations professionnelles (dans le cas où elles sont nombreuses)
- Titre des publications dont vous êtes l'auteur
- Activités professionnelles auxquelles vous avez participé (congrès, séminaires)

Si vous avez quitté le marché du travail pendant une longue période, il ne faut pas passer sous silence ces années. La mention des activités réalisées durant ce temps peut faire valoir votre sens de l'initiative et votre motivation à réintégrer le marché du travail.

---

2. L'usage tend à supprimer l'inscription du titre de ce document.

Modèle de curriculum vitæ classique
Élève qui a terminé un programme d'études

> *Vous pouvez créer un curriculum vitæ à l'aide d'un tableau auquel vous enlevez les bordures ou les lignes inutiles.*

Alain Lachance

666, avenue Bizarre
Laval (Québec)   H7L 3Y2
Tél. :   514 555-0000 (résidence)
Téléc. :   514 555-4440
Courriel :   alachance@via.com

Langues parlées et écrites : français, anglais (notions de base)

FORMATION

2004	Diplôme d'études professionnelles
	Option secrétariat
	Centre de formation Dominique-Prégault, Montréal

FORMATION COMPLÉMENTAIRE

2003	Stage de formation en secrétariat
2002	Études collégiales
	Collège Chéribourg
	45 crédits
2000	Cours de perfectionnement en français écrit
	Université Canadiana

Connaissances en informatique

WordPerfect, Word
Access
Excel
PowerPoint
dBase

... 2

Modèle de curriculum vitæ classique
Élève qui a terminé un programme d'études (suite)

Alain Lachance   2

EXPÉRIENCE

2004   Secrétaire juridique

                       Montpetit, Théberge et associés

                       Tâches et responsabilités :
                       – Utiliser un logiciel de traitement de texte pour
                         mettre en mémoire des documents de droit
                         corporatif
                       – Recevoir les appels de la clientèle
                       – Rédiger et taper la correspondance

Étés 2000-2003   Secrétaire-réceptionniste

                       Services A.A.Z. inc.

                       Tâches et responsabilités :
                       – Acheminer les appels
                       – Effectuer la tenue de livres
                       – Faire la mise en forme de lettres d'affaires

AUTRES ACTIVITÉS

Mise en forme de thèses pour des étudiants de maîtrise

Membre du Club des philatélistes du Québec

Participation bénévole à différents galas de charité

RÉFÉRENCES SUR DEMANDE

Modèle de curriculum vitæ américain
Personne qui réintègre le marché du travail

CURRICULUM VITÆ

Jocelyne Laberge
8930, rue Pépinot
Sherbrooke (Québec)   J1L 3Z8

Tél. : 819 555-3333
Courriel : jocel@pepinot.net

Langues parlées
et écrites :   français, anglais, espagnol

PROFIL DE CARRIÈRE

Expérience en bureautique, en système de gestion de base de données.
Désir et capacité d'assumer de nouvelles responsabilités.

EXPÉRIENCE DE TRAVAIL

2002-20xx   Centre Lareau, Fleurimont
                       Acheteuse de vêtements
                       • Rédiger des soumissions
                       • Assurer le suivi des bons de commandes
                       • Établir des liens entre les fournisseurs et les détaillants

1984-1989   Les Laboratoires Pimpon
                       Technicienne au contrôle de la qualité
                       • Compiler les données de rapports
                       • Soumettre des recommandations

1978-1984   Les Laboratoires Pimpon
                       Téléphoniste-réceptionniste

De 1989 à 2002, j'ai veillé à l'éducation de mes enfants et j'ai fait du bénévolat lors des
sorties scolaires et à la bibliothèque de l'école.

APTITUDES ET QUALITÉS PROFESSIONNELLES

• Sens des responsabilités   • Désir de relever des défis
• Désir d'apprendre   • Assiduité
• Facilité à communiquer   • Ponctualité
• Disponibilité   • Autonomie

... 2

Modèle de curriculum vitæ américain
Personne qui réintègre le marché du travail (suite)

Jocelyne Laberge   2

FORMATION

2004   Diplôme d'études professionnelles en secrétariat
                        École commerciale Rita-Larose, Sherbrooke

                        Compétences en informatique
                        Lotus 1-2-3
                        dBase
                        Ordinogram
                        Word
                        PowerPoint
                        Excel
                        Access

2002   Baccalauréat en éducation préscolaire et primaire
                        Université Tournesol
                        15 crédits

FORMATION COMPLÉMENTAIRE

2001   Formation de secouriste à l'Ambulance Saint-Jean

2000   Formation de membres du comité d'école
                        Commission scolaire Les Castors

ACTIVITÉS CULTURELLES ET SPORTIVES

Lecture, théâtre, cinéma, concerts, volley-ball, natation

ACTIVITÉS SOCIALES

- Membre de l'Aféas, quatre ans
- Membre du comité d'école, quatre ans
- Déléguée au comité de parents, un an
- Animatrice auprès des louveteaux

RÉFÉRENCES SUR DEMANDE

Modèle de curriculum vitæ combiné ou mixte
Personne qui réintègre le marché du travail

FRANCE THIBAULT
467, rue Val d'Espoir
Laval (Québec)   H7L 3Y7
Tél. : 450 625-6577
Courriel : frant@espoir.net

Langues parlées et écrites : français, anglais

OBJECTIFS DE CARRIÈRE

Je possède dix-sept années d'expérience de travail varié dans un centre de distribution. J'ai occupé un poste de commis de bureau et j'ai accompli de nombreuses tâches de secrétariat. J'ai pris la décision de suivre des cours afin de mettre à jour mes connaissances en bureautique. Relativement à un nouvel emploi, je recherche la diversité et je désire relever des défis.

EXPÉRIENCE

De 1987-2002   Outillage Excel, Laval

Secrétaire
- Aider mon supérieur immédiat dans les tâches de bureau et planifier le travail du personnel de l'atelier
- Effectuer l'inventaire des fournitures de bureau et des produits mis en vente

De 1982-1987   Décorama, Gatineau

Commis de bureau
- Contrôler les stocks disponibles pour répondre aux commandes
- Trier et acheminer les bons de commande au service de la réception

Réalisation :
- Mise en place de moyens techniques pour réduire les manipulations de marchandises

... 2

Modèle de curriculum vitæ combiné ou mixte
Personne qui réintègre le marché du travail (suite)

France Thibault   2

FORMATION

2003   Diplôme d'études professionnelles, option comptabilité
                              Centre de formation Compétences, Laval

                              Connaissances en informatique
                              • WordPerfect, Word 2007
                              • PowerPoint, Print Master
                              • Excel, Access
                              • Dynacom, Fortune 1000
                              Connaissance d'Internet, du courrier électronique

2001   Attestation d'équivalence de niveau de scolarité de 5e secondaire

FORMATION COMPLÉMENTAIRE

Cours d'espagnol (niveau de base)
Cours d'introduction à la fiscalité

QUALITÉS PROFESSIONNELLES

Autonomie
Sens des responsabilités
Capacité de travailler en équipe

RÉFÉRENCES SUR DEMANDE

Modèle de curriculum vitæ par compétences
Élève qui a terminé un programme d'études

STÉPHANE LIMOGES

4137, rue Fouquet	Résidence : 450 668-6168
Laval (Québec) J1X 3M4	Courriel : stephanel@point-net.com

Compétence linguistique : maîtrise du français et de l'anglais

DOMAINES DE COMPÉTENCE

Secrétariat

Saisie de texte et mise en page de documents variés
Révision de documents
Traitement de la correspondance
Tenue d'agenda
Préparation de réunions
Classement et gestion de documents
Entrée de données et mise à jour des bases de données
Filtrage d'appels et prises de message

Comptabilité

Compilation de données statistiques
Calcul, préparation et émission de factures et
d'états de comptes
Vérification des transactions (fournisseurs et clients)
Tenue de livres

Informatique

Connaissance de Windows, Microsoft Office, Internet Explorer,
Netscape, Simple comptable

EXPÉRIENCE DE TRAVAIL

Thibeault et Valcourt inc.   2004
Laval
Stagiaire en secrétariat et en comptabilité

Boutique Promod   Étés 2002-2003
Montréal
Service à la clientèle

Conseils sur le choix des vêtements et des accessoires
Tenue de caisse
Étiquetage et marquage de marchandises selon les listes de prix
Tenue d'inventaire

... 2

Modèle de curriculum vitæ par compétences
Élève qui a terminé un programme d'études (suite)

FORMATION

Diplôme d'études professionnelles, option secrétariat   2004
Centre professionnel Apogée
Montréal

CARACTÉRISTIQUES PERSONNELLES

Souci de la précision, esprit d'équipe, courtoisie
et bonne communication orale, autonomie, polyvalence

MENTIONS, INTÉRÊTS ET LOISIRS

Certificat d'excellence en français
Membre d'une équipe de volley-ball
Lecture, cinéma, bricolage

Des références seront fournies sur demande.

9.4 *Le curriculum vitæ électronique*

Les employeurs sont de plus en plus nombreux à utiliser Internet comme moyen de recrutement. Cependant, pour postuler un emploi en ligne, quelques précautions sont nécessaires. Tout d'abord, il faut vous assurer que les renseignements personnels fournis seront protégés et que la distribution de votre curriculum vitæ sera limitée aux seules entreprises que vous choisirez. Informez-vous également de la possibilité de pouvoir le retirer ultérieurement sans problème. Ces renseignements sont ordinairement fournis dans les bons sites d'emplois.

Pour choisir un site de recrutement parmi les sites gouvernementaux, les agences et les moteurs de recherche, retenez ceux qui offrent le plus grand nombre d'emplois dans votre domaine et limitez la diffusion de votre curriculum vitæ aux entreprises qui offrent des postes en rapport avec vos compétences. De plus, vous devez prévoir une version de votre curriculum vitæ sans formatage. À cette fin, il vous faudra apporter des modifications à votre curriculum vitæ traditionnel. Ces modifications se rapportent à la rédaction de ce document ainsi qu'à sa présentation.

9.4.1 *La rédaction d'un curriculum vitæ électronique*

Le curriculum vitæ électronique ne doit compter qu'une page. Conséquemment, les différents éléments qui le composent doivent être concis et efficaces. Le choix des mots se révèle très important. Il convient donc de consulter quelques offres d'emplois (dans votre domaine) affichés en ligne et de noter les mots utilisés dans la description des exigences. Les employeurs ont recours à un système de mots clés qui leur permet de dépister dans un curriculum vitæ les compétences recherchées. *Exemples :* vente, correspondance, compétences en informatique, gestion de projets, etc. Vous remarquerez que ces mots sont des substantifs qui remplacent les verbes d'action utilisés dans le curriculum vitæ traditionnel. La description des éléments (formation, compétences, expérience) doit se limiter aux réalisations les plus marquantes de votre cheminement professionnel. De plus, n'inscrivez que ce qui se rapporte directement au poste offert.

9.4.2 *La disposition d'un curriculum vitæ électronique*

Le formatage automatique de votre logiciel de traitement de texte disparaîtra à la transmission en ligne de votre curriculum vitæ. À la réception, les alinéas, la tabulation, l'insertion de puces ou de caractères spéciaux, les polices décoratives, les encadrés, le caractère gras, l'italique et le soulignement risquent fort d'être modifiés et de nuire à la présentation de votre curriculum vitæ. Afin d'obtenir une mise en pages qui soit claire et ordonnée, voici quelques conseils à ce sujet.

- Choisissez une police avec empattement de 12 points.
- Tapez moins de 65 caractères par ligne.
- Inscrivez vos coordonnées sur des lignes distinctes (nom, adresse, numéro de téléphone, courriel).
- Laissez quelques espaces pour séparer visuellement les différents éléments.
- Mettez les titres en majuscules.

- Utilisez des tirets pour créer une liste (les puces passent mal au balayage).
- Disposez les composantes sur une seule colonne (sans retrait ni tabulation).
- N'indiquez que la date finale de l'obtention d'un diplôme ou d'une expérience de travail (les numériseurs traitent parfois les dates doubles comme un seul nombre).
- Assurez-vous qu'il n'y ait aucune erreur d'orthographe ou de grammaire.

Enfin, il est conseillé de faire vérifier la présentation de votre curriculum vitæ électronique par une personne compétente en la matière avant de l'expédier. Le résultat de ce test vous rassurera et vous pourrez alors sans crainte postuler en ligne. Joignez à votre curriculum vitæ une lettre de présentation convaincante qui met en évidence vos compétences et votre motivation.

À titre indicatif, consultez le modèle de curriculum vitæ électronique présenté à la page suivante.

Modèle de curriculum vitæ électronique

Lise Mercier

267, boulevard Labelle
Laval (Québec) H7L 3Y2
450 667-5678
Courriel : lmercier@courriel.com

FORMATION

– Attestation de spécialisation en secrétariat juridique
Collège Multitechno, Montréal, 2004

– Diplôme d'études professionnelles en secrétariat
Collège CSMD, Montréal, 2003

COMPÉTENCES EN INFORMATIQUE

– Word, Excel, Access
– Power Point
– Adobe
– Simple comptable

EXPÉRIENCE PROFESSIONNELLE

Secrétaire juridique, Laurin, Marois et associés, Montréal, 2004
– Mise en pages de procédures
– Réception des appels et accueil des clients
– Soutien technique au personnel

Secrétaire- réceptionniste, La Prévoyance, Laval, 2003
– Rédaction de divers documents
– Mise en pages de rapports incluant des tableaux, des graphiques,
des statistiques
– Réception et acheminement des réclamations

APTITUDES ET COMPÉTENCES PROFESSIONNELLES

– Excellente habileté en communication
– Capacité d'établir des priorités et d'exécuter des tâches diversifiées
– Facilité à travailler en équipe

RÉFÉRENCES SUR DEMANDE

TABLEAU 9.1
Grille de relecture du curriculum vitæ

PRÉSENTATION DES ÉLÉMENTS	OUI	NON
Ai respecté le nombre de pages recommandé : 2 pour le CV classique, 1 pour le CV électronique		
Ai choisi un type de curriculum vitæ qui met en valeur ma candidature		
Ai présenté de la même manière les titres des parties principales (police, caractère, attribut, lettrine, etc.)		
Ai écrit correctement les intertitres		
Ai respecté l'uniformité de présentation des éléments *Ex. :* retraits, alignements, espacements, etc.		
Ai mentionné mes coordonnées		
Ai mentionné mon profil de carrière (selon le cas)		
Ai mis en évidence ma formation et mon expérience de travail liées au type d'emploi postulé		
Ai énuméré les diplômes obtenus, les cours suivis, les stages effectués Pour chacun de ces points, ai précisé les dates et l'institution ou l'entreprise		
Ai fait valoir mes connaissances relatives à l'offre d'emploi *Ex. :* compétences en informatique, connaissance des tâches décrites, etc.		
Ai mis en évidence mon expérience de travail et la fonction occupée en détaillant les tâches effectuées à l'aide de verbes d'action (CV traditionnel) ou de substantifs (CV électronique)		
Ai signalé mes réalisations particulières (projets, bénévolat, etc.) et les attestations ou les certificats obtenus		
Ai énuméré mes aptitudes et mes qualités professionnelles		
Ai indiqué mes intérêts, mes loisirs, mes activités culturelles et sportives (dans le cas où elles sont pertinentes)		
Ai indiqué que des références pourraient être fournies sur demande		
Ai préparé une liste de quelques références (noms de personnes, fonctions, coordonnées) à fournir lors d'une entrevue		
Ai préparé une version de mon CV traditionnel destiné à être transmis par courriel		
Ai relu attentivement le document afin qu'aucune erreur d'orthographe ou de grammaire n'y apparaisse		
Ai choisi un papier vélin classique de couleur neutre		
Ai paginé le document		
Ai choisi le format d'enveloppe requis : 22,5 x 30 cm (9 x 12 po)		

9.5   *La lettre de présentation*

Voici maintenant des renseignements qui vous aideront à rédiger et à mettre en forme la lettre de présentation qui accompagne un curriculum vitæ.

Définition	Lettre qui présente un curriculum vitæ et informe la personne responsable du service des ressources humaines d'une entreprise de l'intérêt pour un poste offert.
Buts	• Postuler un emploi. • Susciter l'intérêt d'un employeur. • Inciter un employeur à lire le curriculum vitæ. • Faire part de la disponibilité pour une entrevue.
Caractéristiques	• La lettre de présentation est un complément personnalisé du curriculum vitæ. Elle confirme la demande d'emploi en bonne et due forme. Elle doit être adressée à une personne et ne pas compter plus d'une page. • Cette lettre vous permet de préciser vos qualifications par rapport aux exigences d'une offre d'emploi. • Du fait que cette lettre constitue en quelque sorte un outil de promotion auprès de la direction d'une entreprise, elle doit être précise, brève, directe et témoigner de votre intérêt et de votre enthousiasme. • Le choix de verbes d'action vous permettra de mieux décrire ce que vous avez fait (*voir la page 286*). Le vocabulaire sera soigné, la syntaxe, correcte, et l'orthographe, impeccable.

Des modèles de lettres de présentation vous sont proposés aux pages suivantes. Des formules d'introduction et de conclusion vous sont suggérées à la page 304.

TABLEAU 9.2
Le plan d'une lettre de présentation

PLAN	TEXTE
Appel	Madame la Directrice,
• Référence à une personne *ou* • Rappel de l'offre d'emploi parue • Titre du poste N° de référence (s'il y a lieu) • Renommée de l'entreprise et intérêt pour le secteur d'activité	• Mme Louise Ducharme, préposée au Service à la clientèle de votre entreprise, m'a conseillé de poser ma candidature à un poste de secrétaire. • J'ai relevé dans *La Balance* du 9 mai dernier l'annonce par laquelle vous demandez un commis comptable. • Vu la renommée de votre entreprise et mon intérêt pour votre secteur d'activité, je désire poser ma candidature au poste de...
Présentation de la candidature	• Vu mon expérience des deux dernières années dans ce domaine… • Vu le succès que j'ai obtenu lors d'un stage de formation dans ce domaine… • Vu que j'accomplis des tâches similaires depuis cinq ans...
Liens entre la formation ou l'expérience et les exigences du poste offert	… je suis persuadée de pouvoir répondre adéquatement à vos exigences. … je possède les compétences requises et je désire poser ma candidature à ce poste.
Renvoi au curriculum vitæ	Je joins mon curriculum vitæ, qui vous renseignera davantage sur ma formation et sur mon expérience.
Demande d'entrevue	• Je sollicite une entrevue afin d'apporter des précisions sur… • Je suis disponible pour une entrevue au jour et à l'heure qui vous conviendront.
Conclusion	J'espère que vous retiendrez ma candidature.
Salutation	Dans l'attente d'une réponse favorable, je vous prie d'agréer, Madame la Directrice, mes salutations distinguées.
Signature	*Pierre Dubois Lafleur*
Mention de pièce jointe	p. j. Curriculum vitæ

Modèle de lettre de présentation

Sainte-Foy, le 11 mai 20xx ↓ 5 interlignes

Madame Andrée Turcotte
Directrice des ressources humaines
Lettrages Soleil inc.
318, rue Argençon
Québec (Québec)   G9Z 2J7 ↓ 3

Objet : Offre de service ↓ 3

Madame la Directrice, ↓ 2

J'ai relevé dans *La Balance* du 9 mai dernier l'annonce par laquelle vous demandez un commis comptable. ↓ 2

Vu mon expérience des deux dernières années dans ce domaine, je crois posséder les qualifications requises et je désire poser ma candidature à ce poste.

Je suis très dynamique et extrêmement motivé. Dans mon travail actuel, j'ai acquis des compétences nouvelles et j'ai pu renforcer mon sens de l'organisation et ma capacité de gérer les tâches selon leur priorité.

Je joins mon curriculum vitæ, qui vous renseignera davantage sur ma formation et sur mon expérience.

Je suis disponible pour une entrevue au moment qui vous conviendra. J'espère que vous retiendrez ma candidature.

Dans l'attente d'une réponse favorable, je vous prie d'agréer, Madame la Directrice, mes salutations distinguées. ↓ 4 à 7

Pierre Dublois-Lafleur
Pierre Dublois-Lafleur ↓ 2

PDL/pdl

p. j. Curriculum vitæ

↓ 6 ou 7 cm

Modèle de lettre de présentation

Le 25 janvier 20xx   ↓ 6 ou 7 cm

↓ 5 interlignes

Madame Rose-Marie Gauthier
Service des ressources humaines
Staccato communications
5790, boulevard des Arpèges Est
Québec (Québec)   G2J 3N7   ↓ 3

Objet : Offre de service   ↓ 3

Madame,   ↓ 2

Monsieur Bernard Goulard m'a informée que vous étiez à la recherche d'une commis de bureau. Je suis vivement intéressée par ce poste et je crois posséder les qualifications requises pour accomplir adéquatement les tâches liées à cet emploi.   ↓ 2

En effet, comme vous pourrez le constater dans mon curriculum vitæ ci-joint, j'ai obtenu un diplôme d'études professionnelles en secrétariat et j'ai effectué avec succès un stage en entreprise. Une formation axée sur les nouvelles technologies m'a par ailleurs permis d'acquérir des connaissances et des habiletés concernant les nouvelles technologies. De plus, je suis parfaitement bilingue. Mes aptitudes en communication verbale et écrite me permettent de transmettre clairement l'information. Je souhaite donc que vous reteniez ma candidature pour le poste de commis de bureau.

Si vous désirez plus de renseignements sur ma formation et sur mon expérience, je suis disponible pour une entrevue le jour qui vous conviendra.

Dans l'attente d'une réponse favorable, je vous prie de croire, Madame, à l'expression de mes sentiments les meilleurs.   ↓ 4 à 7

Ghislaine Larivée
Ghislaine Larivée   ↓ 2

GL

p. j. Curriculum vitæ

Modèle de lettre de présentation

Le 25 juin 20xx

↓ 6 ou 7 cm

↓ 5 interlignes

Monsieur Bernard Goulard
Service des ressources humaines
Staccato communications
5790, boulevard des Arpèges Est
Québec (Québec)   G2J 3N7

↓ 3

Objet : Offre de service

↓ 3

Monsieur,

↓ 2

Vu la renommée de votre entreprise et mon intérêt pour votre secteur d'activité, je désire poser ma candidature à un poste en secrétariat.

↓ 2

Comme vous pourrez le constater dans le curriculum vitæ ci-joint, je possède dix ans d'expérience dans ce domaine. Toutes les tâches liées aux communications d'affaires me sont donc familières. De plus, j'ai suivi plusieurs sessions de perfectionnement afin de mettre à jour mes connaissances des nouvelles technologies. Je maîtrise ainsi plusieurs logiciels de traitement de texte, de base de données et de présentation graphique.

L'entreprise pour laquelle je travaillais a fermé sa succursale de Québec. On m'a offert un poste dans une autre province. Mais, pour des raisons personnelles, j'ai pris la décision de refuser cette offre. Dans l'éventualité d'un poste vacant dans votre entreprise, je souhaite vivement que vous reteniez ma candidature.

Si vous désirez plus de renseignements sur ma formation, sur mon expérience et sur mes réalisations particulières, je suis disponible pour une entrevue le jour qui vous conviendra.

Dans l'attente d'une réponse favorable, je vous prie de croire, Monsieur, à l'expression de mes sentiments les meilleurs.

↓ 4 à 7

Geneviève Lachance
Geneviève Lachance

GL

↓ 2

p. j. Curriculum vitæ

Formules d'introduction

- Je suis vivement intéressé par l'offre d'un poste de (*titre de l'emploi*) parue dans (*titre du journal*) du (*date*).
- J'ai récemment obtenu un diplôme de (*titre et spécialité*) et je désire postuler un emploi de (*titre de l'emploi*) dans votre entreprise.
- Pour faire suite à une conversation téléphonique avec Mme (*nom de la personne*), du Service des ressources humaines, je désire poser ma candidature au poste de (*titre de l'emploi*).

Formules de conclusion

- Dans l'attente d'une réponse favorable…
- Je sollicite une entrevue afin de discuter de cet emploi qui m'intéresse grandement.
- Je suis disponible pour une entrevue…

9.6   *Le formulaire de demande d'emploi*

Certaines entreprises peuvent vous inviter à remplir un formulaire de demande d'emploi semblable à celui qui est présenté aux pages suivantes. Les réponses données dans ce type de formulaire complètent les renseignements fournis dans votre curriculum vitæ. Voici des conseils pratiques qui vous aideront à bien remplir ce document.

- Remplissez le formulaire dans un délai raisonnable.
- Lisez attentivement chaque question et suivez les consignes.
- Écrivez lisiblement. Si l'on vous demande d'écrire en majuscules, respectez cette consigne.
- Lorsque la question posée ne s'applique pas à vous, inscrivez l'abréviation « s. o. » (sans objet).
- À la question sur le salaire, vous pouvez répondre « À discuter », « Selon les règlements de l'entreprise », « Selon la convention de travail en vigueur ».
- La mention « néant » correspond à la mention anglaise « nil » et signifie qu'il n'y a rien à signaler.
- À moins que vous n'ayez travaillé pour ces personnes, ne donnez pas le nom de parents ou d'amis comme références.
- Relisez vos réponses, vérifiez l'orthographe et les accords grammaticaux.
- Assurez-vous de pouvoir indiquer votre numéro d'assurance sociale, le numéro de votre permis de conduire (si l'emploi l'exige) et le numéro de téléphone des personnes que vous nommez dans les références.

Modèle de formulaire de demande d'emploi

Banque Millionnaire

OFFRE DE SERVICE

RENSEIGNEMENTS PERSONNELS

Nom	Prénom	N° d'assurance sociale
Adresse (n°, rue, app.)		N° de téléphone au domicile
Ville	Province | Code postal	N° de téléphone au bureau

EMPLOI POSTULÉ

Type d'emploi désiré	Statut d'emploi désiré ❏ Permanent ❏ Temporaire
Lieu de travail souhaité (indiquer deux endroits) 1er	Date de disponibilité
2e	Salaire demandé

LANGUES

Parlées couramment : ❏ français ❏ anglais ❏ autre(s) : _____
Écrites couramment : ❏ français ❏ anglais ❏ autre(s) : _____
Lues couramment : ❏ français ❏ anglais ❏ autre(s) : _____

CONNAISSANCES TECHNIQUES

Rapidité du doigté ❏ Oui : _____ mots/min   Méthode d'écriture rapide ❏ Oui
❏ Non ❏ Non

Traitement de texte ❏ Oui : lequel _____ Tenue de livres ❏ Oui
❏ Non ❏ Non

FORMATION

Nom et lieu de l'établissement	Durée – mois/année	Titre du diplôme obtenu
Études secondaires	De _____ à _____	
Études collégiales	De _____ à _____	
Études universitaires	De _____ à _____	
Autres (cours du soir, etc.)	De _____ à _____	

Modèle de formulaire de demande d'emploi (suite)

EXPÉRIENCE (commencer par l'emploi le plus récent)

Nom de l'employeur	Date d'entrée	Date de départ
Adresse de l'employeur	Salaire à l'entrée	Salaire actuel ou au départ
Titre de la fonction	Nom du supérieur	
Description du travail		

Nom de l'employeur	Date d'entrée	Date de départ
Adresse de l'employeur	Salaire à l'entrée	Salaire au départ
Titre de la fonction	Nom du supérieur	
Description du travail		

Nom de l'employeur	Date d'entrée	Date de départ
Adresse de l'employeur	Salaire à l'entrée	Salaire au départ
Titre de la fonction	Nom du supérieur	
Description du travail		

Modèle de formulaire de demande d'emploi (suite)

DIVERS

Pourquoi désirez-vous travailler dans notre entreprise?
Pour quelles raisons croyez-vous qu'on devrait vous choisir pour le poste en question?
Quels sont vos objectifs de carrière à court terme, à moyen terme et à long terme?
Y a-t-il, à votre avis, d'autres points qui pourraient nous aider à mieux évaluer votre candidature?
Quels sont vos loisirs et vos activités sociales?

RÉFÉRENCES

Nommez deux personnes qui peuvent fournir des références professionnelles.

Nom	Fonction et adresse	N° de téléphone

CONDITIONS

Je vous autorise à vous procurer l'information nécessaire concernant la présente offre de service. Je certifie que les renseignements fournis dans cette demande d'emploi sont conformes à la vérité, exacts et complets. Je reconnais que toute déclaration inexacte ou omission de renseignements dans cette offre de service peut m'exposer à un renvoi.

Date : _____ Signature : _____

Réponses à certaines questions du formulaire

Dans le formulaire qui précède, des questions concernent votre motivation et vos qualités professionnelles; elles demandent des réponses plus personnelles. Afin de répondre adéquatement à ces questions, inspirez-vous des suggestions ci-dessous.

- *Pourquoi désirez-vous travailler dans notre entreprise?*
  Vous pouvez mentionner la renommée de l'entreprise, votre intérêt pour le secteur d'activité ou pour les services offerts, etc.

- *Pour quelles raisons croyez-vous qu'on devrait vous choisir pour le poste en question?*
  Plusieurs éléments de réponse peuvent être indiqués:
  – Vous avez déjà accompli des tâches similaires.
  – Vous voulez acquérir de nouvelles connaissances.
  – Vous possédez une grande facilité d'apprentissage.
  – Les tâches et les responsabilités du poste correspondent à votre formation, etc.

- *Quels sont vos objectifs de carrière à court terme, à moyen terme et à long terme?*
  Vous avez un grand choix de réponses:
  – Faire valoir vos possibilités.
  – Progresser dans l'acquisition de connaissances et dans l'accomplissement de différentes tâches.
  – Obtenir de façon progressive plus de responsabilités.
  – Vous réaliser dans un domaine que vous avez toujours trouvé captivant, etc.

- *Y a-t-il, à votre avis, d'autres points qui pourraient nous aider à mieux évaluer votre candidature?*
  Selon le cas, vous pouvez signaler:
  – votre disponibilité;
  – la réalisation d'un projet personnel;
  – l'excellence de vos résultats scolaires;
  – une expérience de travail liée à l'emploi postulé, etc.

La préparation minutieuse des documents nécessaires à la recherche d'un emploi ne peut que vous aider à obtenir une entrevue.

10 L'entrevue

Objectif général

Se préparer à l'entrevue pour la réussir.

Objectifs intermédiaires

- Reconnaître l'importance d'une bonne préparation à l'entrevue.
- Savoir se comporter en entrevue.
- Connaître les questions les plus fréquemment posées en entrevue.
- Pratiquer l'autoévaluation après une entrevue.

10.1 Généralités

Même si le fait d'être convoqué à une entrevue suscite de l'inquiétude et de la nervosité, il n'en demeure pas moins que cette rencontre constitue un moment privilégié pour mettre en valeur votre candidature à un poste. Si vous êtes arrivé à cette étape, c'est que, dans la plupart des cas, votre curriculum vitæ et votre lettre de présentation ont retenu l'attention d'un employeur.

Trop souvent, on considère l'entrevue comme une interview à sens unique où le recruteur pose des questions pour évaluer la compétence d'un candidat. L'entrevue doit plutôt être tenue pour une rencontre au cours de laquelle le candidat et l'employeur tentent d'obtenir le plus de renseignements possible l'un sur l'autre.

10.2   *Ce que l'employeur désire connaître*

Les principaux points que veut vérifier un employeur à l'occasion de ce premier contact sont les suivants :

- votre intérêt pour le poste offert;
- vos compétences (dans certains cas, des tests d'évaluation sont demandés);
- votre facilité à communiquer (ton de la voix, façon de vous exprimer, capacité de mettre en valeur votre expérience et vos réalisations antérieures);
- votre désir d'assumer des responsabilités;
- vos principales qualités;
- votre disponibilité;
- votre capacité à résoudre des problèmes;
- votre plan de carrière;
- les liens entre votre formation, vos expériences de travail et les exigences du poste offert;
- vos capacités, grâce à certaines indications fiables.

10.3   *Ce que le candidat doit savoir*

Trop souvent, la description du poste offert se limite à une brève énumération des tâches et des exigences.

Au cours de l'entrevue, il est primordial que vous obteniez des renseignements plus détaillés sur les points suivants :

- les tâches à exécuter;
- le secteur d'activité de l'entreprise;
- l'horaire de travail;
- le nombre de personnes avec qui vous aurez à travailler;
- le matériel utilisé (*ex. :* logiciels);
- les possibilités de promotion selon l'expérience;
- le salaire offert.

En ce qui concerne les vacances annuelles et les avantages sociaux, vous devriez attendre d'être convoqué à une deuxième entrevue ou de vous faire offrir le poste avant d'en parler.

En résumé, ce que recherche l'employeur, c'est un candidat qui :

- réponde aux attentes de l'entreprise;
- possède les compétences requises pour exécuter les tâches demandées;
- puisse s'intégrer au personnel.

Le candidat doit donc démontrer par son attitude et par les réponses aux questions posées qu'il peut accomplir efficacement les tâches décrites et ainsi contribuer au succès de l'entreprise.

Voyons de façon plus précise les trois étapes à suivre pour réussir une entrevue.

10.4 Les étapes de l'entrevue

10.4.1 Préparation à l'entrevue

Plusieurs éléments doivent être considérés lors de la préparation à une entrevue. Ils concernent principalement votre état d'esprit, les différentes façons de mettre en valeur vos aptitudes et vos compétences ainsi que les règles de convenance à respecter. Examinons de plus près chacun d'eux.

Attitude positive

Tout d'abord, avant de vous présenter à une entrevue, il faut adopter une **attitude positive**. Cela signifie qu'il faut éliminer de votre esprit les phrases telles que : « Il y a tellement de candidats que je ne serai pas choisi », « Je n'ai pas suffisamment d'expérience », etc. Avoir confiance en vous-même contribuera à affirmer votre motivation pour le poste offert. Vous faites une démarche pour offrir vos services et, d'après les tâches énumérées dans l'offre d'emploi, vous êtes convaincu de pouvoir les exécuter de façon adéquate. Quel que soit le résultat d'une ou de plusieurs entrevues, vous devez faire preuve de persévérance.

Profil d'emploi

Il est utile d'établir votre **profil d'emploi** en évaluant les points suivants : facilité à communiquer et à vous adapter aux gens et aux situations, capacité de planifier, possibilité de travailler sous pression, désir de vous perfectionner, initiative, débrouillardise, rapidité et précision dans la réalisation des tâches, jugement pratique, etc. De cette façon, vous aurez établi vos forces et vos faiblesses, défini vos intérêts personnels et vos aptitudes particulières. Cet exercice vous permettra de répondre plus facilement aux questions concernant vos qualités personnelles et vos compétences.

Voici diverses questions qui vous aideront à établir votre profil d'emploi. Les réponses à ces questions vous guideront vers un travail qui correspondra à vos goûts et à votre personnalité.

- Quels sont les travaux que vous faites le mieux?
- Avez-vous reçu des éloges pour un travail bénévole ou rémunéré?
- Quels sont les appareils, l'équipement ou les logiciels que vous savez utiliser?
- Quels emplois avez-vous occupés?
- Quelles sont les tâches que vous préférez exécuter?
- Préférez-vous les tâches routinières ou variées?
- Aimez-vous prendre des décisions?
- Pouvez-vous travailler sous pression?
- Préférez-vous travailler seul ou en équipe?
- Aimez-vous travailler avec le public?
- Préférez-vous un travail en secrétariat ou un travail en comptabilité?
- Désirez-vous suivre des cours de perfectionnement?
- Êtes-vous prêt à faire des heures supplémentaires?
- Comment réagissez-vous lorsqu'on vous demande d'exécuter une tâche dans un délai précis?
- Aimez-vous les tâches qui demandent de la concentration?
- Avez-vous déjà rédigé des documents d'affaires?
- Quelles sont les tâches que vous n'aimez pas exécuter?
- Quelles qualités personnelles votre entourage vous reconnaît-il?
- Quel défaut vous a-t-on déjà souligné?

- Accepteriez-vous un emploi qui exigerait des déplacements?
- Souhaitez-vous obtenir une promotion après quelques années d'expérience?

Renseignements sur l'entreprise

Avant une entrevue, essayez d'obtenir quelques **renseignements sur l'entreprise.** Il peut s'agir des produits et des services qui sont offerts, du secteur d'activité, de la taille de l'entreprise, etc. L'Internet, les journaux, les périodiques, des dépliants laissés à la réception et la consultation dans une bibliothèque sont autant de moyens d'acquérir ces connaissances minimales avant l'entrevue.

Apparence et aspect vestimentaire

Même si «l'habit ne fait pas le moine», l'apparence physique produit un effet certain dès les premières minutes de l'entrevue. C'est pourquoi il ne faut pas négliger cet aspect; mieux vaut le considérer comme un atout supplémentaire. Il convient donc d'attacher de l'importance à votre **apparence** et à l'**aspect de vos vêtements.** Selon le genre d'emploi postulé, choisissez des vêtements sobres, classiques. Pour l'homme, un veston sport et un chandail ou un veston et une cravate sont de mise. Pour la femme, une jupe, un chemisier et un veston ou une robe sont convenables. Le maquillage doit être léger et les bijoux clinquants sont à proscrire.

Documents complémentaires

Dans plusieurs cas, la préparation à une entrevue peut être parachevée par la constitution d'un dossier regroupant divers **documents** qui peuvent être utiles : une copie de votre curriculum vitæ, des lettres de recommandation, des attestations d'excellence ou de cours suivis, vos diplômes ou toute autre preuve écrite concernant des réalisations particulières.

Ayez en main un dossier représentatif de ce que vous êtes. Il peut constituer un atout pour convaincre un employeur potentiel de vos compétences et de vos aptitudes. Joignez-y des documents dont vous êtes fier : rapport graphique, programme où figure votre nom, prix obtenus, lettres de remerciements ou d'appréciation, certificat de travail bénévole, etc. Mettez de l'ordre dans votre dossier et, au moment opportun, vous pourrez les présenter à l'intervieweur. Ces documents mettront en valeur d'autres aspects de votre personnalité. De plus, apportez un calendrier, un cahier de notes et un crayon pour noter des renseignements ou la date d'une entrevue ultérieure.

Si l'on vous demande de remplir un formulaire de demande d'emploi, il est important que vous connaissiez votre numéro d'assurance sociale, les dates exactes de vos emplois précédents et l'année d'obtention de vos diplômes. Si vous pensez mentionner dans la section «Références» le nom et le numéro de téléphone de certaines personnes, demandez-leur d'abord leur autorisation.

Si vous répondez à une offre d'emploi parue dans un journal ou sur un tableau d'affichage, vous avez pris connaissance des exigences mentionnées et des tâches décrites. Il est conseillé de les noter et de les conserver. Au moment de l'entrevue, vous pourrez établir des liens entre ces dernières, votre formation et votre expérience.

Pour acquérir une certaine aisance et améliorer la qualité de votre communication orale, il est suggéré de simuler une entrevue avec des parents ou des amis. La section «Questions types», à la page suivante, vous aidera à faire valoir vos réponses.

10.4.2   *Questions types*

Quelle que soit la manière dont elles seront formulées, les questions les plus fréquemment posées en entrevue concernent les services que vous pouvez offrir, vos objectifs professionnels ainsi que vos aptitudes et qualités personnelles.

À titre indicatif, vous trouverez dans le tableau 10.1 des questions souvent posées en entrevue ainsi que des éléments de réponse pour chacune d'elles.

TABLEAU 10.1

Questions fréquemment posées en entrevue et éléments de réponse

QUESTIONS TYPES	ÉLÉMENTS DE RÉPONSE
Qu'est-ce qui vous a particulièrement intéressé dans notre offre d'emploi?	– Énumération des tâches décrites dans l'annonce – Capacité de répondre aux exigences – Lien avec la formation reçue
Pourquoi désirez-vous travailler pour notre entreprise?	– Renseignements obtenus sur l'entreprise – Offre qui correspond à votre formation ou à votre expérience – Intérêt pour le secteur d'activité de l'entreprise
Parlez-moi de vous.	– Formation, expérience de travail, réalisations particulières – Qualités professionnelles et personnelles en rapport avec l'emploi postulé – Traits de votre personnalité
Pourquoi avez-vous choisi d'étudier dans ce domaine?	– Intérêt pour ce genre de travail – Possibilité d'évoluer, d'acquérir de nouvelles connaissances théoriques ou techniques, de faire de nouveaux apprentissages
Avez-vous déjà fait ce genre de travail?	– Stage – Expérience de travail similaire – Formation récente
Quelle formation avez-vous suivie?	– Diplômes obtenus – Habiletés développées – Techniques maîtrisées
Qu'avez-vous appris des emplois occupés précédemment?	– Habiletés liées aux postes occupés – Bons contacts avec les gens (clientèle) – Débrouillardise, autonomie, etc.
Préférez-vous travailler seul ou en équipe?	– (Selon votre préférence) – Nécessité et avantages d'effectuer certaines tâches en équipe
Quelles sont les qualités que vous jugez nécessaires pour réussir dans le travail que vous avez choisi?	– Habiletés et connaissances requises par le type de travail – Qualités personnelles (entregent, précision, rapidité, courtoisie, etc., selon les exigences mentionnées dans l'offre d'emploi)
Quels sont vos objectifs de carrière?	– Avec de l'expérience, gravir les échelons dans une entreprise – Participer au succès d'une entreprise – Fournir un travail de qualité
Quels sont vos points forts?	– Techniques maîtrisées – Aptitudes particulières – Compétences professionnelles

TABLEAU 10.1 (SUITE)

QUESTIONS TYPES	ÉLÉMENTS DE RÉPONSE
Devant un travail urgent, comment réagissez-vous?	– Attitude, motivation – Rapidité, capacité d'adaptation
Quels ont été vos rapports avec vos employeurs précédents?	– Entente, cordialité (ne pas dénigrer un ancien employeur)
Comment avez-vous obtenu votre dernier emploi?	– Démarche personnelle – Contacts (amis, connaissances, etc.)
À quelles occasions avez-vous manifesté de l'initiative?	– Description de diverses situations (bénévolat, projet spécial, etc.)
Pendant votre formation, quelles étaient vos matières préférées?	– Énumération des matières préférées qui sont en rapport avec les compétences demandées – Raisons
Accepteriez-vous de suivre des cours de perfectionnement?	– Réponse affirmative et intérêt manifeste
Quels sont vos passe-temps favoris?	– Énumération de vos intérêts et de vos passe-temps (lecture, Internet, sport, etc.)
Parlez-vous l'anglais ou une autre langue?	– Précisions sur la maîtrise d'une autre langue (conversation courante, rédaction, etc.)
En quoi pensez-vous que votre expérience de travail est pertinente pour l'emploi postulé?	– Responsabilités assumées qui ont un rapport avec l'emploi postulé – Réalisation de tâches connexes – Spécialisation, attestation d'une spécialisation, etc.
Quelle est votre principale qualité professionnelle?	– Sens des responsabilités, autonomie, débrouillardise, entregent, etc.
Que considérez-vous comme le plus important dans un milieu de travail?	– Ambiance, matériel adéquat, rôle des personnes bien défini, etc.

10.4.3 Déroulement de l'entrevue

Tout d'abord, il est important d'être ponctuel. Il convient que vous arriviez à une entrevue de 10 à 15 minutes avant l'heure fixée. La plupart du temps, vous aurez à vous présenter à la réception. Vous donnerez votre nom, le nom de la personne que vous venez voir ainsi que l'heure du rendez-vous.

Lorsque vous rencontrez l'intervieweur, levez-vous, présentez-vous, donnez-lui une poignée de main ferme et chaleureuse et suivez-le dans son bureau. Ne vous asseyez pas avant d'y avoir été invité. À partir de ce moment-là, votre attention doit porter sur l'intervieweur et non sur le décor ou sur ce qui se passe à l'extérieur.

Déjà, à ce stade de l'entrevue, votre allure générale, votre tenue vestimentaire, vos premières paroles et une foule de petits détails font de vous l'objet d'une première appréciation subjective et intuitive de la part d'un employeur. Cette première impression peut être modifiée pendant l'entrevue.

Voici quelques conseils concernant le déroulement de l'entrevue.

- Laissez l'intervieweur entamer la conversation : ce rôle lui revient.
- Ayez un bon maintien.
- De préférence, n'acceptez pas de café, même si l'on vous en offre.
- Écoutez attentivement les propos de votre interlocuteur.
- Parlez suffisamment fort afin qu'on ne vous demande pas de répéter.
- Vouvoyez la personne à qui vous vous adressez.
- Répondez aux questions et évitez les digressions.
- Faites valoir avec conviction votre formation, vos expériences de travail, vos compétences.
- Assurez-vous d'avoir bien compris chaque question.
- Ayez en tête les précisions que vous aimeriez ajouter au sujet d'une réalisation particulière ou d'un stage lié à l'emploi postulé.
- N'oubliez pas d'établir un lien logique entre vos études, votre expérience de travail ou vos réalisations et la description des tâches énumérées dans l'offre d'emploi.
- Dites la vérité sans pour autant dénigrer un ancien employeur ou toute autre personne.
- Si vous êtes trop qualifié pour l'emploi, manifestez votre désir de « commencer au bas de l'échelle » et démontrez votre détermination à évoluer au sein de l'entreprise.
- Si vous avez changé d'emploi plusieurs fois, justifiez ces changements.

N'oubliez pas de poser certaines questions relatives à l'emploi. L'employeur alloue habituellement du temps à cet effet. C'est alors l'occasion de vous renseigner sur les conditions de travail, le salaire offert ou tout autre sujet important (*ex.*: déplacements exigés, heures supplémentaires) et de manifester de nouveau votre intérêt pour l'emploi postulé. Ne prolongez pas l'entrevue. Remerciez l'intervieweur de vous avoir reçu et demandez-lui dans quel délai vous connaîtrez sa décision. Notez cette date dans le cas où vous auriez à le rappeler.

10.4.4   Conseils pratiques

- Préparez votre entrevue.
- Soignez votre apparence.
- Soyez ponctuel.
- Parlez avec confiance.
- Soyez discret.
- Démontrez votre intérêt et votre dynamisme.
- Évitez de critiquer.
- Soignez la présentation de vos documents.
- Faites preuve de persévérance.

Chaque entrevue doit demeurer une expérience constructive. Si votre candidature n'est pas retenue, votre curriculum vitæ sera peut-être conservé pour un poste éventuel. Dans un contexte où la concurrence est vive, il est important de procéder à la recherche d'un emploi de façon méthodique. Les étapes décrites dans ce chapitre ont pour but de faciliter votre intégration au milieu du travail, en vous donnant une méthode efficace pour préparer une entrevue et pour la passer avec succès. Le tableau synthèse qui suit présente les principaux points dont vous devez tenir compte aux différentes étapes d'une entrevue.

TABLEAU 10.2
Synthèse des étapes de l'entrevue

AVANT L'ENTREVUE	PENDANT L'ENTREVUE	APRÈS L'ENTREVUE
– Adopter une attitude positive, optimiste – Prendre connaissance des exigences mentionnées par l'employeur – Établir son profil d'emploi – Prendre conscience de ses points forts et de ses points faibles – Noter les tâches énumérées dans l'offre d'emploi – Soigner la présentation des documents relatifs à la recherche d'emploi – Connaître ses intérêts personnels et ses compétences particulières – Obtenir des renseignements sur l'entreprise – Soigner son apparence et sa tenue vestimentaire – Être ponctuel (arriver 10 ou 15 minutes avant l'heure fixée)	– Vous présenter et donner une poignée de main chaleureuse – Attendre avant de vous asseoir qu'on vous invite à le faire – Laisser l'employeur commencer l'entrevue – Maîtriser votre nervosité – Fixer votre attention sur la personne qui vous interroge – Adopter un bon maintien – Énumérer vos compétences et vos habiletés – Faire valoir vos qualités professionnelles et personnelles – Appuyer vos propos par des exemples ou des preuves – Exprimer votre motivation – Présenter les documents complémentaires que vous avez préparés – Poser des questions sur les tâches à exécuter, sur le matériel ou les appareils utilisés, sur les personnes avec lesquelles vous auriez à travailler, etc. – Vous renseigner sur les possibilités d'avancement et sur les conditions de travail – Demander dans quel délai vous connaîtrez le résultat de l'entrevue – Saluer l'intervieweur, le remercier et lui donner une poignée de main	– Évaluer le déroulement de l'entrevue (points forts, points faibles, oublis, attitude, réponses à améliorer, etc.) – Rappeler l'employeur (selon l'entente conclue) – Ne pas prendre de décision trop hâtive (dans le cas où l'on vous offre un poste) – Faire preuve de persévérance. Quelle que soit l'impression ressentie à la suite d'une entrevue, il est conseillé de reconsidérer son déroulement.

Si les conseils précédents peuvent favoriser le succès d'une entrevue, voici une énumération d'attitudes négatives à éviter :

- tics nerveux;
- impression de supériorité, du genre « je sais tout »;
- réponses vagues ou « je ne sais pas »;
- incapacité de formuler clairement ses idées;
- manque de courtoisie;
- manque d'enthousiasme;
- allusion au fait que cet emploi est temporaire pour vous;
- refus de certaines conditions de travail;
- manque de motivation pour suivre des cours de perfectionnement;
- détails sur votre vie privée;
- éventail restreint d'intérêts personnels;
- manque de polyvalence;
- intérêt marqué pour le salaire au détriment du travail.

10.4.5   Bilan de l'entrevue

Après une entrevue, prenez le temps d'évaluer votre attitude. Relevez les questions auxquelles vous avez répondu et analysez les réponses données. Cette réflexion sur votre expérience vous aidera à constater les points positifs et les points à améliorer. La fiche d'observation proposée ci-après facilitera votre réflexion.

TABLEAU 10.3

Fiche d'observation à la suite d'une entrevue

ÉTAPES	POINTS OBSERVÉS	OUI	NON
Salle d'attente	Ai respecté l'heure du rendez-vous	☐	☐
	Me suis présenté à la réception, ai donné le nom de la personne qui m'a convoqué	☐	☐
	Ai adopté une tenue vestimentaire appropriée	☐	☐
Début de l'entrevue	Ai salué l'intervieweur et lui ai offert une poignée de main	☐	☐
	Ai attendu d'être invité à m'asseoir	☐	☐
	Ai laissé l'intervieweur commencer l'entrevue	☐	☐
Déroulement de l'entrevue	Ai énuméré mes compétences et mes habiletés liées à l'emploi	☐	☐
	Ai énuméré mes intérêts et mes objectifs professionnels	☐	☐
	Ai présenté des documents se rapportant à ma formation ou à des réalisations particulières	☐	☐
	Ai vouvoyé l'intervieweur et ai utilisé un niveau ou un registre de langue correct	☐	☐
	Ai démontré ma connaissance de l'entreprise	☐	☐
	Ai donné des réponses claires et précises	☐	☐
	Ai mentionné mes qualités : autonomie, débrouillardise, rapidité, précision, etc.	☐	☐
	Ai exprimé ma motivation à l'égard de l'emploi postulé	☐	☐
	Ai posé des questions concernant les tâches et le milieu de travail	☐	☐
	Ai posé mon regard sur l'intervieweur, ai conservé un bon maintien et ai évité les tics nerveux	☐	☐
	Ai posé des questions sur des points obscurs	☐	☐

TABLEAU 10.3 (SUITE)

ÉTAPES	POINTS OBSERVÉS	OUI	NON
Fin de l'entrevue	Ai demandé dans quel délai je connaîtrais la décision	☐	☐
	Ai remercié l'intervieweur	☐	☐
	Ai donné une poignée de main ferme	☐	☐
Après l'entrevue	Ai noté la date probable d'une réponse	☐	☐
	Ai évalué mes points forts et mes points faibles	☐	☐

10.5 La lettre de remerciements à la suite d'une entrevue

Il est conseillé d'envoyer une lettre de remerciements après avoir rencontré un employeur. Dans cette lettre, généralement brève, le candidat remercie ce dernier de lui avoir accordé une entrevue et manifeste son intérêt pour un poste éventuel. Il peut également signaler à quel moment il est disponible. Cette lettre doit être envoyée le plus rapidement possible.

Un modèle de lettre de remerciements est présenté à la page suivante.

Modèle de lettre de remerciements

Le 18 juin 20xx

Madame Danielle Roland
Service des ressources humaines
La Prévoyance
237, boulevard Beauséjour Est
Laval (Québec)   H7L 2Y7

Objet : Remerciements

Madame,

Je vous remercie de m'avoir accordé une entrevue le 14 juin dernier. Cette rencontre m'a permis de confirmer mon intérêt pour le secteur d'activité dans lequel vous travaillez.

L'accueil que vous m'avez réservé, l'ambiance des lieux de travail et la description des tâches à exécuter m'ont vivement intéressée. Je souhaite que vous conserviez ma candidature dans l'éventualité d'un poste vacant en secrétariat ou en comptabilité. Je suis persuadée que je pourrai vous fournir d'excellents services.

Veuillez croire, Madame, à l'expression de mes sentiments les meilleurs.

Nancy Beauregard
Nancy Beauregard

NB

↓ 6 ou 7 cm

↓ 5 interlignes

↓ 3

↓ 3

↓ 2

↓ 2

↓ 2

↓ 2

↓ 4 à 7

↓ 2

11 Guide grammatical

Objectif général

Présenter de façon schématique les éléments de la grammaire de la phrase en vue de connaître et de bien utiliser le français écrit dans les communications d'affaires.

Objectifs intermédiaires

- Établir un parallèle entre la démarche de la nouvelle grammaire et celle de la grammaire traditionnelle.
- Reconnaître les caractéristiques de la phrase.
- Réviser les classes de mots.
- Réviser les fonctions syntaxiques.
- Réviser les principaux accords grammaticaux utilisés dans la rédaction de la correspondance d'affaires.
- Consulter les tableaux de révision des principaux accords grammaticaux et des fonctions syntaxiques en usage dans la correspondance d'affaires.
- Appliquer les accords grammaticaux dans les communications d'affaires.

11.1 Généralités

Vous trouverez dans les pages suivantes plusieurs tableaux de révision se rapportant à l'analyse de la phrase et aux accords grammaticaux. Ils ont comme but premier de vous aider à résoudre rapidement et efficacement les difficultés éprouvées dans la rédaction des communications d'affaires.

L'évolution des méthodes d'enseignement de la grammaire nous incite à présenter un contenu qui tienne compte de la démarche de la nouvelle grammaire. L'approche étant différente, il est conseillé à ceux et à celles qui n'ont pas été formés selon cette démarche de consulter le tableau comparatif 11.1, dans lequel sont mises en parallèle la terminologie de la grammaire traditionnelle et celle de la nouvelle grammaire. Ce tableau est suivi du tableau 11.2, qui présente une énumération de termes spécifiques à la nouvelle grammaire. Ces documents vous aideront à effectuer le transfert de vos connaissances et vous faciliteront la consultation des tableaux subséquents.

La terminologie n'étant pas l'objet premier de la nouvelle approche de l'étude du fonctionnement de la langue, vous pourrez par la suite observer l'essentiel des notions concernant la phrase : ses constituants, son organisation par groupes et ses transformations. Enfin, vous y trouverez plusieurs tableaux qui abordent les classes de mots, les fonctions syntaxiques, l'orthographe d'usage et les accords grammaticaux.

Nous n'avons pas la prétention de nous substituer aux ouvrages spécialisés qu'il vous est fortement recommandé d'utiliser selon vos besoins. Nous vous proposons plutôt des tableaux faciles à consulter afin d'alléger votre tâche.

11.2 *Terminologie de la grammaire traditionnelle et terminologie de la nouvelle grammaire*

Le tableau comparatif 11.1 présente une liste de termes relatifs à la grammaire traditionnelle et leurs équivalents utilisés dans la nouvelle grammaire. Ils se rapportent aux classes de mots, aux fonctions et à d'autres éléments de la phrase. S'il y a lieu, ils sont suivis de leur abréviation ou de leur symbole.

TABLEAU 11.1

Tableau comparatif des termes utilisés dans la grammaire traditionnelle et dans la nouvelle grammaire

GRAMMAIRE TRADITIONNELLE	EXEMPLES	NOUVELLE GRAMMAIRE
Nature des mots	Nom, pronom, verbe, adjectif, conjonction, adverbe, etc.	**Classes de mots**
Article défini Article indéfini Article partitif	Le, la, les, l' Un, une, des, de, d' Du, de la, de l'	Déterminant (**Dét**) défini Déterminant indéfini ou contracté Déterminant indéfini partitif
Adjectif possessif	Mon, ton, son, ma, ta, sa, mes, tes, ses, notre, votre, leur, nos, vos, leurs	Déterminant possessif
Adjectif démonstratif	Ce, cet, cette, ces	Déterminant démonstratif
Adjectif interrogatif Adjectif exclamatif	Quel, quelle, quels, quelles Quel, quelle, quels, quelles	Déterminant interrogatif Déterminant exclamatif
Adjectif indéfini	Aucun, certains, chaque, divers, maint, nul, plusieurs, quelques, plus d'un, l'un et l'autre, etc.	Déterminant quantitatif
Adjectif relatif	Lequel, laquelle, lesquels, lesquelles, duquel, desquels, auxquels, auxquelles (suivis d'un nom)	Déterminant relatif
Adjectif numéral cardinal	zéro, un, vingt, cent, mille	Déterminant numéral
Adjectif numéral ordinal	premier, deuxième, onzième, etc.	Adjectif (**Adj**) ordinal
Adjectif qualificatif	Une secrétaire **compétente** Le personnel **administratif**	Adjectif qualifiant Adjectif classifiant
Adjectif verbal	Les arguments sont **convaincants**.	Adjectif participe
Verbe copule, verbe d'état	Ce document **est** important. Ce local **deviendra** un entrepôt.	Verbe (**V**) attributif

TABLEAU 11.1 (SUITE)

FONCTION	EXEMPLES	FONCTION SYNTAXIQUE
Conjonction de coordination	Le secrétariat **et** la comptabilité l'intéressent.	Coordonnant (**Coord.**)
Conjonction de subordination	Il prépare le dossier **pendant que** je rédige une note de service.	Subordonnant (**Subord.**)
Adverbe qui modifie…	Il travaille **beaucoup**. Cette secrétaire est **très** appréciée. Il marche **très** lentement.	Modificateur (**Modif.**) d'un verbe (**du V**), d'un adjectif (**de l'Adj**) ou d'un adverbe (**de l'Adv**)
Épithète Apposition	Le moment **attendu** était arrivé. Cette candidate, **bachelière en études commerciales**, sera convoquée à une entrevue.	Complément du nom
Complément d'agent	Cette rencontre a été appréciée **par tous les participants**.	Complément du verbe passif (**Compl. du V passif**)
Complément d'objet direct	La directrice rencontre **tous les chefs de service**. Elle **les** félicite chaleureusement.	Complément direct (**Compl. dir.**)
Complément d'objet indirect	Les préposés donnent des renseignements **aux clients**. Voici le matériel **dont** j'ai besoin.	Complément indirect (**Compl. indir.**)
Complément circonstanciel	Le directeur ira **à Toronto**. Il partira **dans trois jours**.	Complément indirect (**Compl. indir.**) Complément de phrase (**Compl. de P**)
AUTRES TERMES	**EXEMPLES**	**NOUVEAUX TERMES**
Proposition	Les bureaux de scrutin ferment à 20 h.	Phrase (**P**)
Mode conditionnel	J'aurais, je finirais J'aurais eu, j'aurais fini	Temps conditionnel présent Temps conditionnel passé *Note :* Ces temps font maintenant partie du mode indicatif.
Mot de liaison, mot charnière	Elle s'est présentée à l'entrevue, **mais** elle n'a pas été choisie.	Marqueur de relation
Sujet apparent	**Il** est nécessaire que vous assistiez à cette réunion.	Sujet d'un verbe impersonnel « Il » est un pronom impersonnel.
Sujet réel	Il faudrait **que vous relisiez vos documents**.	Complément d'un verbe impersonnel (**Compl. du V impers.**)
Sous-titre	Le rapport (titre) **Les parties du rapport**	Intertitre
Subordonnée complément d'objet (direct ou indirect)	Vous savez **que ce travail exige des habiletés particulières**. Il s'étonne **de ce que sa candidature n'ait pas été retenue**.	Subordonnée complétive (**Sub. compl.**) complément (direct ou indirect)
Subordonnée circonstancielle (de temps, de but, de comparaison, de cause, etc.)	Je partirai **quand ce travail sera terminé**. Ils ont accompagné le stagiaire **afin qu'il rencontre sa superviseure**.	Subordonnée circonstancielle (**Sub. circ.**) ayant une valeur de temps, de but, de comparaison, de cause, etc.

TABLEAU 11.1 (SUITE)

AUTRES TERMES	EXEMPLES	NOUVEAUX TERMES
Subordonnée circonstancielle de comparaison, de conséquence	Elle est meilleure **que je ne le croyais.** Elle a tellement cherché **qu'elle a fini par trouver.**	Subordonnée corrélative exprimant la comparaison, la conséquence
Verbe accidentellement pronominal	**Je me prépare** à partir.	Verbe occasionnellement pronominal
Voix passive Voix active	Une maquette **a été réalisée** par la graphiste. La graphiste **a réalisé** une maquette.	Forme passive Phrase de type déclaratif
Phrase elliptique	Attention! Silence! À chacun son métier!	Phrase non verbale (**P non verbale**)
Accord en genre, en nombre ou en personne	Une chronique **intéressante** Des commis comptables **compétents** Ils nous **proposeront** une solution.	Traits grammaticaux (ou marques) du genre, du nombre ou de la personne

À ces expressions équivalentes s'ajoute un vocabulaire propre à l'analyse de la phrase et à la désignation de certaines fonctions des groupes de mots. La liste suivante mentionne leur appellation et, selon le cas, l'abréviation qui les désigne.

TABLEAU 11.2

Terminologie de la nouvelle grammaire

MOT OU EXPRESSION	EXEMPLES	DÉFINITION
Prédicat de P	Elles **ont participé au congrès de l'APEC.**	Fonction du groupe verbal (**GV**)
Noyau		Élément essentiel d'un groupe de mots
	Les *élèves de la classe* sont attentifs aux explications de leur enseignante. *Ils* sont très attentifs.	Groupe nominal ou pronominal (**GN**)
	Les élèves sont *attentifs aux explications de leur enseignante.*	Groupe adjectival (**GAdj**)
	Les élèves *sont* attentifs.	Groupe verbal (**GV**)
	Les élèves sont *très* attentifs.	Groupe adverbial (**GAdv**)
	Les élèves sont très attentifs *durant le cours de grammaire.* *Note :* Un groupe peut être formé d'un seul mot.	Groupe prépositionnel (**GPrép**)
Expansion		Complément ajouté au noyau d'un groupe
	Les élèves *de ce groupe* sont attentifs.	Expansion du GN
	Les élèves sont *attentifs aux explications de leur enseignante.*	Expansion du GAdj
	Les élèves étudient la nouvelle grammaire **depuis quelques années.**	Expansion de la P
Pronom de reprise	Les *élèves* sont attentifs. **Ils** notent les points importants à retenir.	Pronom qui reprend un élément du texte : groupe nominal (**GN**), groupe adjectival (**GAdj**), phrase (**P**), etc.

TABLEAU 11.2 (SUITE)

MOT OU EXPRESSION	EXEMPLES	DÉFINITION
Présentatif	**Voici** l'ordre du jour de la réunion. **Voilà** ce qui ressort de cette étude. **Il y a** que je n'arrive pas à terminer ce travail.	Mot ou expression qui introduit un groupe nominal ou pronominal, ou une subordonnée complétive
Donneur	Une *lettre* bien *rédigée* Les **commis comptables** *établissent* le rapport des **ventes** *mensuelles*.	Mot d'une classe variable qui donne le genre, le nombre ou la personne à un autre mot d'une classe variable *Note :* Le plus souvent, il s'agit d'un nom ou d'un pronom.
Receveur	***De longs*** *rapports* bien ***rédigés***. *Nous* **exigeons** que *les communications* **écrites** **reflètent** l'image de l'entreprise.	Déterminant, adjectif ou participe passé qui reçoit le genre et le nombre d'un donneur Verbe ou verbe auxiliaire qui reçoit la personne et le nombre d'un donneur
Phrase de base		Voir le tableau 11.3
Phrase emphatique		Voir le tableau 11.8

11.3 La nouvelle grammaire : de la phrase au mot

11.3.1 La phrase (P) : modèle de base

Le modèle de base, appelé aussi « phrase P », est un modèle de structure de phrase selon lequel une phrase est composée de deux constituants obligatoires : un groupe du nom sujet (GNs) et un groupe du verbe (GV) placés dans cet ordre. Ces deux constituants peuvent être suivis d'un ou de plusieurs groupes facultatifs et mobiles, les groupes compléments de phrase (GCompl. de P[1]).

L'encadré qui suit illustre les constituants de la phrase de base (modèle de base). Cette dernière est de type déclaratif, de formes positive, active, neutre et personnelle. Toute phrase qui comporte ces caractéristiques est dite « conforme au modèle de base ».

TABLEAU 11.3
Les constituants de la phrase de base (P)

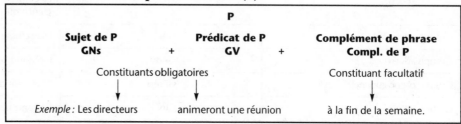

_____

1. Le symbole GCP peut également être utilisé.

Les éléments en gras en dessous de P indiquent les constituants obligatoires. La première ligne donne les fonctions de ces constituants; la deuxième indique les structures qui réalisent ces fonctions dans la phrase.

Le **GN** est la structure la plus souvent employée pour la fonction sujet; c'est pourquoi celle-ci est notée **GNs**; le GInf et la subordonnée complétive jouent parfois le rôle de sujet de P. Le GV est toujours assuré par le groupe verbal. Le complément de phrase peut être un GN, un GPrép, un GAdv, une subordonnée circonstancielle ou un gérondif.

Quelle que soit la longueur de la phrase, la structure est toujours la même : deux constituants obligatoires (un GN sujet de P et un GV prédicat de P) et un ou des compléments de P (constituants facultatifs et mobiles).

11.3.2   *Les différents groupes d'une phrase (P)*

Chaque constituant de la phrase est formé d'un ou de plusieurs groupes de mots. Chacun de ces groupes remplit une fonction syntaxique. Il contient un **noyau** et, possiblement, une ou plusieurs **expansions.**

Exemple d'analyse d'une phrase :

GNs

Les directeurs / de la publicité et du marketing / qui animeront une réunion des représentants /

(noyau)   (expansion 1)   (expansion 2)

GV

présenteront un nouveau projet de démarchage /

Compl. de P
au début du mois prochain.

Le tableau 11.4 donne des précisions sur les différents groupes de mots. Le nom de chacun de ces groupes est suivi de son abréviation.
Note : Un groupe peut être formé d'un seul mot.

Tableau 11.4
Les différents groupes d'une phrase (P)

NOM DU GROUPE	ABRÉVIATION	EXEMPLE
Groupe nominal	GN	**Les contrats de travail à forfait** sont signés.
Groupe verbal	GV	La conférencière **est arrivée depuis trente minutes.**
Groupe adjectival	GAdj	Elle semble **heureuse de ce résultat.**
Groupe adverbial	GAdv	Il répond **poliment.**
Groupe prépositionnel	GPrép	Il travaille **dans cette entreprise.**
Groupe infinitif	GInf	**Obtenir une promotion** est gratifiant.
Groupe participial	GPart	Il présente des arguments **illustrant le sens de sa démarche.**

11.3.3   Représentation schématique d'une phrase

Le schéma suivant, appelé « arbre », sert à illustrer la structure hiérarchique de la phrase.

TABLEAU 11.5
Représentation schématique d'une phrase (P)

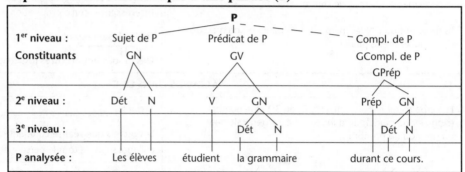

Ce schéma démontre que les mots et les groupes de mots occupent une place à différents niveaux de la structure de la phrase.

Le premier niveau correspond aux constituants de la phrase : un groupe nominal (GN) sujet de la phrase, un groupe verbal (GV) prédicat de phrase et un complément de phrase (Compl. de P), ici un groupe prépositionnel (GPrép). Les deuxième et troisième niveaux décrivent la structure de chacun des groupes. L'analyse prend fin lorsqu'on en arrive aux mots.

11.3.4   Les accords dans les différents groupes d'une phrase

Les accords s'appliquent aux classes de mots variables : le nom, le déterminant, l'adjectif, le pronom et le verbe. Certains sont **donneurs** d'accord (le nom et le pronom) alors que d'autres sont **receveurs** d'accord (le déterminant, l'adjectif, le verbe, le verbe auxiliaire et le participe passé).

Selon le cas, le donneur d'accord peut donner le genre (masculin, féminin), le nombre (singulier ou pluriel) ou la personne (1re, 2e ou 3e).

Pour effectuer correctement les accords dans le groupe nominal et le groupe verbal, on peut procéder de la façon suivante :
1. repérer le ou les receveurs d'accord;
2. repérer le donneur d'accord;
3. selon le cas, déterminer le genre et le nombre du donneur ou sa personne;
4. établir le lien entre le donneur et le receveur et faire les accords appropriés.

Le tableau 11.6 présente des exemples d'accords à l'intérieur des groupes nominal et verbal. Pour avoir plus de détails sur d'autres types d'accords, consultez les tableaux qui s'y rapportent aux pages suivantes.

TABLEAU 11.6

Les accords dans les groupes nominal (GN) et verbal (GV)

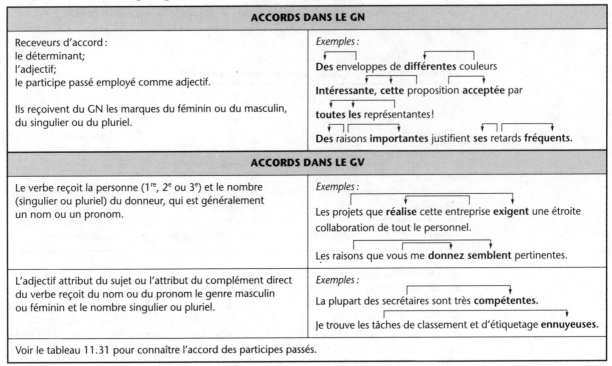

ACCORDS DANS LE GN	
Receveurs d'accord : le déterminant; l'adjectif; le participe passé employé comme adjectif. Ils reçoivent du GN les marques du féminin ou du masculin, du singulier ou du pluriel.	*Exemples :* **Des** enveloppes de **différentes** couleurs **Intéressante, cette** proposition **acceptée** par **toutes les** représentantes! **Des** raisons **importantes** justifient **ses** retards **fréquents.**

ACCORDS DANS LE GV	
Le verbe reçoit la personne (1re, 2e ou 3e) et le nombre (singulier ou pluriel) du donneur, qui est généralement un nom ou un pronom.	*Exemples :* Les projets que **réalise** cette entreprise **exigent** une étroite collaboration de tout le personnel. Les raisons que vous me **donnez semblent** pertinentes.
L'adjectif attribut du sujet ou l'attribut du complément direct du verbe reçoit du nom ou du pronom le genre masculin ou féminin et le nombre singulier ou pluriel.	*Exemples :* La plupart des secrétaires sont très **compétentes.** Je trouve les tâches de classement et d'étiquetage **ennuyeuses.**
Voir le tableau 11.31 pour connaître l'accord des participes passés.	

11.3.5 Les transformations de la phrase

Nous avons vu au point 11.3.1 que la phrase de base considérée comme modèle est de type déclaratif et de formes positive, active, neutre et personnelle. Toute phrase qui respecte ce modèle est appelée « phrase conforme au modèle de base ». Par contre, on appelle « phrase transformée » une phrase dont on a modifié au moins une de ces caractéristiques de type ou de forme.

Le modèle de base sert donc de point de référence pour analyser des phrases lues ou produites. C'est par comparaison avec ce modèle que l'on constate qu'une phrase est interrogative ou impérative, qu'elle a la forme passive ou négative, etc. Le modèle de base permet de comprendre le fonctionnement de toutes les phrases de la langue française.

Le tableau 11.7 présente les différents **types de phrases**. Il est suivi du tableau 11.8, qui énumère les diverses **formes de la phrase**.

TABLEAU 11.7

Les types de phrases

TYPES DE PHRASES	INTENTION DE COMMUNICATION	EXEMPLES
Déclaratif	Exprimer un fait, une opinion, un sentiment, etc.	Vous étudiez la grammaire.
Interrogatif	Poser une question	Étudiez-vous la grammaire?
Exclamatif	Exprimer avec vivacité un sentiment, une opinion	Comme vous étudiez sérieusement la grammaire!
Impératif	Inciter à agir	Étudiez la grammaire.

TABLEAU 11.8

Les formes de la phrase

FORMES DE LA PHRASE	CARACTÉRISTIQUES	EXEMPLES
Négative (Positive)	Contient un adverbe de négation : ne... pas, ne... guère, ne... jamais, etc.	Ce directeur **n'**apprécie **pas** les retardataires. (Ce directeur apprécie la ponctualité.)
Emphatique (Neutre)	Phrase ou groupe de mots mis en emphase par un marqueur d'encadrement : c'est... qui, c'est... que, ce qui, c'est, ce que, ce dont, ce à quoi, etc. Détachement d'un groupe repris par un pronom	**C'est** à cela **que** je pensais. La calligraphie, **ça** me passionne. (Je pensais à cela.) (La calligraphie me passionne.)
Passive (Active)	Le verbe de la phrase active est remplacé par le verbe « être » suivi de l'adjectif participe de ce verbe. On y ajoute souvent la préposition « par ».	Le procès-verbal **est** rédigé **par** la secrétaire. (La secrétaire rédige le procès-verbal.)
Impersonnelle (Personnelle)	Le sujet de la phrase personnelle est déplacé. Le sujet impersonnel « il » est ajouté.	**Il** n'existe aucun article sur ce sujet. (Aucun article n'existe sur ce sujet.)

11.3.6 Les phrases à construction particulière

Les phrases à construction particulière sont des phrases non conformes au modèle de base, même si elles n'ont subi aucune transformation. Elles sont regroupées dans le tableau 11.9.

TABLEAU 11.9

Les phrases à construction particulière

GENRES DE PHRASES	CARACTÉRISTIQUES	EXEMPLES
Phrase infinitive	Phrase dont le noyau verbal est un verbe à l'infinitif	Comment **résoudre** ce problème ?
Phrase à présentatif	Phrase introduite par un présentatif (voici, voilà, il y a, ce sera, etc.)	**Voici** ce que j'ai à vous dire. **Il y aurait** d'autres choix.
Phrase non verbale	Phrase réduite à un groupe autre que celui du verbe	Bien sûr. Sans doute. Entrée interdite. Quel désastre !

11.3.7 La modification et l'allongement d'une phrase

Pour modifier une phrase, on peut recourir à une ou à plusieurs des quatre opérations (manipulations) suivantes :

- ajouter un ou des éléments (addition);

  Exemple : Ce travail est intéressant.
  Ce travail est **très** intéressant.

- effacer un ou des éléments (effacement);

  Exemple : Cette entreprise a obtenu une mention d'excellence **l'année dernière.**
  Cette entreprise a obtenu une mention d'excellence.

- déplacer un ou des éléments (déplacement);

  Exemple : Je vous rappellerai **dans trois jours.**
  Dans trois jours, je vous rappellerai.

- remplacer un ou des éléments (remplacement).

  Exemples : Le téléphoniste parle à un fournisseur.
  Le téléphoniste **lui** parle.
  Les employés acceptent leur nouveau contrat de travail.
  Les employés **l'**acceptent.

Pour allonger la phrase minimale (GN + GV), deux opérations sont possibles :

- ajouter des expansions aux noms (Compl. du N);

  Exemple : Phrase de départ : Les stagiaires rédigent des lettres.
  Les stagiaires **de la formation professionnelle...** (GPrép)
  Les **futurs** stagiaires... (GAdj)
  Les stagiaires, **futurs employés d'une entreprise...** (GN)
  Les stagiaires **qui intégreront le marché du travail dans un an...** (Sub. rel.)
  Les stagiaires **devant terminer leur formation dans une entreprise...** (GPart)

- ajouter des expansions à l'ensemble de la phrase (Compl. de P).

  Exemple : Phrase de départ : Les stagiaires rédigent des lettres.
  Les stagiaires rédigent des lettres **depuis quelques mois.** (GPrép)
  Souvent, les stagiaires rédigent des lettres. (GAdv)
  Lorsqu'ils rédigent des lettres, les stagiaires acquièrent une compétence nécessaire à leur futur emploi. (Sub. circ. exprimant le temps)
  En rédigeant des lettres, les stagiaires acquièrent une compétence nécessaire à leur futur emploi. (Sub. part.[2])
  Les stagiaires ont acquis une compétence nécessaire à leur futur emploi **après avoir rédigé de nombreux types de lettres.** (Sub. inf.[3])

---

2. Certaines grammaires considèrent plutôt qu'il s'agit d'un groupe prépositionnel.
3. Certaines grammaires considèrent plutôt qu'il s'agit d'un groupe prépositionnel.

11.4   *Les classes de mots*

Comme nous l'avons mentionné au point 11.3.4, les mots de la langue française sont répartis en plusieurs classes. Certaines classes de mots, tels le nom, le déterminant, l'adjectif, le pronom et le verbe, sont variables. Les autres, c'est-à-dire l'adverbe, la préposition et la conjonction, sont invariables. Certains mots, comme le nom et le pronom, sont **donneurs d'accord**. D'autres, tels le déterminant, l'adjectif et le verbe, sont **receveurs d'accord**. Selon le cas, il y a accord en genre, en nombre et en personne.

Le tableau 11.10 donne des précisions sur les différentes classes de mots.

TABLEAU 11.10

Les classes de mots

CLASSES	DÉFINITION	EXEMPLES
Nom (N)	Le nom a généralement une forme variable en genre et en nombre. Il est donneur d'accord.	
Nom commun	Désigne les êtres ou les objets	La **présidente**, un **livre**, des **plumes**
Nom propre	Désigne un être ou un groupe d'individus en particulier S'écrit avec une majuscule	**Annabelle, Jacques, Chloé,** les **Québécois**
Nom comptable	Désigne une réalité que l'on peut compter	Un **crayon**, un **ordinateur**, des **imprimantes**
Nom non comptable	Désigne une réalité que l'on ne peut compter	La **ponctualité**, l'**autonomie**
Nom individuel	Désigne, au singulier, un être ou une chose individuelle	Un **élève**, une **enseignante**
Nom collectif	Même au singulier, désigne un ensemble, une collection d'êtres ou d'objets	Un **groupe**, une **assemblée**, le **personnel**
Déterminant (Dét)	Le déterminant a généralement une forme variable en genre et en nombre. Il est receveur d'accord.	
Défini	Introduit un nom dont le sens est déterminé *Note:* «L'» correspond à «le» ou à «la», dont la voyelle est remplacée par une apostrophe devant les mots commençant par une voyelle ou un «h» muet.	Le, la, les, l' **Le** rapport, **la** conférence, **les** employés L'élève, l'heure
Contracté	Correspond à la fusion de «à» ou de «de» avec l'article «le» ou «les»	Au, du, aux, des **Au** matin, **du** courrier, **des** notes
Indéfini	Indique que l'être ou l'objet désigné n'est pas connu ou est vaguement déterminé	Un, une, des **Un** employé, **des** rapports
Partitif	Désigne une partie de ce qui est représenté par le nom	Du (de l'), de la (de l'), des **Du** pain, **de l'**eau

TABLEAU 11.10 (SUITE)

CLASSES	DÉFINITION	EXEMPLES
Possessif	Détermine le nom en indiquant une idée d'appartenance	Mon, ton, son, ma, ta, sa, mes, tes, ses, notre, votre, leur, nos, vos, leurs **Ses** compétences lui ont valu une promotion. Les élèves ont réussi **leurs** examens.
Démonstratif	Désigne des êtres, des idées ou des objets	Ce, cette, cet, ces Il a obtenu **cette** promotion il y a une semaine.
Quantitatif	Exprime une idée plus ou moins vague de quantité ou de qualité	Aucun, nul, chaque, divers, quelques, plusieurs, tout, tous, n'importe lequel, etc. **Tous** les jours, **aucune** élève
Exclamatif	Exprime l'admiration, l'étonnement, l'indignation	Quel, quelle, quels, quelles, combien de (suivis d'un point d'exclamation) **Quelle** surprise de constater les progrès réalisés depuis un an! **Combien** d'erreurs ont été commises!
Interrogatif	Indique une question	Quel, quelle, quels, quelles, combien de (suivis d'un point d'interrogation) **Quels** sont vos projets professionnels? **Combien de** propositions ont été faites?
Numéral	Indique un nombre	Un, deux, trois, etc. Voici les **neuf** imprimantes que vous avez commandées.
Relatif	Placé devant un nom, établit une relation avec un autre nom déjà mentionné ou suggéré	Lequel, duquel, auquel, laquelle, lesquelles, auxquels, auxquelles, etc. Ce client versera 300 $, **laquelle** somme sera remise à son avocate.
Adjectif (Adj)	L'adjectif a généralement une forme variable en genre et en nombre. Il est receveur d'accord.	
Qualifiant	Exprime une qualité de l'être, de l'idée ou de l'objet désigné	Une employée **efficace** Une idée **géniale** Des bureaux **fonctionnels**
Classifiant	Désigne une catégorie des êtres ou des choses désignés	Le personnel **administratif**
Pronom (Pron)	**Avec antécédent** Reprend partiellement ou en totalité un élément déjà mentionné Est donneur d'accord	Voici les nouveaux *stylos*: choisissez **ceux** que vous préférez. La *secrétaire* m'a informé qu'**elle** serait absente.
	Sans antécédent Ne reprend aucun élément Est donneur d'accord	**Je** quitterai le bureau à midi. **Certains** n'osent pas dire ce qu'ils pensent.
Personnel	Désigne la personne qui parle, la personne à qui l'on parle ou la personne de qui l'on parle	Je, tu, il, elle, nous, vous, ils, elles, le, la, les, lui, leur, eux, on, toi, moi, soi, te, me, se, en, y **Je leur** ai dit de venir.

TABLEAU **11.10** (SUITE)

CLASSES	DÉFINITION	EXEMPLES
Indéfini	Désigne, d'une manière vague, des personnes ou des choses	**Indéfinis variables en genre et en nombre :** l'un, l'une, l'autre, un autre, une autre, le même, la même, n'importe lequel, n'importe laquelle, tout **Indéfinis variables en genre :** aucun, chacun, nul, pas un, plus d'un **Indéfinis invariables :** personne, rien, quelque chose, quiconque, n'importe qui, quoi, n'importe quoi, la plupart, beaucoup, d'aucuns, peu, plusieurs, bon nombre
Possessif	Représente un nom en y ajoutant une idée de possession	Le mien, la tienne, le nôtre, la vôtre, les miennes, les tiens, les nôtres, les vôtres, le leur, les leurs, etc. Ces clés, ce sont **les miennes**.
Démonstratif simple	Désigne, sans les nommer, les êtres que l'on montre, ceux dont on vient de parler ou dont on va parler	Ce, celui, celle, ceci, cela, ceux, celles « **Ce** que l'on conçoit bien s'énonce clairement. » (Nicolas Boileau) **Ceux** et **celles** qui travaillent apprécient les congés.
Démonstratif complexe		Celui-ci, celui-là, celle-ci, celle-là, ceux-ci, ceux-là, celles-ci, celles-là **Celles-ci** sont préférables.
Relatif	Reprend un antécédent et introduit une subordonnée relative	Qui, que, quoi, dont, où, lequel, laquelle, lesquels, lesquelles Les commandes **qui** doivent être livrées la semaine prochaine sont déjà prêtes. Nous avons entendu des commentaires, **lesquels** étaient très élogieux.
Interrogatif	Sert à formuler une question concernant la personne, l'objet ou l'idée qu'il représente	Qui, que, quoi, lequel, laquelle, lesquels, lesquelles **Qui** avez-vous rencontré ? **Lesquels** choisissez-vous ?
Numéral	Mot de reprise qui indique une quantité précise	Un, une, deux, trois, quatre, etc. Parmi tous les curriculum vitæ reçus, **huit** ont été retenus.
Verbe (V)	Le verbe a une forme variable en mode, en temps, en personne et en nombre. Il est receveur d'accord.	
Attributif	Joint l'attribut au sujet ou au complément direct L'attribut fait partie du groupe verbal.	Être, paraître, sembler, rester, devenir, etc. Cette secrétaire **est** ordonnée et **semble** toujours calme, quelles que soient les situations.
Transitif	Appelle la présence d'un complément direct ou indirect pour se construire et avoir un sens complet	Elle **remet** sa démission. Ce chef de service **a assisté** au dernier congrès de l'association.
Intransitif	N'appelle pas de complément direct ou indirect	Les bureaux **ferment** à 17 h.

TABLEAU 11.10 (SUITE)

CLASSES	DÉFINITION	EXEMPLES
Pronominal	Est accompagné d'un pronom représentant le sujet	Je me, tu te, il se, nous nous, vous vous, ils se, elles se
Essentiellement pronominal	Ne s'emploie qu'à la forme pronominale	**Elle s'abstient** de voter.
Occasionnellement pronominal	Verbe transitif qui s'emploie occasion-nellement à la forme pronominale	**Nous nous rencontrons** toutes les semaines.
Impersonnel Essentiellement impersonnel	Ne s'emploie qu'à la troisième personne du singulier ou fait partie de locutions impersonnelles	Il faut, il neige, il pleut, il est possible, il est douteux, il est nécessaire, il est utile
Occasionnellement impersonnel	Verbe personnel occasionnellement employé dans une phrase impersonnelle	**Il arrive** que l'on doute de ses capacités. **Il manque** une photo dans cette page.
Auxiliaire	Sert à former, avec un participe passé, les temps composés	Avoir, être J'**ai rédigé** plusieurs lettres. Il **est allé** à la banque.
Adverbe (Adv)	L'adverbe a une forme invariable. Il peut agir comme modificateur ou comme coordonnant; il ne peut pas avoir d'expansion à sa droite.	
Adverbe simple, adverbe complexe (locution adverbiale) *Note :* Consultez la liste des adverbes dans une grammaire.	Mot ou locution invariable qui peut agir comme modificateur	
	d'un verbe,	Ce réceptionniste répond **poliment**.
	d'un adjectif,	Elle est **très** attentive.
	d'un autre adverbe,	Il marche **très** lentement.
	d'un déterminant numéral,	Dans cette classe, on compte **environ** 22 postes de travail.
	d'une préposition,	Il a réalisé, **longtemps** après, les conséquences de son acte.
	d'un pronom	Les étudiants ont **presque** tous lu ce roman.
	Mot ou locution invariable qui peut agir comme coordonnant	Il a rempli une demande d'emploi, **puis** il l'a remise au préposé.
Préposition (Prép)	La préposition a une forme invariable; elle a obligatoirement une expansion à sa droite.	
Préposition simple, préposition complexe (locution prépositive) *Note :* Consultez la liste des prépositions dans une grammaire.	Sert à introduire un complément et constitue le noyau ou l'élément essentiel d'un groupe prépositionnel	À, de, pour, sans, avec, dans, durant, en, entre, par, parmi, pendant, pour, sans, selon, durant, à cause de, quant à, afin de, au lieu de, avant de, d'après, etc. L'ordinateur **de** ma collègue Il travaille **dans** cette entreprise **depuis** deux ans. **À moins d'**une raison grave, elle ne s'absente jamais.
Conjonction (Conj)	La conjonction a une forme invariable.	
Conjonction simple, conjonction complexe (locution conjonctive) *Note :* Consultez la liste des conjonctions dans une grammaire.	Sert à joindre des éléments par coordination (fonction de coordonnant)	**Coordination :** mais, ou, et, donc, car, ni, or Il reçoit les appels **et** achemine le courrier. Il a réussi tous ses examens : **donc** il obtiendra son diplôme.
	ou par subordination (fonction de subordonnant)	**Subordination :** parce que, quand, dès que, si, puisque, etc. Les participants se présenteront à la réunion **dès que** le président arrivera.

11.5   *Les fonctions syntaxiques*

Les mots, les groupes de mots et les phrases syntaxiques forment une phrase (P) dans laquelle chacun d'eux joue un rôle particulier. Ils sont en relation les uns par rapport aux autres, et ce lien établit leur fonction respective dans la phrase.

TABLEAU 11.11

Les fonctions syntaxiques

FONCTION	PRÉCISIONS	EXEMPLES
Sujet (s)	Donne l'accord en nombre et en personne au verbe noyau du groupe verbal (GV) La fonction de sujet peut être occupée par : un groupe nominal (GN); un groupe infinitif (GInf); une subordonnée complétive (Sub. compl.); un pronom.	**Ces comités** planifient l'organisation d'un colloque provincial. **Travailler** est nécessaire. **Que vous ayez obtenu ce succès** ne me surprend pas. **Elles** ont apprécié la conférence.
Attribut du sujet (Attr. du s)	Complète un verbe attributif : être, paraître, sembler, devenir, rester Reçoit l'accord du sujet La fonction d'attribut du sujet peut être occupée par : un groupe adjectival (GAdj); un groupe nominal (GN); un groupe prépositionnel (GPrép); un pronom.	Les taux d'intérêt demeurent **stables.** Ce projet est **une grande réussite.** Mon but est **de relever ce défi.** Efficace, elle **l'**est!
Attribut du complément direct du verbe (Attr. du Compl. dir. du V)	Dépend du complément direct du verbe noyau du groupe verbal (GV) La fonction d'attribut du complément direct du verbe peut être occupée par : un groupe adjectival (GAdj); un groupe nominal (GN); un groupe prépositionnel (GPrép).	Je les croyais **enthousiasmés par ce nouveau projet.** Les enseignants ont élu Chloé **présidente du conseil d'établissement.** L'entrepreneur qualifie ce projet **de réussite.**
Complément de phrase (Compl. de P)	La fonction de complément de phrase peut être occupée par : un groupe prépositionnel (GPrép); un groupe nominal (GN) qui exprime le temps; un groupe adverbial (GAdv) qui exprime le lieu ou le temps; une subordonnée.	Les commis comptables choisissent un logiciel perfectionné **pour la tenue de livres de leurs clients.** **Ces derniers jours**, ils ont été très nerveux. **Dorénavant**, vous établirez des priorités dans l'exécution de vos tâches. On a reconnu ses compétences **après qu'il eut mené à terme ce projet.**

TABLEAU 11.11 (SUITE)

FONCTION	PRÉCISIONS	EXEMPLES
Complément du nom (Compl. du N)	Dépend du nom noyau du groupe nominal (GN)	
	La fonction de complément du nom peut être occupée par :	
	un groupe adjectival (GAdj);	Une réunion **importante** est planifiée. Une **très grande** salle a été réservée. Les employés, **satisfaits de leur contrat**, ont repris leur travail.
	un groupe prépositionnel (GPrép);	On a annulé la réunion **du conseil d'administration.**
	une subordonnée relative (Sub. rel.);	Les documents **que j'ai classés** ont été remis à la secrétaire.
	un groupe participial (GPart);	On avait choisi les logiciels **pouvant être utiles au personnel.**
	un groupe nominal (GN);	Frédéric, **directeur des finances**, a établi les prévisions budgétaires.
	une subordonnée complétive (Sub. compl.).	Le fait **que vous participiez à ce projet** me rassure.
Complément du pronom (Compl. du Pron)	Dépend du pronom noyau du groupe nominal (GN)	
	La fonction de complément du pronom peut être occupée par :	
	une subordonnée relative (Sub. rel.);	Ceux **qui ont assisté à la réunion syndicale** ont été déçus.
	un groupe prépositionnel (GPrép);	Certains **parmi vous** feront partie du comité.
	un groupe adjectival (GAdj).	**Déçu de ses résultats**, il s'est inscrit à une session de perfectionnement.
Complément de l'adjectif (Compl. de l'Adj)	La fonction de complément de l'adjectif peut être occupée par :	
	un groupe prépositionnel (GPrép);	Nous sommes heureux **de ce dénouement.**
	une subordonnée complétive (Sub. compl.);	Nous sommes certains **que vous apprécierez ce changement.**
	le pronom « en » ou « y ».	Nous **en** sommes fiers.
Complément direct du verbe (Compl. dir. du V)	Dépend d'un verbe non attributif	
	La fonction de complément direct peut être occupée par :	
	un groupe nominal (GN);	Le chef d'équipe a rencontré **les préposés aux renseignements.**
	un pronom (Pron);	Il **les** a félicités.
	un groupe infinitif (GInf);	Ils aiment **travailler.**
	une subordonnée complétive (Sub. compl.).	Je souhaite **qu'elle vienne à ce congrès.**

TABLEAU 11.11 (SUITE)

FONCTION	PRÉCISIONS	EXEMPLES
Complément indirect du verbe (Compl. indir. du V)	Dépend d'un verbe construit avec une préposition La fonction de complément indirect peut être occupée par : un groupe prépositionnel (GPrép) ; un pronom personnel (Pron pers.) ; un pronom relatif (Pron rel.) : dont, auquel, etc. ; une subordonnée complétive (Sub. compl.) ; un groupe adverbial (GAdv).	 Cette offre répond **à nos attentes**. Nous **y** avons pensé. (à cela) Je **leur** ai appris la nouvelle. (à eux) Les pièces justificatives **dont** je t'ai parlé sont sur mon bureau. (de cela) Je suis persuadé **qu'elle réussira ce test**. (de quelque chose) Cette entreprise s'établira **ailleurs**. (à un endroit)
Complément du verbe passif (Compl. du V passif)	Dépend du verbe passif, noyau du groupe verbal (GV) d'une phrase passive La fonction de complément du verbe passif est occupée par : un groupe prépositionnel (GPrép).	 Il a été interrogé **par son superviseur**.
Complément du verbe impersonnel (Compl. du V impers.)	Dépend du verbe impersonnel précédé du pronom « il » qui ne représente ni une personne, ni une chose La fonction de complément du verbe impersonnel peut être occupée par : un groupe nominal (GN) ; un groupe prépositionnel (GPrép) ; un groupe adjectival (GAdj) ; une subordonnée complétive (Sub. compl.) ; un pronom (Pron).	 Il faut **quelques semaines** pour planifier cette réunion. Il s'agit **d'un sujet pour personnes spécialisées dans le domaine**. Il est **rare que ces réunions soient si houleuses**. Il faut **que vous soyez ponctuel**. Vous devez dresser ce tableau ; il **le** faut.
Complément du présentatif (Compl. du présent.)	Dépend du présentatif (voici, voilà, il y a, c'est) d'une phrase à présentatif La fonction de complément du présentatif peut être occupée par : un groupe nominal (GN) ; un groupe adjectival (GAdj) ; un groupe prépositionnel (GPrép) ; un pronom (Pron) ; une subordonnée complétive (Sub. compl.).	 Voici **une nouvelle solution à ce problème**. C'est **difficile de travailler en équipe**. C'est **à faire aujourd'hui**. Vous attendiez un congé : **le** voilà enfin ! C'est (il y a) **qu'elle est absente depuis trois jours**.

TABLEAU 11.11 (SUITE)

FONCTION	PRÉCISIONS	EXEMPLES
Modificateur du verbe (Modif. du V)	La fonction de modificateur du verbe peut être occupée par : un adverbe (GAdv); un adjectif (GAdj); un groupe prépositionnel (GPrép).	 Vous travaillez **rapidement**. Vous parlez **fort**. Il agit **avec** prudence.
Modificateur de l'adjectif (Modif. de l'Adj) et modificateur de l'adverbe (Modif. de l'Adv)	La fonction de modificateur d'un adjectif, d'un adverbe ou d'un groupe adverbial est occupée par : un adverbe.	 Cette élève est **très** studieuse. Nous travaillons **très** peu.

11.6 Les phrases coordonnées, juxtaposées, subordonnées et insérées

La jonction de phrases peut être faite par coordination, juxtaposition, subordination ou insertion. Le tableau 11.12 présente une synthèse des façons de joindre des phrases. Pour approfondir le sujet, consultez une grammaire.

TABLEAU 11.12

Coordination, juxtaposition, subordination et insertion

JONCTION DE PHRASES	PRÉCISIONS	EXEMPLES
Coordination	Consiste à joindre des phrases de même niveau syntaxique à l'aide d'un coordonnant	Je travaille en ville **et** j'habite la banlieue.
Coordonnant (Coord.)	Mot ou locution qui joint deux éléments semblables : phrases, mots de même classe, groupes de mots ou subordonnées qui ont la même fonction La fonction de coordonnant peut être occupée par : une conjonction de coordination; un adverbe.	Et, de plus, ou, car, en effet, ainsi, donc, par conséquent, c'est-à-dire, c'est pourquoi, mais, car, cependant, par contre, puis Le stagiaire exécute surtout des tâches en comptabilité, **mais** il rédige occasionnellement des lettres **et** des notes de service. Cet élève a beaucoup travaillé pendant la session, **puis** il a réussi son examen.
Juxtaposition	Consiste à joindre deux phrases sans l'aide d'un coordonnant, en utilisant la ponctuation	Nous avons hâte de vous revoir; nous nous sommes ennuyés.

TABLEAU 11.12 (SUITE)

JONCTION DE PHRASES	PRÉCISIONS	EXEMPLES
Subordination	Consiste à joindre deux phrases par l'enchâssement d'une phrase dans l'autre Un marqueur d'enchâssement (le subordonnant) introduit la subordonnée (phrase enchâssée).	Je vous remets le dictionnaire **que** *vous m'avez prêté.* Il n'a pas assisté à la réunion **parce qu'***il rencontrait des clients.*
Subordonnant (Subord.)	Mot ou locution qui permet d'insérer une phrase subordonnée (enchâssée) dans une autre phrase (enchâssante) La fonction de subordonnant peut être occupée par : une conjonction ; un pronom relatif (qui, que, dont, etc.).	 Chaque jour, les congressistes partaient *dès que le dernier atelier était terminé.* La promotion **que** *Lise a obtenue* était prévisible.
Subordonnée relative (Sub. rel.)	Introduite par un pronom relatif qui a un antécédent	La preuve **qui** *a été fournie* a donné raison à mon client. Je vous remets les documents **dont** *je vous ai parlé.* Ceux **qui** *se sont plaints* n'ont pas tout à fait tort.
Subordonnée complétive (Sub. compl.)	Introduite par la conjonction « que » ou « qu' » La subordonnée complétive peut occuper la fonction de : sujet ; complément d'un nom ou d'un adjectif ; complément direct ou indirect du verbe.	Il ne se doutait pas **que** *ses propos soulèveraient un tel débat.* **Qu'***on reprenne ce travail* me semble urgent. Le fait **que** *le client avait raison* a été démontré. Convaincus **qu'***ils parviendraient à un accord,* les représentants syndicaux ont négocié intensément. Je veux **que** *vous répondiez au courrier.*
Subordonnée circonstancielle	Introduite par un subordonnant qui marque l'enchâssement et qui indique le sens de la subordonnée (cause, lieu, temps, etc.) Joue généralement le rôle de complément de phrase Employée comme corrélative (voir à la page suivante), elle joue le rôle de modificateur.	J'ai conservé ce document **parce qu'***il renseigne les stagiaires.* (cause) (Voir autres valeurs ci-dessous)
Circonstancielle de temps	Introduite par : alors que, après que, avant que, depuis que, pendant que, quand, dès que, lorsque, etc.	**Alors qu'***il arrivait au bureau,* il a rencontré son patron.
Circonstancielle de but	Introduite par un subordonnant comme : afin que, pour que, de crainte que, de peur que, etc.	Les employés travaillent fort **afin que** *l'entreprise prospère.*

TABLEAU 11.12 (SUITE)

JONCTION DE PHRASES	PRÉCISIONS	EXEMPLES
Circonstancielle de cause	Introduite par un subordonnant comme : parce que, vu que, etc.	*Parce qu'il avait fait une offre*, on l'a aussitôt choisi.
Circonstancielle de justification	Introduite par un subordonnant comme : attendu que, comme, étant donné que, puisque, etc.	*Étant donné que le quorum est atteint*, l'assemblée peut commencer.
Circonstancielle d'hypothèse	Introduite par un subordonnant comme : si, à supposer que, en admettant que, etc.	*En admettant que le prochain congrès ait lieu à Chicoutimi*, il faudra prévoir l'hébergement des participants.
Circonstancielle de condition	Introduite par un subordonnant comme : si, à (la) condition que, pourvu que, etc.	Vous auriez plus de facilité à réaliser ce travail *si vous connaissiez davantage ce nouveau logiciel de traitement de texte*.
Circonstancielle de concession	Introduite par un subordonnant comme : bien que, malgré que, quoique, encore que, même que, si, etc.	*Bien qu'il ait peu d'expérience*, il a été engagé.
Circonstancielle d'opposition	Introduite par un subordonnant comme : alors que, pendant que, quand, si, tandis que, etc.	*Alors que ma collègue assiste à une réunion*, je réponds à ses appels téléphoniques.
Subordonnée corrélative	Introduite par le subordonnant « que » lié à un adverbe corrélatif de degré Joue le rôle de modificateur	Cette secrétaire est *si* compétente *qu'on l'a promue à un poste supérieur*.
Corrélative de comparaison	Introduite par le subordonnant « que », en relation avec un adverbe présent dans la phrase enchâssante et exprimant un degré égal, inférieur ou supérieur (davantage, plus, moins, d'autant, etc.)	Il y a *moins* d'élèves inscrits à ce cours *qu'il n'y en avait l'an dernier*.
Corrélative de conséquence	Introduite par un subordonnant (que, pour que) en relation avec un adverbe d'intensité (assez, suffisamment, tellement, etc.) présent dans la phrase enchâssante	Il a *tellement* bien servi sa clientèle *qu'elle a augmenté de 50 %*.
Insertion	Consiste à insérer une phrase dans une autre sans utiliser de mot de liaison ou établir de relation syntaxique entre ces phrases	
Incise	Phrase insérée à l'intérieur ou à la fin d'une phrase rapportant un discours direct	– Vous voyez, **reprit-il**, les conséquences de cette loi. – N'y allez pas, **cria-t-elle**.
Incidente	Phrase insérée qui exprime le point de vue de l'émetteur (modalisation)	Vous avez, **à notre grand regret**, oublié ce document.

11.7 *Quelques remarques sur l'orthographe d'usage*

1. Noms dont la syllabe finale se prononce « é »

    Exemples :

1	2
le défilé	une arrivée
le luthier	une onomatopée
le trophée	une pincée
l'oranger	une randonnée
le musée	

3	4
l'hérédité	une tablée
la solidarité	une cuillerée
la moitié	une ruchée
une habileté	une maisonnée

    En observant la colonne 1 dans les exemples qui précèdent, vous remarquez qu'elle contient des noms masculins. Bon nombre de noms masculins se terminent par **er**. Certains proviennent de participes passés et ont une terminaison en **é**. D'autres enfin se terminent en **ée**.

    La colonne 2 contient des noms féminins. Vous pouvez constater que ces noms se terminent par **ée**. Les noms féminins en **é** qui ne se terminent pas par la syllabe **té** ou **tié** ont une terminaison en **ée** (colonne 2), sauf psyché, acné et clé. Les noms féminins en **té** et en **tié** (colonne 3) ne prennent pas de **e** muet, à l'exception des six noms suivants : butée, dictée, jetée, montée, pâtée et portée.

    Les noms exprimant le contenu d'une chose (colonne 4) se terminent le plus souvent par **ée**.

    Vous doutez de l'orthographe d'un nom dont la syllabe finale se prononce « é » ? Il est alors judicieux de vérifier ce mot dans un dictionnaire.

2. Verbes commençant par **ap** ou **app**

    Certains verbes comme apaiser, apercevoir, apeurer, aplanir, aplatir, apitoyer et apostropher ne doublent pas la consonne. Tous les autres prennent **pp**.

    Exemples : appeler, apparaître, appartenir, applaudir, appliquer, apporter, apprécier, apposer, apprendre, approuver, approcher, appuyer.

3. Mots se terminant en **geance** ou **gence**

    Ces mots se terminent en général en **gence**.

    Exemples : diligence, divergence, exigence, négligence, urgence.
    Exceptions : obligeance, allégeance, vengeance.

4. Adjectifs se terminant en **cable** ou **quable**

    La plupart de ces mots ont la forme **cable**.

    Exemples : applicable, impeccable, irrévocable, praticable.
    Exceptions : critiquable, immanquable, remarquable.

5. Mots se terminant en **tiel** ou **ciel**

La forme **tiel** est la plus courante.

Exemples : confidentiel, essentiel, partiel, présidentiel, substantiel.

Exceptions : circonstanciel, révérenciel, tendanciel et les mots en **iciel** prennent le **c**.

Quelques erreurs courantes

- Oubli d'un **r** dans occurrence, récurrence, curriculum vitæ.
- Effacement du **e** de « presque » devant une voyelle. Le **e** ne s'efface que dans presqu'île.
- Calque de l'anglais : mauvaise graphie de a**d**resse, co**nn**exion, da**n**se, la**n**ga**g**e, abréviation, courrier, a**pp**artement, envelo**pp**e, **g**arantie, correspond**a**nce, a**c**ompte, etc.
- Dans l'expression « rendre public », l'adjectif « public » s'accorde en genre et en nombre avec le complément direct.

Exemple : La société a rendu **publiques** les dernières offres salariales.

Ce ne sont là que quelques cas. Dans le doute, consultez un dictionnaire.

11.8   *L'écriture des nombres*

Les mots désignant un nombre suivent des règles d'accord particulières. Il vous faut les maîtriser, car leur usage est très courant dans la correspondance d'affaires. La façon d'accorder ces mots est indiquée dans le tableau 11.13.

TABLEAU 11.13

L'accord des déterminants numéraux

NOMBRES	EXEMPLES	ACCORD
Nombres de un à dix-neuf	les **onze** classeurs les **quatre** bureaux	Invariables, sauf « un », qui peut se mettre au féminin
Nombres inférieurs à cent	**vingt-sept** **quatre-vingt-dix-neuf** **soixante et onze**	Prennent des traits d'union entre leurs chiffres, sauf les nombres composés à l'aide de la conjonction « et »[4]
Vingt et cent	**quatre-vingts** documents **trois cents** pages **deux cent deux** documents **trois cent quatre-vingt-deux** pages J'habite au numéro **quatre-vingt**. la page **deux cent** (la deux centième)	Comme déterminants numéraux, prennent la marque du pluriel lorsqu'ils sont multipliés et terminent le nombre, mais demeurent invariables lorsqu'ils sont suivis d'un autre déterminant numéral Employés comme adjectifs ordinaux, ils sont invariables.
Mille	**deux mille** pages Les deux **milles** qu'il a parcourus.	Invariable comme déterminant numéral Variable lorsqu'il indique une distance, car c'est alors un nom

4. Selon *Les rectifications de l'orthographe*, un document paru en 1990, on peut relier tous les déterminants numéraux d'un nombre complexe par un trait d'union (*exemples :* trente-et-un, six-cent-vingt-quatre).

TABLEAU 11.13 (SUITE)

NOMBRES	EXEMPLES	ACCORD
Mil, mille	en l'an **mil neuf cent** ou **mille neuf cent** l'an **deux mille** en l'an **mille deux cent** avant Jésus-Christ	Pour indiquer une année, on peut employer « mil » ou « mille » s'il s'agit d'une année de l'ère chrétienne. Pour les années qui précèdent (avant Jésus-Christ), on n'emploie que « mille ».
Millier, million, milliard	des **milliers** de personnes	Variables, car ce sont des noms
Premier, deuxième, troisième, etc.	les **premières** années	Variables, car ce sont des adjectifs ordinaux
Fractions	les **trois quarts** les **trois huitièmes**	Variables
Zéro	Il a fait **zéro** faute. deux **zéros**	Invariable comme déterminant numéral Variable, car c'est un nom

11.9   *Les adjectifs de couleur*

Les adjectifs de couleur ne sont pas toujours faciles à accorder. Le tableau 11.14 vous aidera à y parvenir.

TABLEAU 11.14

L'accord des adjectifs de couleur

ADJECTIF DE COULEUR	EXEMPLES	ACCORD
Simple	des robes **bleues** des chandails **verts**	Prend le genre et le nombre du nom qu'il accompagne
	des yeux **noisette** des pantalons **ivoire**	Reste invariable quand il provient d'un nom,
	des chandelles **roses**	sauf rose, mauve, fauve, écarlate, cramoisi, mordoré, incarnat et pourpre
Composé	des cheveux **brun clair, gris acier** des nappes **bleu pâle, bleu marine** des photos **noir** et **blanc, rouge vif**	L'adjectif composé désignant une couleur reste invariable.
Couleur dérivée d'un adjectif provenant d'un nom	des feuilles **orangées** des reflets **dorés, argentés**	Prend le genre et le nombre du nom qui l'accompagne

11.10 *Les adjectifs employés comme adverbes*

Certains adjectifs peuvent être pris adverbialement. Ils modifient un verbe et sont alors invariables.

Exemples : Elles ont marché **droit** au but. (« droit » modifie le verbe)
Ces articles coûtent **cher.** (« cher » modifie le verbe)

- Ci-joint, ci-annexé, ci-inclus, approuvé, certifié, attendu, compris, non compris, y compris, entendu, excepté, reçu, supposé, vu, etc.

    Exemples : Vous trouverez **ci-joint** les copies.
    Attendu la demande croissante, nous prévoyons un retard dans la livraison.

Note : Placés après le nom, ce sont des adjectifs participes et ils prennent le genre et le nombre de ce nom.

Exemple : Les formules **ci-annexées** vous donneront plus de renseignements.

11.11 *Les mots « demi », « à demi », « semi », « mi » et « nu »*

Les mots du tableau 11.15 suivent des règles d'accord différentes selon qu'ils précèdent ou suivent le nom. Apprenez bien ces règles.

TABLEAU 11.15

L'accord des mots « demi », « à demi », « semi », « mi » et « nu »

MOTS	EXEMPLES	ACCORD
Demi	une **demi**-heure	Placé avant un nom, est invariable et suivi d'un trait d'union
	deux heures et **demie**	Placé après un nom, reçoit seulement l'accord en genre de ce nom
	Boire deux **demis** L'horloge sonne les **demies.**	Variable lorsqu'il est employé comme nom (masc. ou fém.)
À demi	Sa rédaction fut **à demi** réussie.	Invariable, car il s'agit d'un adverbe composé
	Il parle **à demi**-mot.	Invariable et suivi d'un trait d'union devant un nom, car il s'agit d'une préposition et d'un nom composé
Semi	des armes **semi**-automatiques	Invariable et suivi d'un trait d'union
Mi	à la **mi**-janvier	Invariable et suivi d'un trait d'union
Nu	Elle va **nu**-tête.	Placé avant un nom, est invariable et suivi d'un trait d'union
	Il se promène pieds **nus.**	Placé après un nom, reçoit l'accord en genre et en nombre de ce nom

11.12   *Le terme « même »*

Le mot « même », selon qu'il est adjectif, pronom ou adverbe, sera variable ou invariable. Le tableau 11.16 vous aidera à reconnaître le rôle de « même » dans un groupe de mots ou une phrase et à l'accorder correctement.

TABLEAU 11.16

L'accord de « même »

MÊME	EXEMPLES	ACCORD
Même, mêmes Adjectif	Cet homme est la bonté et la sincérité **mêmes**. Ils ont les **mêmes** buts. Ces maisons, elles les ont bâties elles-**mêmes**. Vous traduirez ce texte vous-**même**.	Variable Est en relation avec des noms • Identiques Placé après un pronom personnel, l'adjectif « même » s'y joint par un trait d'union et peut être au singulier ou au pluriel selon que le pronom représente une ou plusieurs personnes.
Même, mêmes Pronom indéfini	Ce sont toujours les **mêmes** qui parlent.	Variable Remplace un ou plusieurs noms ou pronoms exprimés auparavant et est précédé d'un déterminant (« la », « le » ou « les »)
Même Adverbe	Les bureaux, les classeurs **même** étaient remplis de documents.	Invariable A le sens de • « aussi », « de plus » On peut déplacer « même » devant le déterminant : **même** les classeurs…

11.13   *Les mots « quelque » et « quel que »*

Doit-on écrire « quelque » ou quel que »? Doit-on accorder ou non ce mot? Les règles inscrites dans le tableau 11.17 vous aideront à prendre la bonne décision.

TABLEAU 11.17

L'accord de « quelque » et de « quel que »

QUELQUE	EXEMPLES	ACCORD
Quelque	Il y a **quelque** 30 ans…	Adverbe, invariable Modifie un déterminant numéral Peut avoir le sens de • « environ »
Quelques	Il a relevé **quelques** erreurs. Elle a reçu **quelques** lettres.	Déterminant quantitatif, variable Reçoit le nombre du nom qu'il détermine Signifie • « un petit nombre » (plur.)
Quelque	Il y a **quelque** temps…	• « un certain » (sing.)

TABLEAU 11.17 (SUITE)

QUELQUE	EXEMPLES	ACCORD
Quelque... que (qu')	**Quelque** bonnes actrices **qu'**elles soient...	Adverbe, invariable Modifie un adjectif suivi d'un nom qui est attribut Le verbe de la subordonnée est alors « être » ou un verbe semblable.
	Quelque bonnes **que** soient vos raisons...	Adverbe, invariable Modifie un adjectif A le sens de • « si »

Quelques... que	**Quelques** grandes folies **que** l'on puisse faire...	Déterminant quantitatif, variable
		Détermine un nom
		Peut être remplacé par
		• « quelle que soit la »,
		  « quel que soit le »,
		  « quelles ou quels que soient les »

Quel(s) que, quelle(s) que	**Quelles que** soient vos raisons... **Quels que** puissent être vos buts...	Déterminant indéfini, variable « Quel » reçoit son accord du sujet du verbe lorsque la conjonction « que » est suivie du verbe « être » au subjonctif ou d'un verbe similaire. Signifie • « de quelque nature que »

11.14   *Le terme « tout »*

Comme dans le cas de « même », les règles d'accord de « tout » varient selon la classe de mots dont il fait partie dans la phrase. Le tableau 11.18 résume ces règles.

TABLEAU 11.18

L'accord de « tout »

TOUT	EXEMPLES	ACCORD
Tout	Vos **tout** dévoués Ce foulard est **tout** soie. Ce sont les **tout** derniers documents.	Adverbe, invariable A le sens de • « entièrement » ou de « tout à fait » Invariable devant un adjectif masculin
Toutes	Des feuilles **toutes** blanches Les voisines sont **toutes** honteuses. Elles sont **tout** heureuses. Elles sont **tout** éblouies.	Variable devant un adjectif féminin commençant par une consonne ou un « h » aspiré Invariable devant un adjectif féminin commençant par un « h » muet ou une voyelle
Tout, touts	Un **tout** Des **touts** distincts	Nom, variable A le sens d'un ensemble
Tout, toutes, tous	**Tout** va bien. **Toutes** ont été bien reçues. **Tous** sont venus à la fête.	Pronom, variable Peut être remplacé par • « ceci », « celles-ci », « ceux-ci »

TABLEAU 11.18 (SUITE)

TOUT	EXEMPLES	ACCORD
Tous, toutes	**Tous** les documents **Toutes** les lettres	Déterminant, variable A le sens d'une totalité
Tout autre, toute autre	**Tout autre** projet sera accepté. **Toute autre** lettre me serait utile.	Déterminant, variable A le sens de • « n'importe quel », « n'importe quelle »
Tout autre	Elle est **tout autre** au travail. Elle a une **tout autre** opinion depuis…	Adverbe, invariable A le sens de • « tout à fait », « entièrement »

11.15   L'adjectif « possible »

Quand le mot « possible » s'accorde-t-il? Dans quels cas demeure-t-il invariable? Le tableau 11.19 répond à ces questions.

TABLEAU 11.19

L'accord de l'adjectif « possible »

POSSIBLE	EXEMPLES	ACCORD
Précédé des superlatifs « le plus », « les plus », « le moins », « les moins »	Faites le moins de fautes **possible**. Faites le plus d'efforts **possible**.	Invariable
Dans les autres cas	Ce sont là des solutions **possibles**.	Variable

11.16   Les mots « tel », « tel que » et « tel quel »

Dans le tableau 11.20, vous trouverez les règles qui régissent l'accord des mots « tel », « tel que » et « tel quel ».

TABLEAU 11.20

L'accord des mots « tel », « tel que » et « tel quel »

TEL, TEL QUE, TEL QUEL	EXEMPLES	ACCORD
« Tel » qui introduit une comparaison	Elle marchait **tel** un robot. Elle tournait **telle** une ballerine.	Déterminant indéfini S'accorde avec le nom qui suit
« Tel » placé devant un nom	Il a éprouvé de **telles** difficultés… Les invités ont apprécié de **tels** banquets.	Déterminant indéfini S'accorde en genre et en nombre avec le nom qu'il détermine
« Tel » employé comme pronom	**Tel** est celui qui m'a aidée dans ma recherche. **Tels** sont ceux qui m'ont…	Désigne une ou des personnes indéterminées
« Tel » employé comme nom, Untel, Unetelle	Madame **Unetelle** nous a rejointes.	Ne s'emploie qu'au singulier S'écrit en un seul mot et avec une majuscule

TABLEAU 11.20 (SUITE)

TEL, TEL QUE, TEL QUEL	EXEMPLES	ACCORD
« Tel » suivi de « que » devant une énumération	Les principales tâches relatives à la préparation de la réunion, **telles que** l'envoi de la convocation et la rédaction de l'ordre du jour, ont été effectuées.	S'accorde avec le nom ou le pronom avec lequel il est en relation
« Tel » suivi de « quel »	Il a retrouvé ses instruments **tels quels**.	Les deux mots s'accordent en genre et en nombre avec le nom ou le pronom avec lequel ils sont en relation.

11.17   *Les déterminants « aucun » et « nul »*

Ces déterminants indéfinis ne s'emploient généralement qu'au singulier. Cependant, comme vous pourrez le voir dans le tableau 11.21, ils peuvent parfois prendre la marque du pluriel.

TABLEAU 11.21

L'accord des déterminants « aucun » et « nul »

AUCUN, NUL	EXEMPLES	ACCORD
Placés devant un nom ou devant un adjectif singulier	**Aucune** lettre ne m'est parvenue. **Nul** espace n'a été réservé pour la correction de ce texte.	S'emploient au singulier
Placés devant des mots qui n'ont pas de singulier ou qui prennent un sens particulier au pluriel	**Aucuns** frais supplémentaires n'ont été exigés. **Nulles** représailles n'ont été exercées contre lui.	Prennent la marque du pluriel

11.18   *Les jours de la semaine*

Dans la correspondance d'affaires, on hésite souvent à mettre au pluriel les jours de la semaine ainsi que les mots « matin », « midi » et « soir ». Le tableau 11.22 indique quand accorder ou non ces mots.

TABLEAU 11.22

L'accord des jours de la semaine

JOURS DE LA SEMAINE	EXEMPLES	ACCORD
Lorsqu'ils signifient, de façon générale, tous les dimanches, lundis, mardis, etc.	Nos bureaux sont fermés les **samedis** et les **dimanches**.	Prennent la marque du pluriel
Lorsqu'ils concernent le jour unique de la semaine	Ces cours ont lieu les **lundi** et **vendredi** de chaque semaine.	Ne prennent pas la marque du pluriel
« Matin », « midi » et « soir » lorsqu'ils accompagnent le nom des jours de la semaine	les lundis **matin** les mardis **midi** les jeudis **soir**	Invariables

11.19 — *Les adjectifs « dernier » et « prochain »*

Dans quel cas les termes « dernier » et « prochain » peuvent-ils prendre la marque du pluriel? Vous l'apprendrez en parcourant le tableau 11.23.

TABLEAU 11.23

L'accord des adjectifs « dernier » et « prochain »

DERNIER, PROCHAIN	EXEMPLES	ACCORD
Dans un texte rédigé au cours d'un mois précédant la ou les dates mentionnées	Notre colloque aura lieu les 10, 11 et 12 août **prochain**.	Se rapporte au mois : singulier
Dans un texte rédigé le même mois que les jours mentionnés	Nous avons bien reçu vos appels des 16, 17 et 18 mai **derniers**.	Se rapporte aux jours : pluriel

11.20 — *La féminisation des titres et des fonctions*

Dans l'énoncé des titres ou des appellations d'emploi, on doit utiliser la forme féminine quand elle existe.

Exemples :   une ingénieure
une députée

Des problèmes peuvent se poser au cours de la rédaction d'un texte suivi. Mais on doit éviter l'usage des parenthèses, du trait d'union ou de la barre oblique pour préciser les formes féminine et masculine.

Exemples :   participant(e)
agent-e
employé/e

Deux solutions permettent de pallier cette difficulté :

- utiliser les deux formes;

  Exemples :   la directrice ou le directeur
un ou une secrétaire

- employer un terme collectif qui englobe les femmes et les hommes.

  Exemples :   le personnel enseignant
l'ensemble du personnel

Le tableau 11.24 contient l'équivalent féminin de plusieurs titres et appellations d'emploi ainsi que des termes qui conviennent à la fois aux hommes et aux femmes.

TABLEAU 11.24

La féminisation des titres et des fonctions

acheteuse	chargée de projets	déléguée	fournisseuse	préposée
adjointe	collaboratrice	demanderesse (sens juridique)	gérante	présidente
administratrice	collègue	députée	gestionnaire	prospectrice
agente	commis	directrice	greffière	requérante
agente immobilière	commis-vendeuse	docteure	ingénieure	réviseure (ou réviseuse)
aide-comptable	comptable	documentaliste	intervenante	superviseure
analyste financière	conseillère	enseignante	journaliste	teneuse de livres
archiviste	consultante	évaluatrice	juge	traductrice
assistante	contremaîtresse	experte-comptable	ministre	vérificatrice
avocate	coordonnatrice	fabricante	négociante	
candidate	courtière	formatrice	notaire	

11.21 L'adjectif qui suit « des plus », « des moins », « des mieux »

Selon les règles d'accord présentées au tableau 11.25, l'adjectif qui suit les expressions « des plus », « des moins » et « des mieux » peut demeurer invariable ou prendre la marque du pluriel.

TABLEAU 11.25

L'accord de l'adjectif qui suit « des plus », « des moins », « des mieux »

ADJECTIF	EXEMPLES	ACCORD
Quand l'adjectif se rapporte à un nom	C'est une leçon des plus **difficiles**. C'est une des mieux **habillées**.	Se met généralement au pluriel « Des » a le sens de • « parmi les », « entre les ».
Quand l'adjectif se rapporte à un verbe, à un pronom ou à une phrase	Exécuter ce travail est des plus **valorisant**. Cela demeure des moins **agréable**. Lancer une campagne publicitaire en hiver n'est pas des mieux **choisi**.	Invariable « Des plus », « des moins » ou « des mieux » peut signifier • « très », « très peu », « tout à fait ».

11.22   *Le nom précédé de la préposition « sans », « à » ou « de »*

Vous trouverez dans le tableau 11.26 les règles d'accord du nom qui suit la préposition « sans », « à » ou « de ».

TABLEAU 11.26

L'accord du nom précédé de la préposition « sans », « à » ou « de »

SANS, À, DE	EXEMPLES	ACCORD
Devant un nom non comptable	un bijou sans **valeur** un article de **qualité**	Dans un groupe prépositionnel (GPrép) composé d'une préposition suivie d'un nom sans déterminant, le nom non comptable se met au singulier.
Devant un nom comptable Selon le sens ou la logique	des chariots à **roulettes** une robe sans **manches** un mal de **dents** des lettres sans **fautes** des journées sans **soleil**	Indique la pluralité : pluriel Indique l'unité : singulier

11.23   *Les homophones*

Les homophones sont des mots qui se prononcent de la même façon, mais dont l'orthographe et le sens sont différents. Le tableau 11.27 propose une liste d'homophones ainsi que des explications qui vous aideront à les différencier.

TABLEAU 11.27

La distinction des homophones

HOMOPHONE	EXEMPLES	EXPLICATION
A	Il **a** les yeux verts.	Verbe avoir, 3e personne du singulier, présent de l'indicatif Peut être remplacé par • « avait »
À	Cette lettre est **à** rédiger.	Préposition Ne peut pas être remplacé par « avait »
As	C'est toi qui **as** reçu cet appel?	Verbe avoir, 2e personne du singulier, présent de l'indicatif Peut être remplacé par • « avais »
Aussi tôt	Nous ne partirons pas **aussi tôt** que prévu.	Locution adverbiale qui s'oppose à • « aussi tard »
Aussitôt	Préviens-le **aussitôt** qu'il arrivera.	Locution conjonctive qui peut être remplacée par • « dès que »
Bien tôt	Vous arrivez au bureau **bien tôt** ce matin!	Locution adverbiale qui s'oppose à • « bien tard »

TABLEAU 11.27 (SUITE)

HOMOPHONE	EXEMPLES	EXPLICATION
Bientôt	Vous viendrez **bientôt**?	Adverbe qui peut être remplacé par • « prochainement »
C'est	**C'est** le temps de penser aux vacances.	Présentatif qui remplace • « cela est » ou « voici »
S'est	Il **s'est** blessé à la cheville.	Pronom personnel qui fait partie d'un verbe pronominal Peut être remplacé par • « soi-même »
Ça	Si **ça** vous intéresse…	Pronom démonstratif qui peut être remplacé par • « cela »
Çà	Il s'est promené **çà** et là.	Adverbe de lieu qui peut être remplacé par • « ici »
Ce	**Ce** document m'intéresse.	Déterminant démonstratif qui a le sens de • « celui-ci »
Ce	Donne-lui **ce** qu'elle veut.	Pronom démonstratif qui signale la chose ou la personne dont on parle
Se	Elle **se** promène dans le parc.	Pronom personnel qui fait partie d'un verbe pronominal Peut-être remplacé par • « soi-même »
Ces	**Ces** documents ont été envoyés.	Déterminant démonstratif qui peut être remplacé par • « ce », « cet » ou « cette » au singulier
Ses	Elle a apporté **ses** livres et **ses** cahiers.	Déterminant possessif qui peut être remplacé par • « son » ou « sa » au singulier
Sait	Elle **sait** ce qu'elle veut.	Verbe savoir, 3e personne du singulier, présent de l'indicatif Peut être remplacé par • « savait »
Dans	Cette lettre est **dans** le tiroir.	Préposition qui amène un complément
D'en	Il vient **d'en** parler.	Préposition suivie du pronom « en » qui peut être remplacé par • « de là » ou • « de cela »
Davantage	Elle travaille **davantage** depuis qu'elle occupe son nouveau poste.	Adverbe qui peut être remplacé par • « plus »
D'avantage	Il n'y a pas **d'avantage** à changer de travail.	Préposition suivie d'un nom qui peut être remplacé par • « de profit »
Dont	L'emploi **dont** je vous parle m'intéresse.	Pronom relatif qui remplace un antécédent

TABLEAU 11.27 (SUITE)

HOMOPHONE	EXEMPLES	EXPLICATION
Donc	Il travaille bien. Il obtiendra **donc** d'excellents résultats.	Conjonction qui exprime la conséquence Peut être remplacée par l'expression • « par conséquent »
Eut	Elle **eut** d'excellents résultats. Quand elle **eut** terminé son travail, elle partit.	Verbe avoir, 3e personne du singulier, passé simple de l'indicatif ou auxiliaire du passé antérieur d'un autre verbe Peuvent être remplacés par • « eurent » au pluriel
Eût	Elle désirait qu'il **eût** de bons résultats. Bien qu'elle **eût** terminé son travail, elle ne partit pas.	Verbe avoir, 3e personne du singulier, imparfait du subjonctif ou auxiliaire du subjonctif plus-que-parfait d'un autre verbe Peuvent être remplacés par • « eussent » au pluriel
Eu	Il a **eu** de sérieux ennuis.	Verbe avoir, participe passé
Fut	Elle **fut** présidente à une époque.	Verbe être, 3e personne du singulier, passé simple de l'indicatif Peut être remplacé par • « furent » au pluriel
Fût	Bien qu'il **fût** compétent, il n'obtint pas le poste convoité. Bien qu'il se **fût** exposé… De la bière en **fût**	Verbe être, 3e personne du singulier, imparfait du subjonctif ou auxiliaire du subjonctif plus-que-parfait d'un autre verbe Peuvent être remplacés par • « fussent » au pluriel Nom commun
Leur	C'est **leur** papier à en-tête. Ce sont **leurs** livres.	Déterminant possessif singulier ou pluriel
Leur	Je **leur** ai dit de venir.	Pronom personnel (3e pers. pl.) toujours invariable Peut être remplacé par • « lui » (3e pers. sing.)
Ni	Je n'aime **ni** l'agitation **ni** le bruit de la ville.	Conjonction de coordination qui exprime une négation
N'y	Nous **n'y** sommes pas allés.	Adverbe de négation et pronom
Ont	Elles **ont** des chances de gagner le gros lot.	Verbe avoir, 3e personne du pluriel, présent de l'indicatif Peut être remplacé par • « avaient »
On	À cette fête, **on** chante, **on** danse, **on** rit.	Pronom indéfini qui peut être remplacé par • « il », « elle » ou « quelqu'un » Est toujours au singulier et suivi d'un verbe

TABLEAU **11.27** (SUITE)

HOMOPHONE	EXEMPLES	EXPLICATION
Ou	Irez-vous à la campagne **ou** à la ville?	Conjonction de coordination qui indique un choix Peut être remplacée par • « ou bien »
Où	La ville **où** je demeure… **Où** vas-tu?	Pronom relatif (lorsqu'il est précédé d'un antécédent) ou adverbe qui indique le lieu ou le temps
Parce que	Il est parti **parce qu'**il était tard.	Conjonction de subordination qui exprime une cause Peut être remplacée par • « pour la raison que »
Par ce que	Ils ont été étonnés **par ce qu'**il avait dit.	Locution qui signifie • « par la chose que », « par le fait que »
Peut	Elle **peut** réaliser cette émission.	Verbe pouvoir, 3e personne du singulier, présent de l'indicatif Peut être remplacé par • « pouvait »
Peux	Je **peux** faire ce travail.	Verbe pouvoir, 1re ou 2e personne du singulier, présent de l'indicatif Peut être remplacé par • « pouvais »
Peu	Il a **peu** de chances d'obtenir cet emploi.	Déterminant quantitatif avec valeur de nom qui signifie • « pas beaucoup » • « un petit nombre »
Plus tôt	Elle est partie **plus tôt** que prévu.	Locution adverbiale qui exprime une idée de temps et s'oppose à • « plus tard »
Plutôt	C'est **plutôt** cher.	Adverbe qui peut être remplacé par • « passablement »
Plutôt que	**Plutôt que** d'aller à Québec, il décida de partir pour Paris.	Conjonction de subordination qui exprime • la préférence
Près de	Elle est **près de** moi.	Préposition complexe qui peut être remplacée par • « à côté de »
Prêt à	Ils sont **prêts à** partir.	Adjectif et préposition qui ont le sens de • « disposés à »
Quand	**Quand** vous viendrez, apportez les brochures publicitaires.	Conjonction de subordination qui a le sens de • « lorsque »
Quant à	**Quant à** lui, il a raison.	Préposition complexe qui peut être remplacée par • « pour ce qui est de » • « en ce qui (le, la, les) concerne »

TABLEAU 11.27 (SUITE)

HOMOPHONE	EXEMPLES	EXPLICATION
Qu'en	Ce n'est **qu'en** juillet prochain qu'elle reviendra.	Adverbe qui marque la restriction (ne... que) et préposition « en » qui signifie • « seulement en »
Quelquefois	Il nous rend visite **quelquefois**.	Adverbe qui a le sens de • « parfois »
Quelques fois	Elle joue au golf **quelques fois** par semaine.	Déterminant indéfini et nom qui ont le sens de • « plusieurs fois » • « un certain nombre de fois »
Quoique	**Quoique** ce travail fût long, elle réussit à le terminer avant la date prévue.	Subordonnant exprimant la concession ou l'opposition qui peut être remplacé par • « bien que », « encore que », « malgré que »
Quoi que	**Quoi que** vous fassiez, faites-le bien.	Subordonnant exprimant la concession ou l'opposition qui peut être remplacé par • « quelle que soit la chose que »
Sans	Elle voyage **sans** ses papiers d'identité.	Préposition exprimant un manque Peut être remplacée par • « sans aucun »
S'en	Il **s'en** est aperçu.	Pronom qui accompagne le verbe pronominal et pronom personnel (s' + en) « En » peut être remplacé par • « de cela »
C'en	**C'en** est fait : nous ne partirons pas en vacances.	Pronom démonstratif et pronom personnel qui ont le sens de • « cela en »
Tant de	Elle a **tant de** travail...	Adverbe qui peut être remplacé par • « tellement »
Tant que	**Tant qu'**il vivra...	Subordonnant exprimant le temps qui peut être remplacé par • « aussi longtemps que »
T'en	Ne **t'en** mêle pas !	Pronom qui accompagne le verbe pronominal et pronom personnel (t' + en) Peuvent être remplacés par • « vous en »

11.24   *Le participe présent et l'adjectif participe*

Le participe présent et l'adjectif participe se prononcent de la même façon, mais ne suivent pas les mêmes règles d'accord. Les tableaux 11.28 et 11.29 vous aideront à orthographier correctement ces types de mots.

TABLEAU 11.28

L'accord du participe présent et de l'adjectif participe

PARTICIPE PRÉSENT, ADJECTIF PARTICIPE	EXEMPLES	ACCORD
Participe présent	Vous nous rendriez service en (ne) nous **communiquant** (pas) ces renseignements. L'exemple (ne) **correspondant** (pas) au principe énoncé a été supprimé.	Invariable Exprime une relation par rapport à un autre verbe de la phrase conjugué à un mode personnel On peut lui ajouter l'adverbe de négation ne… pas.
Adjectif participe	Ce sont des bureaux (chambres) **communicants** (**communicantes**). On apprécie les enfants **obéissants** (filles **obéissantes**).	Prend le genre et le nombre du nom qu'il complète A la valeur d'un adjectif classifiant ou qualifiant On peut lui donner le genre féminin.

TABLEAU 11.29

Des participes présents et les adjectifs participes correspondants

PARTICIPE PRÉSENT	ADJECTIF PARTICIPE
Adhérant	Adhérent
Coïncidant	Coïncident
Communiquant	Communicant
Convainquant	Convaincant
Différant	Différent
Divergeant	Divergent

PARTICIPE PRÉSENT	ADJECTIF PARTICIPE
Équivalant	Équivalent
Excellant	Excellent
Exigeant	Exigeant
Fatiguant	Fatigant
Négligeant	Négligent
Provoquant	Provocant

11.25   *L'accord du verbe avec son sujet*

En règle générale, le verbe reçoit l'accord en personne et en nombre du nom noyau du groupe nominal sujet (GNs) ou du pronom sujet.

Exemple : Les micro-ordinateurs facilitent les tâches dans un bureau.

        GNs   GV   Compl. de P

                      (3ᵉ pers. plur.)

Cependant, selon le ou les sujets du verbe, des règles d'accord sont appliquées, comme vous pourrez le constater en consultant le tableau 11.30.

TABLEAU 11.30

Cas particuliers d'accord du verbe

SUJET	EXEMPLES	ACCORD DU VERBE
Pronom relatif **qui**	C'est moi **qui** irai te chercher à la gare. (antécédent : moi) C'est vous **qui** devez… (antécédent : vous)	S'accorde avec l'antécédent de « qui », c'est-à-dire avec le mot que ce pronom remplace (moi)
Collectif suivi d'un complément	**La foule de curieux** empêche la circulation sur cette artère.	S'accorde avec le collectif si l'on considère dans leur totalité les êtres ou les objets dont il s'agit
	Une foule d'individus consomment inutilement des médicaments.	S'accorde avec le complément si l'on considère individuellement les êtres ou les objets dont il est question
Adverbe de quantité	**Beaucoup** de nos clients fréquentent le centre sportif.	S'accorde avec le complément de l'adverbe
	Peu de monde a assisté au concert. **Beaucoup** fréquentent le centre sportif.	Si le complément n'est pas exprimé, le verbe est ordinairement au pluriel.
Nombre pluriel	**Dix ans** se sont passés depuis que je te connais.	Se met au pluriel si l'on veut souligner le terme quantitatif
	Vingt dollars est le prix que j'ai payé.	Se met au singulier si le sujet est considéré comme un ensemble
La plupart	**La plupart** des secrétaires rédigent des procès-verbaux.	Se met toujours au pluriel, qu'il soit suivi ou non d'un GPrép
Plus d'un, moins de deux	**Plus d'un** avis sera envoyé aux employés.	Se met au singulier
	Moins de deux projets seront mis de l'avant.	Se met au pluriel
Deux sujets joints par **ou** ou par **ni**	**Ni Pierre ni Paul** ne seront élus président de la compagnie.	S'accorde avec les deux sujets si c'est l'idée d'addition qui domine
	Ni lui ni moi n'acceptons ce compromis.	Si les sujets ne sont pas de la même personne, le verbe se met au pluriel et à la personne qui a la priorité
	Pierre ou Paul sera élu président de la compagnie.	Se met au singulier si l'un des sujets exclut l'autre
Mots joints par **comme, ainsi que** ou **de même que**	Le rapport **comme** le procès-verbal seront présentés à la prochaine assemblée.	Se met au pluriel quand le mot ou l'expression « comme », « ainsi que », « de même que » signifie « et »
	Le rapport, **comme** le procès-verbal, sera présenté à la prochaine assemblée.	S'accorde avec le premier sujet si le mot « comme » introduit une comparaison Dans ce cas, la seconde partie de la comparaison est mise entre virgules.
L'un ou l'autre, l'un et l'autre	**L'un ou l'autre** assistera au conseil d'administration.	Se met au singulier (un seul des deux)
	L'un et l'autre demande *ou* demandent toute notre attention.	Se met au singulier ou au pluriel

TABLEAU 11.30 (SUITE)

SUJET	EXEMPLES	ACCORD DU VERBE
Le peu de suivi d'un complément	**Le peu de** compliments reçus l'ont encouragé.	S'accorde avec le complément de « le peu de » lorsqu'il y a suffisance Dans ce cas, on peut enlever « le peu de » sans nuire au sens de la phrase.
	Le peu d'efforts que vous avez fait entraîne un échec.	S'accorde avec « le peu de » quand cette expression marque l'insuffisance
Plus d'un pronom de personnes différentes	**Louise, toi et moi** irons à l'assemblée générale annuelle.	Se met au pluriel et à la personne qui a la priorité La première personne l'emporte sur les autres, la deuxième personne l'emporte sur la troisième.
Mots **synonymes, en gradation** ou **résumés** par un seul mot	Un mot, un bruit, **tout** le dérange.	S'accorde avec le sujet le plus rapproché

11.26 Remarques sur l'emploi de la deuxième personne de l'impératif

À la deuxième personne de l'impératif, les verbes en **er** ne prennent pas de « s » final. Il en est de même pour les verbes avoir, aller, accueillir, offrir, ouvrir, recueillir, savoir, souffrir et vouloir (aie, va, ouvre, etc.).

Cependant, pour des raisons d'euphonie (rendre les sons harmonieux), on ajoute un « s », suivi d'un trait d'union, à ces verbes lorsque les pronoms « en » et « y » s'y rattachent.

Exemples : Vas-y.
Offres-en.

Toutefois, lorsque ces pronoms sont suivis d'un infinitif, le premier verbe n'est pas suivi d'un « s ».

Exemples : Va en cueillir.
Sache en bénéficier.

11.27 Les participes passés

Savoir accorder les participes passés constitue un point grammatical important pour la maîtrise du français écrit. Le tableau 11.31 résume les cas dans lesquels les participes passés suivent des règles d'accord particulières.

TABLEAU 11.31
L'accord du participe passé

PARTICIPE PASSÉ	ACCORD	EXEMPLES
Employé **sans auxiliaire** ou précédé de l'auxiliaire **être**	Adjectif participe Prend le genre et le nombre du noyau (GNs) avec lequel il est en relation	*Des lettres* bien **rédigées** donnent une excellente image d'une entreprise. *Les portes* de ces bureaux **étaient fermées**.

TABLEAU 11.31 (SUITE)

PARTICIPE PASSÉ	ACCORD	EXEMPLES
Employé avec l'auxiliaire **avoir**	Reçoit l'accord du complément direct quand celui-ci est placé avant (Posez la question Qui? ou Quoi? après le participe.) **Invariable** si le complément direct est placé après	Cette lettre *nous* a rassurés. (A rassuré qui? Quelqu'un. Nous.) Cette lettre nous a **apporté** *un grand réconfort* (A apporté quoi? Quelque chose. Un grand réconfort.)
Participe en **is, it, i, ie, ies** ou verbe en **it** Participe en **us, ut, u, ue, ues** ou verbe en **ut**	Pour connaître la terminaison, mettez ce participe au féminin. Si c'est un verbe en **it** ou en **ut**, remplacez-le par l'imparfait pour savoir s'il s'agit du participe passé ou de la 3ᵉ personne du passé simple.	Les renseignements *qu*'elle **a pris** sont complets (vérifications prises). Le projet *qu*'il **a vu** était original (lettre vue). Elle **prit** (prenait) le train pour se rendre au travail. Il **but** (buvait) un café corsé.
Suivi d'un infinitif	**Invariable** si le complément direct, placé avant le participe, ne fait pas l'action exprimée par l'infinitif **Variable** si le complément direct, placé avant le participe, fait l'action exprimée par l'infinitif	Ces immeubles, je les ai **vu** construire. (Ce ne sont pas les immeubles qui se sont construits.) Ces visiteurs, je *les* ai **vus repartir**. (Ce sont bien les visiteurs qui sont repartis.)
Précédé de **en**	**Généralement invariable** Reçoit le genre et le nombre du complément direct (que)	J'adore les livres; j'en **ai reçu** à mon anniversaire. Les nouvelles *que* j'en **ai reçues** sont bonnes. (« que » mis pour « Les nouvelles » est complément direct.)
Verbes impersonnels	**Invariable** *Exemples :* Il faut, il semble, il vaut mieux, etc.	Les orages qu'**il a fait**. Que de précautions **il a fallu** pour déplacer ces appareils!
Coûté, valu, pesé, couru, dormi, régné, vécu	Au sens figuré, **variable**, car il y a un complément direct Au sens propre, **invariable** (si complément circonstanciel de poids, de valeur, de temps)	Ces arguments, je *les* **ai pesés**. Les efforts *que* le travail **a coûtés**. Les dix kilos que ces sacs **ont pesé**. Les trente dollars que ce livre **a coûté**.
Dû, pu, su, cru, voulu	**Invariable** si le complément direct est un infinitif sous-entendu	Je n'ai pas fait toutes les démarches que j'**aurais pu** (faire).
Collectif suivi de son complément	**Invariable** ou **variable** selon le sens ou l'intention de l'auteur	Le groupe d'élèves que l'enseignant a rencontré (ou rencontrés).
Précédé de **l'**	**Invariable** lorsque l', complément direct, équivaut à une phrase (qui peut être sous-entendue) Dans les autres cas, reçoit le genre et le nombre du complément direct (avec l'antécédent de **l'**)	Cette méthode de travail est plus efficace que je ne l'aurais **cru** (qu'elle serait efficace). Cette usine, je l'**ai visitée** (l'usine).

TABLEAU 11.31 (SUITE)

PARTICIPE PASSÉ DES VERBES PRONOMINAUX	ACCORD	EXEMPLES
	Premier temps : déterminez s'il s'agit d'un verbe essentiellement pronominal (qui n'existe que sous la forme pronominale) ou occasionnellement pronominal. Deuxième temps : observez la règle d'accord propre à chacun d'eux.	
Participe passé d'un verbe essentiellement pronominal	Obligatoirement précédé de deux pronoms de la même personne : je me, tu te, il se, nous nous, vous vous, ils se *Exemples de verbes essentiellement pronominaux :* s'abstenir, s'acharner, s'avérer, s'empresser, s'enfuir, s'ensuivre, s'exclamer, se soucier, s'immiscer Reçoit le genre et le nombre du sujet	Ces employés **se** sont **absentés** plusieurs jours. **Nous nous** sommes **exclamés.** **Ils se** sont **abstenus** de voter.
Participe passé d'un verbe occasionnellement pronominal	Occasionnellement précédé de deux pronoms de la même personne **Variable** Reçoit le genre et le nombre du pronom réfléchi « se » (mis pour « elles ») quand celui-ci a la fonction de complément direct **Invariable** si le complément direct du verbe n'est pas le pronom réfléchi et s'il est placé après	Elles **se** sont **rencontrées.** Ils **se** sont **consultés** la semaine dernière. Elles **se** sont **égratigné les mains.** Ils **se** sont **donné rendez-vous.**

11.28 L'emploi de l'indicatif ou du subjonctif

Le mode subjonctif suit obligatoirement certaines locutions conjonctives de subordination.

Exemples : pourvu que, avant que, afin que, bien que, de crainte que, pour que, quel que, quoique, quoi que.

Dans certains cas, selon les nuances de la communication, le mode indicatif peut aussi être employé. Le tableau 11.32 donne quelques précisions à ce sujet.

TABLEAU 11.32

L'indicatif ou le subjonctif?

CAS ET NUANCES DE LA COMMUNICATION	INDICATIF OU SUBJONCTIF	EXEMPLES
Lorsqu'un fait est déclaré certain	Indicatif	Je cherche un bureau qui **a** une fenêtre. Je n'ai pas l'impression que **c'est** nécessaire.
Lorsque l'on affirme ce qui est souhaité	Subjonctif	Je cherche un bureau qui **ait** une fenêtre. Je n'ai pas l'impression que ce **soit** nécessaire.
Dans la majorité des subordonnées ayant une valeur d'obligation, de volonté, de possibilité, de désir, de regret, de crainte, de doute, d'interdiction	Subjonctif	Je crains qu'il ne **soit** trop tard. Je souhaite qu'ils **réussissent**. Je doute qu'elle **puisse** venir. Il faut que l'on **sache**... Je regrette qu'il **ait**...
Une subordonnée dont le subordonnant impose le subjonctif (*avant que, à moins que*, etc.)	Subjonctif	Je vous préviendrai avant qu'il ne **soit** trop tard.
Une subordonnée sujet qui commence par « que »	Subjonctif	Qu'il n'**ait** rien **dit** ne me surprend pas.

TABLEAU 11.33

L'accord des verbes, des participes passés et des adjectifs qui se rapportent aux raisons sociales

RAISON SOCIALE	ACCORD	EXEMPLES
Raison sociale précédée d'un déterminant	S'accorde en genre et en nombre	Le Mimosa vous invite à... Atout-risque s'est efforcé de... Prêtsplus annoncent...
Raison sociale non précédée d'un déterminant	S'accorde avec le premier mot s'il s'agit d'un nom ou avec le mot sous-entendu (compagnie, société)	Air Cosmos est renommé pour... ou renommée pour...
Raison sociale comprenant les expressions « et Fils », « et Associés » ou la perluète (&)	Prend la marque du pluriel	Coderre & Dubois sont heureux de... Paradis et Associés vous rappellent que...
Raison sociale dans une phrase	Dans plusieurs cas, il est à propos d'ajouter dans un texte continu le terme générique qui convient : la société, le quotidien, la boutique, l'entreprise, l'organisme.	Nous avons appris que *Les Nouvelles de l'heure* publient une chronique sur... La boutique Le Prélude vous offre...

11.29 *Les conjugaisons*

La grammaire distingue deux grandes conjugaisons. La première comprend les verbes dont la terminaison est en *–er*. Cette conjugaison compte le plus grand nombre de verbes. La deuxième comprend tous les autres verbes, dont la terminaison est en *–ir* (*finir, voir, recevoir*) ou en *–re* (*admettre, rendre, vivre*).

Les tableaux 11.34 à 11.37 vous aideront à conjuguer correctement vos verbes. Nous vous présentons les verbes « avoir » et « être », un verbe de la première conjugaison ainsi qu'un verbe de la deuxième conjugaison. Vous trouverez finalement, dans le tableau 11.38, la conjugaison de verbes fréquemment utilisés dans la correspondance d'affaires.

TABLEAU 11.34
La conjugaison du verbe « avoir »

INDICATIF		SUBJONCTIF	
Présent	**Passé composé**	**Présent**	**Passé**
J'ai	J'ai eu	Que j'aie	Que j'aie eu
Tu as	Tu as eu	Que tu aies	Que tu aies eu
Elle ou il a	Elle ou il a eu	Qu'elle ou il ait	Qu'elle ou il ait eu
Nous avons	Nous avons eu	Que nous ayons	Que nous ayons eu
Vous avez	Vous avez eu	Que vous ayez	Que vous ayez eu
Elles ou ils ont	Elles ou ils ont eu	Qu'elles ou ils aient	Qu'elles ou ils aient eu
		Imparfait	**Plus-que-parfait**
Imparfait	**Plus-que-parfait**	Que j'eusse	Que j'eusse eu
J'avais	J'avais eu	Que tu eusses	Que tu eusses eu
Tu avais	Tu avais eu	Qu'elle ou il eût	Qu'elle ou il eût eu
Elle ou il avait	Elle ou il avait eu	Que nous eussions	Que nous eussions eu
Nous avions	Nous avions eu	Que vous eussiez	Que vous eussiez eu
Vous aviez	Vous aviez eu	Qu'elles ou ils eussent	Qu'elles ou ils eussent eu
Elles ou ils avaient	Elles ou ils avaient eu		
		IMPÉRATIF	
		Présent	**Passé**
Passé simple	**Passé antérieur**	Aie	Aie eu
J'eus	J'eus eu	Ayons	Ayons eu
Tu eus	Tu eus eu	Ayez	Ayez eu
Elle ou il eut	Elle ou il eut eu		
Nous eûmes	Nous eûmes eu	INFINITIF	PARTICIPE
Vous eûtes	Vous eûtes eu	**Présent**	**Présent**
Elles ou ils eurent	Elles ou ils eurent eu	Avoir	Ayant
		Passé	**Passé**
Futur simple	**Futur antérieur**	Avoir eu	Ayant eu
J'aurai	J'aurai eu		
Tu auras	Tu auras eu		
Elle ou il aura	Elle ou il aura eu		
Nous aurons	Nous aurons eu		
Vous aurez	Vous aurez eu		
Elles ou ils auront	Elles ou ils auront eu		
Conditionnel présent	**Conditionnel passé**		
J'aurais	J'aurais eu		
Tu aurais	Tu aurais eu		
Elle ou il aurait	Elle ou il aurait eu		
Nous aurions	Nous aurions eu		
Vous auriez	Vous auriez eu		
Elles ou ils auraient	Elles ou ils auraient eu		

TABLEAU 11.35
La conjugaison du verbe « être »

INDICATIF		SUBJONCTIF	
Présent	**Passé composé**	**Présent**	**Passé**
Je suis	J'ai été	Que je sois	Que j'aie été
Tu es	Tu as été	Que tu sois	Que tu aies été
Elle ou il est	Elle ou il a été	Qu'elle ou il soit	Qu'elle ou il ait été
Nous sommes	Nous avons été	Que nous soyons	Que nous ayons été
Vous êtes	Vous avez été	Que vous soyez	Que vous ayez été
Elles ou ils sont	Elles ou ils ont été	Qu'elles ou ils soient	Qu'elles ou ils aient été
		Imparfait	**Plus-que-parfait**
Imparfait	**Plus-que-parfait**	Que je fusse	Que j'eusse été
J'étais	J'avais été	Que tu fusses	Que tu eusses été
Tu étais	Tu avais été	Qu'elle ou il fût	Qu'elle ou il eût été
Elle ou il était	Elle ou il avait été	Que nous fussions	Que nous eussions été
Nous étions	Nous avions été	Que vous fussiez	Que vous eussiez été
Vous étiez	Vous aviez été	Qu'elles ou ils fussent	Qu'elles ou ils eussent été
Elles ou ils étaient	Elles ou ils avaient été		

IMPÉRATIF	
Présent	**Passé**
Sois	Aie été
Soyons	Ayons été
Soyez	Ayez été

Passé simple	**Passé antérieur**
Je fus	J'eus été
Tu fus	Tu eus été
Elle ou il fut	Elle ou il eut été
Nous fûmes	Nous eûmes été
Vous fûtes	Vous eûtes été
Elles ou ils furent	Elles ou ils eurent été

INFINITIF	PARTICIPE
Présent	**Présent**
Être	Étant
Passé	**Passé**
Avoir été	Ayant été

Futur simple	**Futur antérieur**
Je serai	J'aurai été
Tu seras	Tu auras été
Elle ou il sera	Elle ou il aura été
Nous serons	Nous aurons été
Vous serez	Vous aurez été
Elles ou ils seront	Elles ou ils auront été

Conditionnel présent	**Conditionnel passé**
Je serais	J'aurais été
Tu serais	Tu aurais été
Elle ou il serait	Elle ou il aurait été
Nous serions	Nous aurions été
Vous seriez	Vous auriez été
Elles ou ils seraient	Elles ou ils auraient été

TABLEAU 11.36

La conjugaison du verbe «aimer»

INDICATIF		SUBJONCTIF	
Présent	**Passé composé**	**Présent**	**Passé**
J'aime	J'ai aimé	Que j'aime	Que j'aie aimé
Tu aimes	Tu as aimé	Que tu aimes	Que tu aies aimé
Elle ou il aime	Elle ou il a aimé	Qu'elle ou il aime	Qu'elle ou il ait aimé
Nous aimons	Nous avons aimé	Que nous aimions	Que nous ayons aimé
Vous aimez	Vous avez aimé	Que vous aimiez	Que vous ayez aimé
Elles ou ils aiment	Elles ou ils ont aimé	Qu'elles ou ils aiment	Qu'elles ou ils aient aimé
Imparfait	**Plus-que-parfait**	**Imparfait**	**Plus-que-parfait**
J'aimais	J'avais aimé	Que j'aimasse	Que j'eusse aimé
Tu aimais	Tu avais aimé	Que tu aimasses	Que tu eusses aimé
Elle ou il aimait	Elle ou il avait aimé	Qu'elle ou il aimât	Qu'elle ou il eût aimé
Nous aimions	Nous avions aimé	Que nous aimassions	Que nous eussions aimé
Vous aimiez	Vous aviez aimé	Que vous aimassiez	Que vous eussiez aimé
Elles ou ils aimaient	Elles ou ils avaient aimé	Qu'elles ou ils aimassent	Qu'elles ou ils eussent aimé

IMPÉRATIF	
Présent	**Passé**
Aime	Aie aimé
Aimons	Ayons aimé
Aimez	Ayez aimé

Passé simple / **Passé antérieur**

Passé simple	**Passé antérieur**
J'aimai	J'eus aimé
Tu aimas	Tu eus aimé
Elle ou il aima	Elle ou il eut aimé
Nous aimâmes	Nous eûmes aimé
Vous aimâtes	Vous eûtes aimé
Elles ou ils aimèrent	Elles ou ils eurent aimé

INFINITIF	PARTICIPE
Présent	**Présent**
Aimer	Aimant
Passé	**Passé**
Avoir aimé	Ayant aimé

Futur simple	**Futur antérieur**
J'aimerai	J'aurai aimé
Tu aimeras	Tu auras aimé
Elle ou il aimera	Elle ou il aura aimé
Nous aimerons	Nous aurons aimé
Vous aimerez	Vous aurez aimé
Elles ou ils aimeront	Elles ou ils auront aimé

Conditionnel présent	**Conditionnel passé**
J'aimerais	J'aurais aimé
Tu aimerais	Tu aurais aimé
Elle ou il aimerait	Elle ou il aurait aimé
Nous aimerions	Nous aurions aimé
Vous aimeriez	Vous auriez aimé
Elles ou ils aimeraient	Elles ou ils auraient aimé

TABLEAU 11.37
La conjugaison du verbe « finir »

INDICATIF		SUBJONCTIF	
Présent	**Passé composé**	**Présent**	**Passé**
Je finis	J'ai fini	Que je finisse	Que j'aie fini
Tu finis	Tu as fini	Que tu finisses	Que tu aies fini
Elle ou il finit	Elle ou il a fini	Qu'elle ou il finisse	Qu'elle ou il ait fini
Nous finissons	Nous avons fini	Que nous finissions	Que nous ayons fini
Vous finissez	Vous avez fini	Que vous finissiez	Que vous ayez fini
Elles ou ils finissent	Elles ou ils ont fini	Qu'elles ou ils finissent	Qu'elles ou ils aient fini
Imparfait	**Plus-que-parfait**	**Imparfait**	**Plus-que-parfait**
Je finissais	J'avais fini	Que je finisse	Que j'eusse fini
Tu finissais	Tu avais fini	Que tu finisses	Que tu eusses fini
Elle ou il finissait	Elle ou il avait fini	Qu'elle ou il finît	Qu'elle ou il eût fini
Nous finissions	Nous avions fini	Que nous finissions	Que nous eussions fini
Vous finissiez	Vous aviez fini	Que vous finissiez	Que vous eussiez fini
Elles ou ils finissaient	Elles ou ils avaient fini	Qu'elles ou ils finissent	Qu'elles ou ils eussent fini

IMPÉRATIF	
Passé simple	**Passé antérieur**

INDICATIF (suite)		IMPÉRATIF	
Passé simple	**Passé antérieur**	**Présent**	**Passé**
Je finis	J'eus fini	Finis	Aie fini
Tu finis	Tu eus fini	Finissons	Ayons fini
Elle ou il finit	Elle ou il eut fini	Finissez	Ayez fini
Nous finîmes	Nous eûmes fini		
Vous finîtes	Vous eûtes fini	INFINITIF	PARTICIPE
Elles ou ils finirent	Elles ou ils eurent fini		

INFINITIF	PARTICIPE
Présent	**Présent**
Finir	Finissant
Passé	**Passé**
Avoir fini	Ayant fini

Futur simple	**Futur antérieur**
Je finirai	J'aurai fini
Tu finiras	Tu auras fini
Elle ou il finira	Elle ou il aura fini
Nous finirons	Nous aurons fini
Vous finirez	Vous aurez fini
Elles ou ils finiront	Elles ou ils auront fini

Conditionnel présent	**Conditionnel passé**
Je finirais	J'aurais fini
Tu finirais	Tu aurais fini
Elle ou il finirait	Elle ou il aurait fini
Nous finirions	Nous aurions fini
Vous finiriez	Vous auriez fini
Elles ou ils finiraient	Elles ou ils auraient fini

TABLEAU 11.38

La conjugaison des verbes les plus utilisés dans la correspondance d'affaires

INFINITIF	INDICATIF			SUBJONCTIF	IMPÉRATIF	PARTICIPE
PRÉSENT	PRÉSENT	IMPARFAIT	FUTUR	PRÉSENT	PRÉSENT	PASSÉ
Accroître	J'accroîs Nous accroissons	J'accroissais Nous accroissions	J'accroîtrai Nous accroîtrons	Que j'accroisse Que nous accroissions	Accroîs Accroissons	Accrue, accrû
Acquérir	J'acquiers Nous acquérons	J'acquérais Nous acquérions	J'acquerrai Nous acquerrons	Que j'acquière Que nous acquérions	Acquiers Acquérons	Acquise, acquis
Admettre	J'admets Nous admettons	J'admettais Nous admettions	J'admettrai Nous admettrons	Que j'admette Que nous admettions	Admets Admettons	Admise, admis
Apercevoir	J'aperçois Nous apercevons	J'apercevais Nous apercevions	J'apercevrai Nous apercevrons	Que j'aperçoive Que nous apercevions	Aperçois Apercevons	Aperçue, aperçu
Conclure	Je conclus Nous concluons	Je concluais Nous concluions	Je conclurai Nous conclurons	Que je conclue Que nous concluions	Conclus Concluons	Conclue, conclu
Connaître	Je connais Nous connaissons	Je connaissais Nous connaissions	Je connaîtrai Nous connaîtrons	Que je connaisse Que nous connaissions	Connais Connaissons	Connue, Connu
Consentir	Je consens Nous consentons	Je consentais Nous consentions	Je consentirai Nous consentirons	Que je consente Que nous consentions	Consens Consentons	Consentie, consenti
Convaincre	Je convaincs Nous convainquons	Je convainquais Nous convainquions	Je convaincrai Nous convaincrons	Que je convainque Que nous convainquions	Convaincs Convainquons	Convaincue, convaincu
Correspondre	Je corresponds Nous correspondons	Je correspondais Nous correspondions	Je correspondrai Nous correspondrons	Que je corresponde Que nous correspondions	Corresponds Correspondons	Correspondue, correspondu
Courir	Je cours Nous courons	Je courais Nous courions	Je courrai Nous courrons	Que je coure Que nous courions	Cours Courons	Courue, couru
Craindre	Je crains Nous craignons	Je craignais Nous craignions	Je craindrai Nous craindrons	Que je craigne Que nous craignions	Crains Craignons	Crainte, craint
Dire	Je dis Nous disons	Je disais Nous disions	Je dirai Nous dirons	Que je dise Que nous disions	Dis Disons	Dite, dit
Envoyer	J'envoie Nous envoyons	J'envoyais Nous envoyions	J'enverrai Nous enverrons	Que j'envoie Que nous envoyions	Envoie Envoyons	Envoyée, envoyé
Faire	Je fais Nous faisons	Je faisais Nous faisions	Je ferai Nous ferons	Que je fasse Que nous fassions	Fais Faisons	Faite, fait
Falloir	Il faut	Il fallait	Il faudra	Qu'il faille	–	Fallu
Inclure	J'inclus Nous incluons	J'incluais Nous incluions	J'inclurai Nous inclurons	Que j'inclue Que nous incluions	Inclus Incluons	Incluse, inclus
Mettre	Je mets Nous mettons	Je mettais Nous mettions	Je mettrai Nous mettrons	Que je mette Que nous mettions	Mets Mettons	Mise, mis
Pouvoir	Je peux, je puis Nous pouvons	Je pouvais Nous pouvions	Je pourrai Nous pourrons	Que je puisse Que nous puissions	–	Pu
Prendre	Je prends Nous prenons	Je prenais Nous prenions	Je prendrai Nous prendrons	Que je prenne Que nous prenions	Prends Prenons	Prise, pris
Recevoir	Je reçois Nous recevons	Je recevais Nous recevions	Je recevrai Nous recevrons	Que je reçoive Que nous recevions	Reçois Recevons	Reçue, reçu

TABLEAU 11.38 (SUITE)

INFINITIF	INDICATIF			SUBJONCTIF	IMPÉRATIF	PARTICIPE
PRÉSENT	PRÉSENT	IMPARFAIT	FUTUR	PRÉSENT	PRÉSENT	PASSÉ
Rendre	Je rends Nous rendons	Je rendais Nous rendions	Je rendrai Nous rendrons	Que je rende Que nous rendions	Rends Rendons	Rendue, rendu
Résoudre	Je résous Nous résolvons	Je résolvais Nous résolvions	Je résoudrai Nous résoudrons	Que je résolve Que nous résolvions	Résous Résolvons	Résolue, résolu
Résulter	Il résulte	Il résultait	Il résultera	Qu'il résulte	–	Résulté
Rompre	Je romps Nous rompons	Je rompais Nous rompions	Je romprai Nous romprons	Que je rompe Que nous rompions	Romps Rompons	Rompue, rompu
Savoir	Je sais Nous savons	Je savais Nous savions	Je saurai Nous saurons	Que je sache Que nous sachions	Sache Sachons	Sue, su
Suffire	Je suffis Nous suffisons	Je suffisais Nous suffisions	Je suffirai Nous suffirons	Que je suffise Que nous suffisions	Suffis Suffisons	Suffi
Suivre	Je suis Nous suivons	Je suivais Nous suivions	Je suivrai Nous suivrons	Que je suive Que nous suivions	Suis Suivons	Suivie, suivi
Tenir	Je tiens Nous tenons	Je tenais Nous tenions	Je tiendrai Nous tiendrons	Que je tienne Que nous tenions	Tiens Tenons	Tenue, tenu
Valoir	Je vaux Nous valons	Je valais Nous valions	Je vaudrai Nous vaudrons	Que je vaille Que nous valions	Vaux Valons	Value, valu
Vendre	Je vends Nous vendons	Je vendais Nous vendions	Je vendrai Nous vendrons	Que je vende Que nous vendions	Vends Vendons	Vendue, vendu
Voir	Je vois Nous voyons	Je voyais Nous voyions	Je verrai Nous verrons	Que je voie Que nous voyions	Vois Voyons	Vue, vu
Vouloir	Je veux Nous voulons	Je voulais Nous voulions	Je voudrai Nous voudrons	Que je veuille Que nous voulions	Veux, veuille Voulons, veuillons	Voulue, voulu

11.30 *Les difficultés orthographiques et les mots invariables*

Vous trouverez deux listes de mots dans les tableaux 11.39 et 11.40. La première liste contient des mots qui présentent des difficultés orthographiques, tandis que la seconde inclut plusieurs mots invariables d'usage courant.

Les difficultés orthographiques

Voici une liste de mots présentant des difficultés orthographiques. C'est par l'observation et la mémorisation que vous parviendrez à les écrire correctement.

TABLEAU 11.39
Des difficultés orthographiques

A
Accueil
Accoler
Acompte
Adhérant (Part. prés.)
Adhérent (Adj part.)
Adresse
Affluence
Affolement
Affoler
Alléger
Alourdir
Annulation
Annuler
Appeler
Attraper

B
Bonhomie
Boni
Bonifier

C
Ceindre
Certes
Chaos
Chaotique
Chariot
Colonne
Concourir
Concurrence
Concurrent
Confidence
Confidentiel
Consonance
Consonne
Controverse
Cote
Côte
Côté
Courir
Courrier

D
Débonnaire
Délai
Déposer
Dépôt
Diffamer
Différence
Différend (N)
Différent (Adj)
Différentiel
Dilemme
Discussion
Discutable
Discuter
Dissous, dissoute
Divergence
Dixième
Dizaine
Donateur
Donation
Donner
Donneur

E
Éligibilité
Émerger
Équivalant (Part. prés.)
Équivalence
Équivalent (Adj part.)
Erroné
Essentiel
Éthique
Excellant (Part. prés.)
Excellence
Excellent (Adj part.)
Exigeant (Part. prés. et Adj part.)
Exigence
Expansion

F
Faisabilité
Fluctuation
Forfaitaire
Fréquence

G
Garantie
Grâce
Gracieux
Gratifier

H
Honneur
Honorable
Honoraires (rémunération)
Honorer

I
Immiscer (s')
Indemne
Infatigable
Inoccupé
Insatisfaisant
Intérim
Invincible

L
Lacune
Langage
Licenciement

M
Malentendu
Millionième
Millionnaire
Monétaire
Monnaie

N
Négligeant (Part. prés.)
Négligence
Négligent (Adj part.)
Nominal
Nomination
Nommément
Nommer
Nullité

O
Occurrence
Opportun

P
Parmi
Parité
Patronage
Patronal
Patronner
Patronnesse
Permanence
Préférence
Préférentiel
Présidant (Part. prés.)
Présidence
Président
Présidentiel
Professionnel

Q
Quorum
Quittance
Quota

R
Rappeler
Rationalité
Rationnel
Réflexion
Rémunération
Résidant (Part. prés.)
Résidence
Résident
Résonance
Réticence

S
Salle
Salon
Session
Sonner
Sonnette
Sonore
Sonorité
Substance
Substantiel
Succinct

T
Tacite
Trombone

Les mots invariables

Nous vous présentons une liste de mots invariables d'usage courant dont la connaissance peut vous être fort utile dans la correspondance d'affaires. Nous vous invitons à les mémoriser.

TABLEAU 11.40
Des mots invariables

A
Ailleurs
Ainsi
Alors
Après
Assez
Au-dessous
Au-dessus
Aujourd'hui
Auparavant
Auprès
Aussi
Aussitôt
Autant
Autrefois
Avant

B
Beaucoup
Bientôt

C
Cependant
Certes
Chez
Combien

D
D'abord
Dans
Davantage
Dedans

Dehors
Demain
Depuis
Dès lors
Désormais
Dès que
Dessous
Dessus
Devant
Dorénavant
Durant

E
En sus
Envers
Exprès

F
Fois

G
Gré
Guère

H
Hier
Hormis
Hors

J
Jadis
Jamais

L
Loin
Longtemps
Lors
Lorsque

M
Maintenant
Mais
Malgré
Mieux
Moins

N
Naguère
Néanmoins
Nulle part

P
Par-dessus
Parfois
Parmi
Pendant
Plus
Plusieurs
Pourtant
Près
Printemps
Puis

Q
Quand
Quelquefois

S
Sans
Selon
Sitôt
Sous

T
Tant
Tantinet
Tant mieux
Tantôt
Tant pis
Temps
Tôt
Toujours
Toutefois
Travers
Très
Trop

V
Vers
Volontiers
Voire

Annexes

---

1. Je désire remercier Mmes Rachèle Francœur et Béatrice Stordeur-Dom, qui m'ont permis d'utiliser le plan de classification présenté dans leur volume *La gestion de documents* (Montréal, Chenelière/ McGraw-Hill, 1995).

Annexe I
Tableau récapitulatif des abréviations et des symboles utilisés dans la nouvelle grammaire

Classes de mots	Groupes de mots	Groupes constituants de la phrase	Fonctions syntaxiques
Adj adjectif	GAdj groupe adjectival	GCompl. de P groupe complément de phrase	Attr. du Compl. dir. du V attribut du complément direct du verbe
Adj part. adjectif participe	GAdv groupe adverbial	GNs groupe nominal sujet	Attr. du s attribut du sujet
Adv adverbe	GInf groupe infinitif	GV groupe verbal	Compl. de l'Adj complément de l'adjectif
Conj Conjonction	GN groupe nominal		Compl. de P complément de phrase
Dét déterminant	GPart groupe participial		Compl. dir. du V complément direct du verbe
N Nom	GPrép groupe prépositionnel		Compl. du N complément du nom
Prép préposition	GV groupe verbal		Compl. du présent. complément du présentatif
Pron pronom			Compl. du Pron complément du pronom
V verbe			Compl. du V complément du verbe

Classes de mots	Groupes de mots	Groupes constituants de la phrase	Fonctions syntaxiques
			Compl. du V impers. complément du verbe impersonnel
			Compl. du V passif complément du verbe passif
			Compl. ind. du V complément indirect du verbe
			Coord. coordonnant
			Modif. modificateur
			s sujet
			Subord. subordonnant

Annexe II
Plan de classification des documents

100 **Documents sous la responsabilité de l'ADMINISTRATION GÉNÉRALE**

101 HISTOIRE DE L'ENTREPRISE

    01 – origine
    02 – charte et lettres patentes
    03 – statut et mandat
    04 – cérémonies officielles

102 SYSTÈME ORGANISATIONNEL

    01 – organigramme
    02 – délégation des pouvoirs
    03 – rôles et fonctions
    04 – objectifs et orientations

103 POLITIQUES ET PROCÉDURES

    01 – frais de déplacement
    02 – transfert de documents
    03 – sécurité au travail
    04 – affichage de poste

104 COMITÉS, RÉUNIONS, ASSEMBLÉES

    01 – conseil d'administration
    02 – relations de travail
    03 – perfectionnement

Tous les procès-verbaux, les avis de convocation et les ordres du jour sont inclus dans les dossiers des comités, des réunions et des assemblées.

105 LÉGISLATIONS ET RÉGLEMENTATIONS

    01 – avis juridiques
    02 – poursuites judiciaires
    10 – instances provinciales
    11 – instances fédérales
    12 – instances municipales
    13 – instances internationales

Indiquer les lois liées aux différents paliers de gouvernement.

106 | REPRÉSENTATION ET DÉLÉGATION

    01 –   organismes municipaux
    02 –   gouvernements
    03 –   compagnies et entreprises
    04 –   associations
    05 –   échanges économiques

107 | RAPPORTS ADMINISTRATIFS

    01 –   rapport annuel du conseil d'administration
    02 –   rapport d'activités de chacune des unités
    03 –   rapports financiers
    04 –   rapport des vérificateurs

Identifier chaque rapport.

110 | RELATIONS PUBLIQUES

    01 –   conférences
    02 –   congrès
    03 –   colloques
    04 –   médias
    05 –   expositions

120 | RELATIONS EXTÉRIEURES

    01 –   visites culturelles
    02 –   abonnements
    03 –   demandes d'information
    04 –   voyages d'affaires

130 | GESTION DE L'INFORMATION

    10 –   accès à l'information
    11 –   publications internes
    12 –   traitement des données
    13 –   réseaux de télécommunications
    14 –   imprimés administratifs
    15 –   reprographie
    16 –   avis, directives à tout le personnel

140 | GESTION DE DOCUMENTS

    01 –   analyse des besoins
    02 –   inventaire des documents
    03 –   classification des documents
    04 –   transfert des documents
    05 –   conservation des documents
    06 –   support de conservation

150 | STATISTIQUES

Identifier au nom de chaque statistique.

200 Documents sous la responsabilité des RESSOURCES HUMAINES

210 DOTATION ET ORGANISATION

01 – affichage de poste
02 – avis de concours
03 – sélection
04 – demande d'emploi
05 – évaluation
06 – détermination des effectifs
07 – prêt de services

211 MOUVEMENTS DU PERSONNEL

01 – engagement
02 – affectation
03 – promotion
04 – mutation
05 – congédiement
06 – abolition de poste
07 – mise à pied temporaire
08 – cessation d'emploi

213 CONDITIONS DE TRAVAIL

10 – évaluation des tâches
11 – description de tâches
12 – convention collective
13 – horaires de travail
14 – avantages sociaux
15 – griefs
16 – santé et sécurité

214 CONGÉS

10 – vacances annuelles
11 – jours fériés
12 – congés de maternité
13 – congés sans solde
14 – traitement différé
15 – congés flexibles

215 NORMES SALARIALES

10 – évaluation de la scolarité et de l'expérience
11 – échelle de salaires
12 – taux horaire
13 – taux fixe
14 – taux à la pièce
15 – déclaration de temps

220 | DOSSIERS DU PERSONNEL

Tous les documents s'y rapportant au nom de chaque employé.

230 | ASSURANCE COLLECTIVE

01 – adhésion
02 – refus
03 – santé
04 – soins professionnels
05 – salaire
06 – vie

240 | SALAIRE DU PERSONNEL

10 – registre des salaires
11 – paiements et déductions
12 – ajustement de salaire
13 – saisie de salaire

250 | FORMATION ET PERFECTIONNEMENT

10 – demande de perfectionnement
11 – cours de formation en entreprise
12 – stage en milieu de travail
13 – perfectionnement en bureautique
14 – séminaire de développement personnel

260 | ACTIVITÉS SOCIALES

01 – fête des retraités
02 – événements spéciaux

300 Documents sous la responsabilité des
RESSOURCES FINANCIÈRES

305 BUDGET

10 – analyse et planification
11 – prévisions budgétaires
12 – approbations budgétaires
13 – répartitions budgétaires
14 – suivis budgétaires

310 DÉCLARATION DES REVENUS

01 – comptes clients
02 – émissions d'obligations
03 – subventions
04 – intérêts

315 DÉCLARATION DES DÉPENSES COURANTES

01 – frais de déplacement
02 – frais de représentation
03 – frais de perfectionnement

320 DOSSIERS DES COMPTES FOURNISSEURS

Tous les documents s'y rapportant au nom
de chaque fournisseur.

330 DÉCLARATION FISCALE

10 – niveau provincial
11 – niveau fédéral
12 – niveau municipal
13 – échelle internationale

340 OPÉRATIONS BANCAIRES

10 – relevés bancaires
11 – conciliations bancaires
12 – marges de crédit

345 EMPRUNTS

01 – à long terme
02 – à court terme
03 – intérêts

350 ÉTATS FINANCIERS

01 – approbation du conseil d'administration
02 – approbation des vérificateurs

400 Documents sous la responsabilité des
RESSOURCES MATÉRIELLES ET IMMOBILIÈRES

410 ORGANISATION MATÉRIELLE

01 – locaux
02 – espaces
03 – meubles

420 AMÉNAGEMENT, RÉNOVATION, AGRANDISSEMENT, CONSTRUCTION

10 – locaux
11 – parcs
12 – aires de repos
13– stationnement

430 ENTRETIEN GÉNÉRAL

10 – micro-ordinateurs
11 – éclairage
12 – chauffage
13 – ventilation
14 – entretien ménager
15 – terrains

440 SÉCURITÉ DES LIEUX

01 – inscription des visiteurs
02 – gardiens de sécurité
03 – système d'alarme
04 – système vidéo de surveillance

450 FOURNITURES ET MATÉRIEL

À classer selon le nom des fournitures et du matériel acquis.

460 TITRES ET PROPRIÉTÉS

01 – édifices
02 – terrains

À classer selon le nom de chaque édifice et de chaque terrain.

465 ASSURANCES

10 – protection civile
11 – incendie
12 – vol, vandalisme
13 – responsabilité civile

500	Documents sous la responsabilité de la **DIRECTION DU SERVICE-CONSEIL**

510	MESURES ENVIRONNEMENTALES

01 – orientation et recommandations
02 – analyses en laboratoire
03 – prévention
04 – protection

520	NORMES ET STANDARDS

10 – niveau provincial
11 – niveau fédéral
12 – niveau municipal
13 – échelle internationale

530	PARTENARIAT ET LEADERSHIP

10 – associations d'affaires
11 – entreprises
12 – industries
13 – sociétés
14 – pays

540	RECHERCHE ET DÉVELOPPEMENT

01 – foresterie
02 – chimie
03 – physique
04 – eaux et sols contaminés
05 – biologie
06 – génie civil

545	BREVETS D'INVENTION

10 – demandes
11 – enregistrement
12 – approbation

À classer selon le nom de chaque brevet.

600 Documents sous la responsabilité de la DIRECTION DU MARKETING

610 SERVICE À LA CLIENTÈLE

01 – demandes de renseignements sur les produits
02 – demandes de renseignements sur la facturation
03 – réclamations
04 – commandes

620 ENTENTES COMMERCIALES

10 – au niveau national
11 – à l'échelle internationale

630 ÉTUDES DE MARCHÉ

10 – recherches et stratégies
11 – orientation et planification
12 – comportement du consommateur
13 – analyse des prix

640 PUBLICITÉ

01 – promotion
02 – enquêtes
03 – sondages
04 – expositions
05 – médias
06 – concours

650 DOSSIERS DES CLIENTS

Tous les documents s'y rapportant au nom de chaque client.

660 RAPPORTS DES VENTES

10 – prévisions des ventes
11 – mensuels
12 – statistiques
13 – par territoire national
14 – par territoire international

Bibliographie

BERGERON, Réal, et Godelieve de KONINCK (sous la direction de). « La grammaire au cœur du texte », *Québec français*, numéro hors série, Les Publications Québec français, 4e trimestre, Québec, 1999.

BLED, Édouard, et Odette BLED. *Cours supérieur d'orthographe,* nouv. éd. rév., Paris, Hachette, 1992, 288 p.

BOUDRIAU, Stéphane. *Le CV par compétences,* Montréal, Les Éditions transcontinentales inc., 2000, 270 p.

BOULANGER, Aline, Suzanne FRANCŒUR et autres. *Construire la grammaire,* Montréal, Éditions de la Chenelière, 1999, 362 p.

BROUSSEAU, André, et coll. *Le français pour l'essentiel,* 2e éd., Laval, Mondia, 1994, 338 p.

CAJOLET-LAGANIÈRE, Hélène, Pierre COLLINGE et Gérard LAGANIÈRE. *Rédaction technique, administrative et scientifique,* 3e éd. entièrement revue et augmentée, Sherbrooke, Éditions Laganière enr., 1997, 468 p.

CHARTRAND, Suzanne, et autres. *Grammaire pédagogique du français d'aujourd'hui,* Boucherville, Éditions Graficor, 1999, 400 p.

CHARTRAND, Suzanne, et collectif. *Pour un nouvel enseignement de la grammaire,* nouv. éd. revue et augmentée, Montréal, Les éditions Logiques, 1996, 447 p.

CLAS, André, et Paul A. HORGUELIN. *Le français, langue des affaires,* 3e éd., Montréal, McGraw-Hill, 1991, 422 p.

CLÉMENT, Gaétan. *Activités en grammaire nouvelle,* Université de Sherbrooke, Faculté d'éducation, Performa, 2002, 71 p.

DELISLE, Carole. *Force de loi,* Montréal, Chenelière/McGraw-Hill, 2002, 206 p.

DELISLE, Yvon. *Mieux dire, mieux écrire,* Sainte-Foy, Les éditions Septembre inc., 1997, 64 p.

DESROSIERS, Monique. *Question d'adresse,* Montréal, Chenelière/McGraw-Hill, 2000, 150 p.

EMPLOI ET IMMIGRATION CANADA. *Se trouver un emploi sur le marché du travail d'aujourd'hui,* 1993, 63 p.

FAYET, Michelle, et Aline NISHIMATA. *Savoir rédiger le courrier d'entreprise,* nouv. éd., Paris, Les Éditions d'Organisation, 1988, 256 p.

FOREST, Constance, et Denise BOUDREAU. *Le Colpron : le dictionnaire des anglicismes,* Laval, Beauchemin, 1999, 381 p.

FORTIER, Dominique, Sophie TRUDEAU, et autres. *L'essentiel et plus : une grammaire pour tous les jours,* Montréal, Les éditions CEC, 2000, 140 p.

GARNEAU, Jacques. *Pour réussir le test de français écrit des collèges et des universités,* Saint-Laurent, Trécarré, 1996, 172 p.

GREVISSE, Maurice. *La force de l'orthographe,* 3e éd. rev. par André Goosse, Louvain-la-Neuve, Duculot, 1996, 370 p.

GREVISSE, Maurice. *Le bon usage,* 13e éd. refondue par André Goosse, Louvain-la-Neuve, Duculot, 1993, 1762 p.

GREVISSE, Maurice. *Précis de grammaire française,* 30e éd., Louvain-la-Neuve, Duculot, 1995, 319 p.

GUÉNETTE, Louise, François LÉPINE et Renée Lise ROY. *Le français tout compris,* Saint-Laurent, Éditions du Renouveau Pédagogique, 1995, 114 p.

GUILLOTON, Noëlle, et Hélène CAJOLET-LAGANIÈRE. *Le français au bureau,* 4e éd., Sainte-Foy, Les Publications du Québec, « Guides de l'Office de la langue française », 1996, 400 p.

HANSE, Joseph. *Nouveau dictionnaire des difficultés du français moderne,* 3e éd. établie d'après les notes de l'auteur avec la collaboration scientifique de Daniel Blampain, Louvain-la-Neuve, Duculot, 1994, 983 p.

JEAN, Julie. *Bien disposée,* Montréal, Chenelière/McGraw-Hill, 2001, 119 p.

MAISONNEUVE, Huguette. *Vade-Mecum de la nouvelle grammaire,* Montréal, Centre collégial de développement de matériel didactique, mai 2003, 87 p.

MALO, Marie. *Guide de la communication écrite au cégep, à l'université et en entreprise,* Montréal, Québec Amérique, 1996, 322 p.

MORIN, Victor. *Procédure des assemblées délibérantes*, éd. rév. en fonction du nouveau Code civil du Québec, mise à jour par Michel Delorme, Laval, Beauchemin, 1994, 156 p.

RAMAT, Aurel. *Le Ramat de la typographie*, 5ᵉ éd., Saint-Lambert, Aurel Ramat, 2000, 223 p.

TANGUAY, Bernard. *L'art de ponctuer*, Montréal-Toronto, Chenelière/McGraw-Hill, 1996, 124 p.

VILLERS, Marie-Éva de. *La nouvelle grammaire en tableaux*, Montréal, Québec Amérique, 2003, 313 p.

DOCUMENTS ÉLECTRONIQUES

CENTRE COLLÉGIAL DE DÉVELOPPEMENT DE MATÉRIEL DIDACTIQUE, [en ligne]. [www.ccdmd.qc.ca/fr] (19 décembre 2003)

CLÉMENT, Gaétan. *Que la phrase se rhabille ! Maturation syntaxique*, [cédérom], Micro-Intel, 2001.

DICTIONNAIRES CONSULTÉS

BERTAUD DU CHAZAUD, Henri. *Dictionnaire des synonymes*, nouv. éd., Paris, Le Robert, « Les usuels du Robert poche », 1993, 738 p.

COLIN, Jean-Paul. *Dictionnaire des difficultés du français*, Paris, Le Robert, « Les usuels du Robert poche », 1994, 676 p.

LAROUSSE DE POCHE. *Le pratique du français*, 2ᵉ éd., Paris, Larousse, 1994, 544 p.

REY, Alain, et Sophie CHANTREAU. *Dictionnaire des expressions et locutions*, nouv. éd., Paris, Le Robert, « Les usuels du Robert poche », 1989, 1322 p.

ROBERT, Paul. *Le Nouveau Petit Robert : Dictionnaire alphabétique et analogique de la langue française*, nouv. éd. remaniée et amplifiée, Paris, Le Robert, 2002, 2949 p.

ROBERT, Paul. *Le Robert micro*, nouv. éd., Paris, Le Robert, 1998, 1506 p.

VILLERS, Marie-Éva de. *Multidictionnaire de la langue française*, 4ᵉ éd., Montréal, Québec Amérique, 2003, 1542 p.

Index